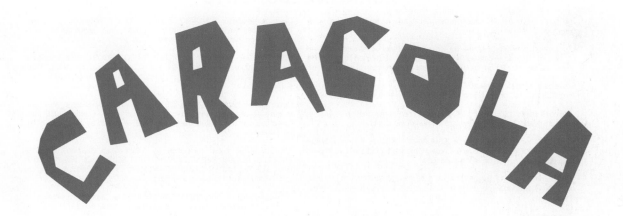

AUTORAS

María Acosta ❖ Alma Flor Ada ❖ Ramonita Adorno de Santiago ❖ JoAnn Canales ❖ Kathy Escamilla
Joanna Fountain-Schroeder ❖ Lada Josefa Kratky ❖ Sheron Long ❖ Elba Maldonado-Colón
Sylvia Cavazos Peña ❖ Rosalía Salinas ❖ Josefina Villamil Tinajero
María Emilia Torres-Guzmán ❖ Olga Valcourt-Schwartz

MACMILLAN/McGRAW-HILL SCHOOL PUBLISHING COMPANY
NEW YORK   CHICAGO   COLUMBUS

TEACHER REVIEWERS

Hilda Angiulo, Jeanne Cantú, Marina L. Cook, Hilda M. Davis, Dorothy Foster, Irma Gómez-Torres, Rosa Luján, Norma Martínez, Ana Pomar, Marta Puga

ACKNOWLEDGMENTS

The publisher gratefully acknowledges permission to reprint the following copyrighted material:

Cover permission for BETANIA by Ricardo Alcántara, illustrated by Irene Bordoy. © Ricardo Alcántara and Irene Bordoy. Published by Editorial Juventud, Barcelona (España) 1986. Reprinted by permission of the publisher.

Cover permission for CABALLITO BLANCO by Onelio Jorge Cardoso. © Onelio Jorge Cardoso. © Lóguez Ediciones. Reprinted by permission of the publisher.

"Cajas de cartón" by Francisco Jiménez from *The Bilingual Review*, Volume 4, Numbers 1 and 2, 1977. Used by permission of the author.

"Caracola" from CANCIONES Y POESÍA PARA NIÑOS by Federico García Lorca. © Heirs of Federico García Lorca. Published by Editorial Labor, S.A., 1975. Used by permission of the publisher.

"Como un recuerdo" from JUNTO AL ÁLAMO DE LOS SINSONTES by Emilio de Armas. © Ediciones Casa de las Américas, 1988. Used by permission of the publisher.

"Compañeros de equipo" translation of the entire text of TEAMMATES by Peter Golenbock, illustrations by Paul Bacon. Text copyright © 1990 by Peter Golenbock, illustrations copyright © 1990 Paul Bacon. Used and translated by permission of Harcourt Brace Jovanovich, Inc.

"Cortaron tres árboles" by Federico García Lorca from EL SILBO DEL AIRE edited by Arturo Medina. © Arturo Medina, 1965. Published by Editorial Vicens-Vives. Used by permission of the publisher.

"Cuento de la luna niña" from ILÁN-ILÁN by Ester Feliciano Mendoza. © Universidad de Puerto Rico, 1985. Published by Editorial de la Universidad de Puerto Rico. Used by permission of the publisher.

Cover permission for CUENTOS PARA CHICOS Y GRANDES by Hilda Perera. © Hilda Perera, 1980. © Susaeta Ediciones. Reprinted by permission of the publisher.

Cover permission for DONDE VIVEN LOS MONSTRUOS by Maurice Sendak. © 1963 by Maurice Sendak © 1984, Ediciones Alfaguara, S.A. © 1986, Altea, Taurus, Alfaguara, S.A. Reprinted by permission of the publisher.

Excerpt from "Ecopoemas" from NICANOR PARRA, ANTIPOEMS: NEW AND SELECTED edited by David Unger. © Editorial Universitaria, S.A., 1969. Copyright © 1985 by Nicanor Parra. Reprinted by permission of Editorial Universitaria and New Directions Publishing Corp.

"El gran regalo" from CUENTOS DEL AÑO 2100 by Aarón Cupit. © Aarón Cupit. Published by Doncel. Extensive research failed to locate the author and/or copyright holder of this work.

"Elobito" from CUENTA ESTRELLAS by Ricardo Alcántara. © Ricardo Alcántara, 1986. Published by Editorial Juventud. Used by permission of the publisher.

Cover permission for EL MUNDO DEL TÍO CONEJO by Rafael Rivero Oramas. Text © Rafael Rivero Oramas. © 1985 Ediciones Ekaré–Banco del Libro. Reprinted by permission of the publisher.

"El pintor de recuerdos" from EL PINTOR DE RECUERDOS by José Antonio del Cañizo, illustrated by Jesús Gabán. Text © José Antonio del Cañizo, 1986. Illustrations © Jesús Gabán, 1986. © Ediciones SM. Used by permission of the publisher.

Cover permission for EL VIAJE DE LOS PÁJAROS by Ricardo Alcántara, illustrated by Asun Esteban. © Ricardo Alcántara–Asun Esteban, 1988. Published by Editorial Juventud, Barcelona, 1988. Reprinted by permission of the publisher.

"Enseña a tus hijos" translation of "Teach your Children" from the PROCEEDINGS AND DEBATES OF THE FIRST SESSION OF THE 70th CONGRESS OF THE UNITED STATES OF AMERICA, Vol. LXIX, Part 8, Washington, D.C. United States Government Printing Office, 1928, page 8369.

"Esperanza marina" from POEMAS PARA NIÑOS by Cesáreo Rosa-Nieves. © Cesáreo Rosa-Nieves. Published by Ediciones Partenón, 1972. Used by permission of the publisher.

"La creación de una tribu de California: los relatos de los indios maidus que contaba el abuelo" translation of the entire text of THE CREATION OF A CALIFORNIA TRIBE: GRANDFATHER'S MAIDU INDIAN TALES by Lee Ann Smith-Trafzer and Clifford E. Trafzer. Copyright © 1988 by Lee Ann Smith-Trafzer and Clifford E. Trafzer. Published by Sierra Oaks Publishing Company and used and translated with their permission.

"La guitarra olvidadiza" from DISPARATARIO by Elsa Bornemann. © 1986 Ediciones Orión. Used by permission of the publisher.

"La piedra del zamuro" from LA PIEDRA DEL ZAMURO by Rafael Rivero Oramas, illustrated by Susana López. Text © Rafael Rivero Oramas. © 1981 Ediciones Ekaré–Banco del Libro. Used by permission of the publisher.

"La tarta de miel" from LOS BATAUTOS by Consuelo Armijo. © Consuelo Armijo, 1982. © Susaeta Ediciones. Used by permission of the author.

"Las bellas hijas de Mufaro" translation of the entire text of MUFARO'S BEAUTIFUL DAUGHTERS: AN AFRICAN TALE by John Steptoe. Copyright © 1987 by John Steptoe. Published by Lothrop, Lee & Shepard Books. English use by permission of William Morrow & Company, Inc., Publishers, New York. Translated and reproduced with permission of the Estate of John Steptoe. All Rights Reserved.

"Lección" by José Antonio Dávila from POESÍA PUERTORRIQUEÑA PARA LA ESCUELA ELEMENTAL by Carmen Gómez Tejera, Ana María Losada, Jorge Luis Porras. Copyright © 1958 by Estado Libre Asociado de Puerto Rico. Reprinted by permission of the publisher.

"Lechuza" from JAULA ABIERTA by Alberto Serret. © Alberto Serret, 1980. © Editorial Gente Nueva, 1980. Used by permission of the publisher.

(continued on page 495)

Macmillan/McGraw-Hill School Division
10 Union Square East
New York, New York 10003

Printed in the United States of America
ISBN 0-02-178009-9 / 4, L.10
  3 4 5 6 7 8 9 RRW 99 98 97 96 95 94

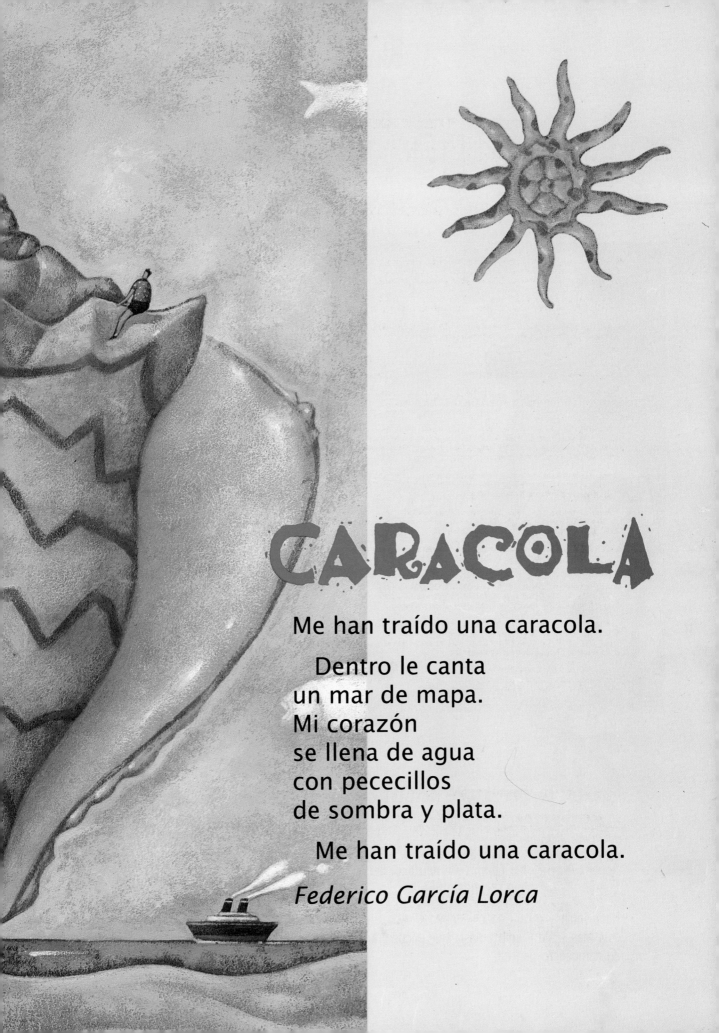

CARACOLA

Me han traído una caracola.

Dentro le canta
un mar de mapa.
Mi corazón
se llena de agua
con pececillos
de sombra y plata.

Me han traído una caracola.

Federico García Lorca

PIDE UN DESEO

¡Naturalmente!

HOMBRO CON HOMBRO

152
La tarta de miel

cuento
de Consuelo Armijo
Premio Lazarillo, 1974

Autora ganadora del Premio El Barco de Vapor, 1978

Los amigos batautos a veces no se comprenden, pero no hay nada que no se arregle con una buena merienda preparada con cariño.

168
Tatica

cuento
de Hilda Perera
Premio Lazarillo, 1975

Autora ganadora del Premio Lazarillo, 1978; Lista de Honor de la CCEI, 1981

Tatica y Ani tienen una amistad de las que no es fácil encontrar y no va a ser sencillo separar a estas amigas.

QUERER ES PODER

232
El gran regalo

cuento de ciencia ficción
de Aarón Cupit
Premio Lazarillo, 1972

Viaja con Ariel al año 2100 y verás que no hay nada mejor que la naturaleza.

212
Vuélvete verde: manual del niño para salvar el planeta

fragmento de un libro de ecología
de John Elkington, Julia Hailes,
Douglas Hill y Joel Makower
ilustraciones de Tony Ross
Libro Infantil Notable en el Área de Estudios Sociales, 1990

¿Sabías que muchas de las cosas que haces todos los días afectan el futuro de nuestro planeta? Entérate de lo que puedes hacer para ayudar a mantener el mundo verde y limpio.

POR AQUEL ENTONCES

332
Cajas de cartón

relato autobiográfico
de Francisco Jiménez
Premio de la revista *Arizona Quarterly*, 1973

Los vivos recuerdos de Panchito nos llevan de lugar en lugar, siguiendo las duras experiencias de los braceros en California.

Érase otra vez

384
Las bellas hijas de Mufaro

cuento del folklore africano
versión e ilustraciones de John Steptoe
**Mención de Honor *Boston Globe-Horn*, 1987;
Premio Coretta Scott King, 1988; Mención de
Honor Caldecott, 1988**

Dos bellas hermanas —una malvada y cruel
y la otra amable y servicial— toman el
mismo camino a la ciudad... pero tienen un
final de viaje muy distinto.

354
Yeh-Shen,
la Cenicienta de la China

cuento de hadas
versión de Ai-Ling Louie
ilustraciones de Ed Young
**Mejor Libro del Año del *School Library Journal*,
1982; Mención de Honor *Boston Globe-Horn*,
1983**

Ilustrador ganador de la Medalla Caldecott

En este cuento de la China, una joven supera
las maldades de su madrastra con la ayuda
de un pez mágico.

CONTENIDO

UNIDAD 1

PIDE UN DESEO

17

Nada más

Con esta moneda
me voy a comprar
un ramo de cielo
y un metro de mar,
un pico de estrella,
un sol de verdad,
un kilo de viento,
y nada más.

MARÍA ELENA WALSH

Elobito

UN PERSONAJE FANTÁSTICO

Ricardo Alcántara

A Elobito —pequeño personaje de los sueños— cada día que pasaba se le notaba más tristón y apagado. Incluso ya casi ni hablaba. Y no era para menos; cualquiera en su lugar hubiera estado apenado, porque, ¡vamos!, es muy duro para un sueño que nadie quiera soñar con él. Y eso era precisamente lo que le sucedía a Elobito. En cuanto aparecía en el escenario de los sueños, los durmientes se rascaban la cabeza, o se restregaban los ojos, o abanicaban el aire con la mano, como si espantaran moscas; entonces daban media vuelta en la cama y buscaban otros sueños con personajes más emocionantes.

Siempre igual: Elobito, por más buena voluntad que pusiera, acababa siendo rechazado.

Al principio, el pequeño se molestaba mucho cuando le pasaban esas cosas. Luego, poco a poco, se fue acostumbrando a ello y hasta llegó a convencerse de que la culpa era suya, pues él no era bonito, no sabía bailar ni cantar, y su ropa, para colmo, estaba demasiado gastada.

Elobito llegó a entender que la gente no quisiera soñar con él. Con los sueños hermosos que había, ¿para qué perder el tiempo con uno que no tenía gracia? Pero, aunque se esforzaba por comprenderlo, no por ello le dolía menos. Tanto, que cada noche, después de ir de habitación en habitación intentándolo en vano, pues de todas lo echaban, cabizbajo tomaba las desiertas y solitarias callejuelas rumbo al puerto. Se sentaba en el muelle con las piernecitas colgando y allí se quedaba oyendo la cadencia de las olas, mientras perseguía con la vista el ir y venir de las nubes y miraba las luces de los barcos reflejadas en el agua, aguardando así a que se encendiera el alba para poder marcharse.

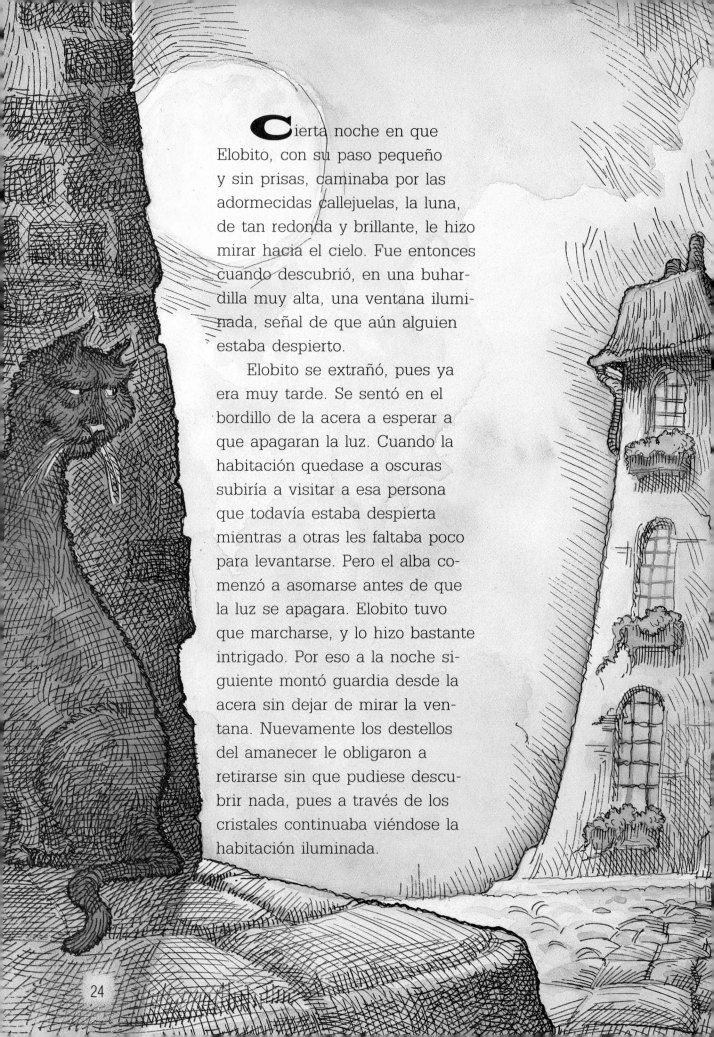

Cierta noche en que
Elobito, con su paso pequeño
y sin prisas, caminaba por las
adormecidas callejuelas, la luna,
de tan redonda y brillante, le hizo
mirar hacia el cielo. Fue entonces
cuando descubrió, en una buhardilla muy alta, una ventana iluminada, señal de que aún alguien
estaba despierto.

Elobito se extrañó, pues ya
era muy tarde. Se sentó en el
bordillo de la acera a esperar a
que apagaran la luz. Cuando la
habitación quedase a oscuras
subiría a visitar a esa persona
que todavía estaba despierta
mientras a otras les faltaba poco
para levantarse. Pero el alba comenzó a asomarse antes de que
la luz se apagara. Elobito tuvo
que marcharse, y lo hizo bastante
intrigado. Por eso a la noche siguiente montó guardia desde la
acera sin dejar de mirar la ventana. Nuevamente los destellos
del amanecer le obligaron a
retirarse sin que pudiese descubrir nada, pues a través de los
cristales continuaba viéndose la
habitación iluminada.

Y noche tras noche sucedía lo mismo.

Finalmente, cuando la curiosidad le pesaba más que un saco repleto de piedras, Elobito decidió subir, aunque la luz estuviese encendida, para echar un vistazo y enterarse por qué en esa buhardilla no se dormía.

Penetró en la habitación en silencio, como las sombras, y se sentó en un rincón. Con los ojos bien abiertos se quedó mirando al hombre que, con las manos cogidas en la espalda, caminaba de un lado a otro mientras hablaba en voz baja.

Elobito, prestando mucha atención a las palabras del hombre y leyendo los manuscritos y las cartas que había sobre la mesa de trabajo, pudo descubrir unas cuantas cosas bastante interesantes: el hombre —Opoldeo se llamaba— era un escritor sin fortuna y sin libros publicados, al que todas las editoriales rechazaban sus originales. Y como eso de escribir era para él muy importante, se negaba a buscar otra ocupación, aunque, tal y como estaban las cosas, si el destino no le echaba una mano, Opoldeo corría el peligro de enfermar, pues tenía tan pocos recursos que hasta pasaba hambre.

Pese a ello, él no renunciaba. Permanecía las noches en vela pensando y buscando ideas ingeniosas, frases y personajes imaginarios con que construir sus relatos. Y una sola idea o una imagen que se le ocurriera, si lograba emocionarle, bastaba para justificar todas las vicisitudes por las que pasaba.

Elobito, aunque por fin había descubierto lo que tanto le intrigaba, no parecía demasiado dispuesto a marcharse. Continuaba entre los papeles recorriendo las frases como los ojos de un lector atento.

—¡Oye! ¿Qué haces? —preguntó Opoldeo mientras se acercaba a grandes pasos.

Elobito se sorprendió. "Soy un sueño" pensó, "y a los sueños sólo se los ve con los ojos cerrados". Pero es que él no sabía que Opoldeo también tenía la rara costumbre de soñar despierto.

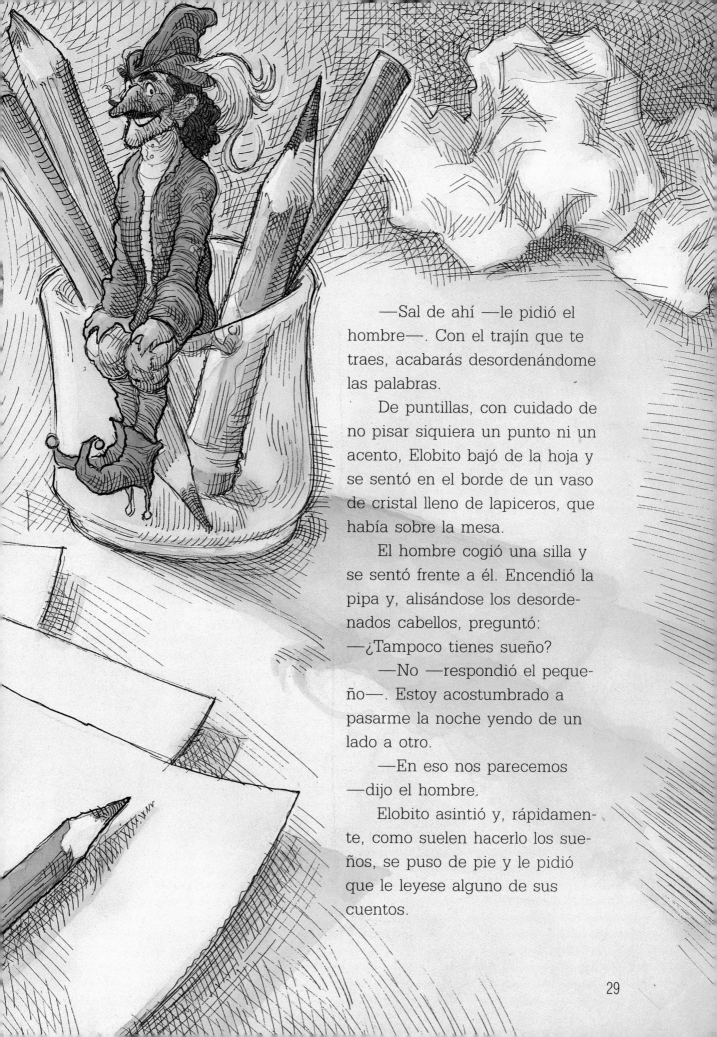

—Sal de ahí —le pidió el hombre—. Con el trajín que te traes, acabarás desordenándome las palabras.

De puntillas, con cuidado de no pisar siquiera un punto ni un acento, Elobito bajó de la hoja y se sentó en el borde de un vaso de cristal lleno de lapiceros, que había sobre la mesa.

El hombre cogió una silla y se sentó frente a él. Encendió la pipa y, alisándose los desordenados cabellos, preguntó:

—¿Tampoco tienes sueño?

—No —respondió el pequeño—. Estoy acostumbrado a pasarme la noche yendo de un lado a otro.

—En eso nos parecemos —dijo el hombre.

Elobito asintió y, rápidamente, como suelen hacerlo los sueños, se puso de pie y le pidió que le leyese alguno de sus cuentos.

El hombre abrió la carpeta, acercó la lámpara y comenzó a leer.

Así nació la amistad, que noche a noche se hizo más intensa, entre el escritor y el pequeño personaje.

Elobito podía pasarse horas enteras escuchando los relatos que Opoldeo había escrito, y cuando el alba se anunciaba, a desgana se preparaba a marcharse pensando que el tiempo había corrido demasiado rápido.

También Opoldeo lamentaba que su amigo tuviera que irse, pues disfrutaba mucho con su compañía. Le gustaban las ocurrencias de Elobito, las aventuras que le contaba, la postura y el gesto que adoptaba al escucharle.

Le encontraba tan encantador y diferente, que sintió deseos de escribir un libro usándolo como protagonista, y en caso que le gustara había pensado regalárselo.

Sin pérdida de tiempo se puso de lleno a la tarea.

Como quería que fuese una sorpresa, se cuidó muy bien de comentárselo a su amigo. Sólo al acabarlo se lo haría saber.

Tuvo que mantener el secreto más de dos largos meses, hasta que, por fin, la obra quedó terminada. Entonces, en cuanto Elobito hubo llegado, le pidió que se sentara y comenzó a leérsela.

El pequeño le escuchó con gesto atento. De sus ojos salían destellos como si éstos fuesen estrellas.

El libro le entusiasmó, pensando incluso que era lo más bonito que Opoldeo había escrito, pero no lo aceptó como regalo. Le explicó al hombre que el cuento era demasiado hermoso y que le haría sentirse egoísta al guardarlo para él solo. Le dijo que la gente merecía la alegría de poder leerlo.

Tanto insistió el pequeñín, que Opoldeo tuvo que prometerle que se lo llevaría a un editor.

El libro se publicó inmediatamente, y el éxito fue tal, que Opoldeo pasó a ser considerado como un gran escritor. Su personaje, Elobito, se volvió tan popular, que la gente deseaba poder soñar con él.

Eso, al pequeño, le hacía mucha ilusión, y por ello cada noche visitaba un par de habitaciones. Pero donde lo pasaba mejor era en la buhardilla con Opoldeo, porque eran amigos y porque resulta mucho más divertido estar con alguien que también sueña despierto.

CONOZCAMOS A

Ricardo Alcántara

Ricardo Alcántara nació en Montevideo, capital de Uruguay. Siendo muy joven se fue a vivir a Brasil donde escribió su primer libro. Al principio, no sabía qué hacer con él, pero por fin, se decidió a enviarlo a un concurso de literatura y, ¡qué sorpresa cuando unos meses después se enteró de que había ganado el segundo premio! Con el dinero del premio, se marchó a Barcelona, España, donde todavía reside.

"Elobito" pertenece a su libro *Cuenta Estrellas*. Todo el libro está repleto de personajes fantásticos, habitantes del país de los sueños, animales que hablan y niños y niñas que viven extrañas aventuras de la mano de estos personajes.

Entre los numerosos libros de Alcántara se encuentran *¿Dónde has estado Aldo?*, *El viaje de los pájaros*, *Betania* y *Un cuento grande como una casa*.

¿Qué soñas

La primera definición de **sueño** en el diccionario dice: "Acto de dormir"; la siguiente dice: "Representación en la fantasía de diversos sucesos, durante el sueño". Sueño también significa "deseo, ilusión, proyecto difícil o imposible de realizar...". Pero vamos a pararnos en "representación en la fantasía..." que es la que nos interesa.

Cuando nos dormimos, nuestra mente no descansa, sigue tan activa como cuando estábamos despiertos. Entonces, como en una pantalla de cine, empiezan a aparecer escenas, objetos y personas de una extraña película. Unas veces somos actores y otras sólo espectadores; unas veces la película es alegre y divertida, pero otras, ¡ay!, es una pesadilla.

La palabra **pesadilla** significa "sueño desagradable", pero también tiene doble sentido. ¿Quién no ha pensado alguna vez que hacer un examen de matemáticas o perderse en una ciudad desconocida son auténticas pesadillas? ¿Has leído alguna vez el libro *Donde viven los monstruos*? En este cuento, el autor Maurice

DONDE VIVEN LOS MONSTRUOS

TEXTO E ILUSTRACIONES DE MAURICE SENDAK

Sendak narra e ilustra de forma muy divertida el viaje de un niño al mundo de los sueños, bueno, más bien al mundo de las pesadillas.

Pero, ¿qué son los sueños? ¿Significan algo? Existen cientos de teorías. En la antigüedad muchos pensaban que a través de los sueños se podía adivinar el futuro o descubrir algún misterioso secreto. El inventor Elías Howe, por ejemplo, había estado tratando de inventar la máquina de coser durante años, sin ningún éxito. Hasta que, según él, una vez soñó que era atacado por un grupo de guerreros que le decían: "¡Si no inventas la máquina de coser, morirás!" Howe notó que las lanzas de los guerreros tenían un agujerito en la punta y... problema resuelto: ¡nació la máquina de coser!

En tiempos más recientes, el psicoanalista Sigmund Freud elaboró una teoría para la interpretación de los sueños. Según él, en nuestros sueños se manifiestan nuestros miedos, preocupaciones y deseos, lo que nos negamos a aceptar, lo que no vemos...

Pero nadie sabe con certeza lo que significan los sueños. Lo que sí sabemos es que todos tenemos otro tipo de sueños, los que soñamos cuando estamos despiertos y, ¿a quién no le gustaría que sus sueños y deseos se realizaran?

Los elefantes

—Que no. —Sí, madre, que sí.
Que yo los vi.
Cuatro elefantes
a la sombra de una palma;
los elefantes, gigantes.

—¿Y la palma? —Pequeñita.

—¿Y qué más?
¿Un quiosco de malaquita?

—Y una ermita.

—Una patraña,
tu ermita y tus elefantes.
Ya sería una cabaña
con ovejas trashumantes.

—No. Más bien una mezquita,
tan chiquita.
La palma
me llevó el alma.

—Fue sólo un sueño, hijo mío.

—Que no, que estaban allí,
yo los vi,
los elefantes.
Ya no están y estaban antes.

Gerardo Diego

Conozcamos a Marc Harshman

Para Marc Harshman escribir cuentos es como resolver un rompecabezas. Al principio, no sabe qué piezas tiene ni qué lugar ocupan.

Harshman combinó diferentes elementos para escribir "Un poco de emoción". El recuerdo del incendio de su auto le hizo pensar en incendios de casas. En West Virginia, donde él reside, son comunes los incendios provocados por las estufas de leña utilizadas como calefacción.

Marc Harshman ya tenía dos piezas para el cuento: un incendio y las estufas de leña. Añadiendo los recuerdos de su infancia en una granja, completó el rompecabezas y creó "Un poco de emoción".

Conozcamos a Ted Rand

Ted Rand vive en una zona rural del estado de Washington. En sus ilustraciones para "Un poco de emoción", logra captar el sabor de la vida en el campo y el dramatismo del fuego en una noche nevada.

Rand anima a los niños a divertirse dibujando. Afirma: "Para mí el dibujo es como una segunda lengua y espero que llegue a ser lo mismo para ti".

UN POCO DE EMOCIÓN

Marc Harshman
ilustraciones de Ted Rand

El invierno en Pleasant Ridge ya estaba resultando demasiado largo. Por supuesto, me gustaba ir en trineo y hacer muñecos, castillos y bolas de nieve. Pero todo eso puede llegar a ser aburrido, sobre todo si vives tan apartado en el campo que tus únicos compañeros de juegos son un par de hermanas mayores. La mitad del tiempo ni siquiera querían jugar, y la otra mitad —cuando sí querían— se hacían siempre las mandonas. Mamá decía que quizá yo me quejaba demasiado, pero lo cierto es que estaba harto del invierno y cansado de que me dieran órdenes.

¿Y qué más se podía hacer? No mucho. Levantarse. Salir cuando aún era de noche y cargar heno mientras papá ordeñaba. Comer. Ir a la escuela. Volver a casa y cargar heno otra vez. Comer. Estudiar. Y soportar a Ann y a Sara. Ya digo: nada muy divertido.

Ann y Sara me tomaban el pelo porque el conductor del autobús había sentado a una niña a mi lado. Cuando jugábamos, siempre eran ellas dos contra mí, y si yo hacía trampas —sólo las necesarias para que el juego fuera más justo—, ¡se quejaban!

Mamá hacía lo que podía por ayudarme. Se ofrecía para jugar a las damas, y algunas veces jugábamos. Pero cuando tus amigos te preguntan qué hiciste anoche no puedes ir y decirles: "Oh, me la pasé jugando a las damas con mi madre". Me gustaba trabajar con papá, pero el invierno no es el mejor momento para eso: todo es lodo, baldes y estiércol de vaca. Y por la noche, después de todas las faenas del día, a papá sólo le quedaban fuerzas para dejarse caer en su silla, demasiado cansado para hacer nada con nosotros. Yo me preguntaba si él llegaría algún día a recuperar su antiguo ánimo del verano.

A veces parecía que mi única esperanza era que algo
emocionante sucediera. Un domingo, cuando fuimos a visitar
a la abuela después de la iglesia, la oí hablar de los inviernos
cuando era niña. Ella solía ir a la ciudad en un trineo tirado
por dos yeguas negras. De vez en cuando, había tormentas
en las que la nieve llegaba incluso a enterrar el tejado del
viejo porche. Y a veces su escuela cerraba durante semanas.
Todo aquello sonaba muy bien, mucho más emocionante que
mi invierno. Pero cuando se lo dije, ella contestó:

—Cuidado con lo que deseas, Tom, porque puede que se
haga realidad.

Eso no llegué a entenderlo muy bien. No veía por qué
había que tener cuidado. Lo mejor que se podía esperar de
ese invierno es que nos trajera un poco de emoción.

Mamá fue la primera en oír el fuerte ruido. Despertó a papá y él bajó corriendo las escaleras, encendió la luz y vio el resplandor que salía de la estufa. La fatiga le había jugado una mala pasada: cuando cargó la estufa con toda la madera que pudo para aquella noche fría, se olvidó de cerrar la entrada de aire. Así, en lugar de arder lentamente, el fuego se había intensificado y había llegado a prender el alquitrán del interior de la chimenea. Papá dio voces para despertar a todo el mundo, pero fue Sara quien me gritó, me sacó de debajo de las mantas y bajó conmigo tropezando por las escaleras. ¿Era aquello lo que yo tanto había deseado?

Tenía frío y una gran cantidad de nieve cubría la colina.
Estábamos todos en pijama, tiritando, y por encima del tejado
oscuro, el fuego rugía al salir de la chimenea de ladrillo rojo.
Papá entró corriendo a cerrar la estufa, esperando detener el
aire y reducir así la combustión.

48

Mientras las llamas chisporroteaban y salían despedidas sobre nuestras cabezas, papá y Ann alzaron la escalera y yo corrí en busca de baldes de agua. El calor que desprendía el alquitrán podía romper la chimenea y llegar a incendiar el interior de la casa, y nada podíamos hacer para evitarlo. Pero desde fuera sí podíamos al menos asegurarnos de que las llamas no llegaran hasta el tejado. Rompimos el hielo del pozo y, con cuidado, fuimos subiendo aquella agua negra para proteger el tejado de las chispas. Y mientras la noche oscura y sin luna se iluminaba con la ardiente antorcha que cubría nuestra casa indefensa, no hubo bromas entre nosotros, sino muchos ''date prisa'' y silencios.

Deprisa y sin hablar, Ann y yo nos esforzábamos para seguir llevándole baldes a papá. Más tarde pude ver que sus manos estaban ensangrentadas por el esfuerzo de intentar mantenerse sobre el tejado resbaladizo. ¡Rrooomm! El fuego rugía, y yo estaba más asustado que emocionado.

Mientras nosotros nos ocupábamos del agua, mamá y Sara se aventuraron dentro de la casa para recoger lo necesario, no fuera a ocurrir lo peor y se quemara la casa entera. Todo el mundo parecía valiente aquella noche. Yo no dejaba de pensar en las manos de Ann, que debían estar tan congeladas como las mías aunque ella no decía ni una palabra.

Finalmente se reunió el Cuerpo de Bomberos Voluntarios
de Piney: Jimmy vino desde Adeline, Harry de Dutch Fork,
Bob de Clouston y Dan Creary desde Sleepy Creek Hollow.
Todos ellos llegaron en camionetas porque el camión cisterna
se había quedado congelado en la granja de Dixon. Más tarde
llegaron también vecinos desde el otro lado del valle y de la
ladera de la montaña. Pero, por supuesto, el primero de todos
había sido papá, y más tarde bromearía diciendo que nunca
nadie había llegado a un incendio tan rápido como él, y
que se tragaría sus pantalones de domingo si alguien le
demostraba lo contrario.

La noche estaba hermosa, toda blanca y negra alrededor del fuego. Seguro que en algún lugar, oculto en aquella oscuridad, un ciervo habrá levantado su nariz de la hierba descubierta bajo la nieve y, mirando en nuestra dirección, se habrá sorprendido —demasiado listo y veloz para asustarse por ello. Yo me sentí mejor cuando oí a Jim, Bob, Harry y Dan dando voces y —aunque no parecía lo más apropiado— riéndose también. Pero finalmente pudimos ver cómo las llamas anaranjadas comenzaban a hacerse más pequeñas hasta que, una hora después de que aquello hubiera comenzado, Bob Jackson enfocó con su linterna el interior de la chimenea y anunció:

—¡Esto se acabó, amigos! ¡Todo el mundo a sus casas y a dormir!

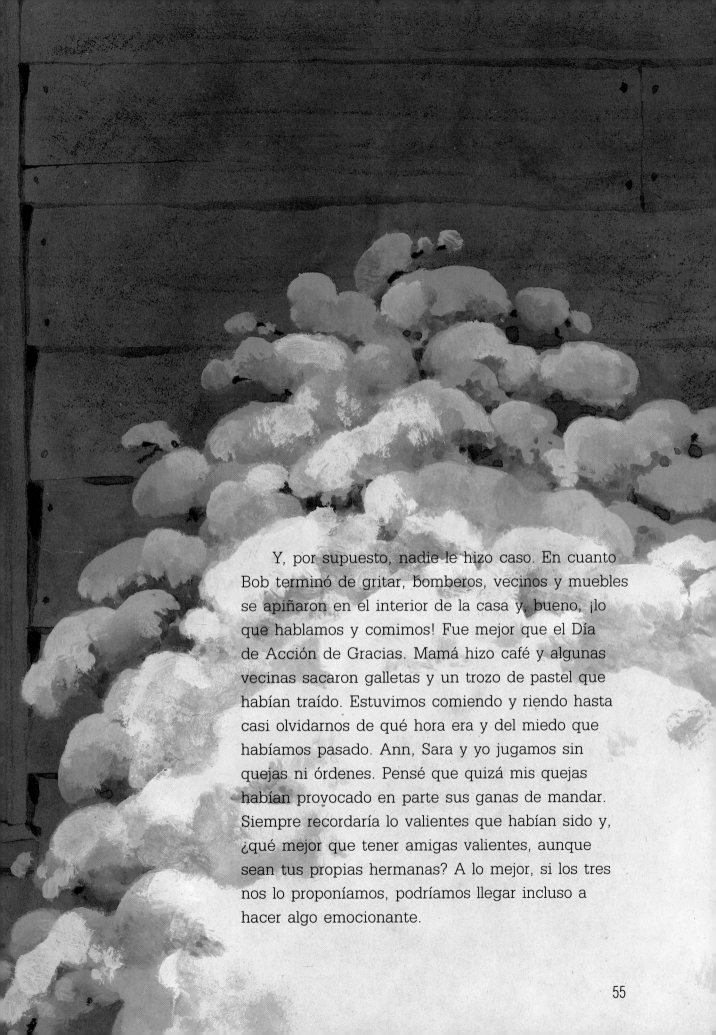

Y, por supuesto, nadie le hizo caso. En cuanto
Bob terminó de gritar, bomberos, vecinos y muebles
se apiñaron en el interior de la casa y, bueno, ¡lo
que hablamos y comimos! Fue mejor que el Día
de Acción de Gracias. Mamá hizo café y algunas
vecinas sacaron galletas y un trozo de pastel que
habían traído. Estuvimos comiendo y riendo hasta
casi olvidarnos de qué hora era y del miedo que
habíamos pasado. Ann, Sara y yo jugamos sin
quejas ni órdenes. Pensé que quizá mis quejas
habían provocado en parte sus ganas de mandar.
Siempre recordaría lo valientes que habían sido y,
¿qué mejor que tener amigas valientes, aunque
sean tus propias hermanas? A lo mejor, si los tres
nos lo proponíamos, podríamos llegar incluso a
hacer algo emocionante.

El amanecer llegó a nuestra granja lleno de serenidad.
Una nueva capa de nieve había caído después de que nos
fuéramos a dormir, y todo el hollín y la ceniza negra del
incendio habían desaparecido bajo su manto. Era bueno ver
que todo estaba a salvo. Yo esperaba que, cuando volviera
a ver a mi abuela, ella no mencionara lo que había dicho
el domingo anterior. De todos modos, no tendría que
preocuparse por recordármelo. No creo que pueda olvidarlo
fácilmente.

Esperanza

La barca en el horizonte
sobre las aguas del mar:
los murmullos de esmeraldas,
espumas de azul cristal.
Los peces, gris, lila y rosa,
el aire, sargazo y sal.

Una niña va voceando
desde el cercano palmar:
—¡Marinero, marinero,
el de tan lindo bogar,
cuando vuelvas de otras tierras
tráeme un traje de cendal;
tráeme dulces de otros mundos,
perlas del sol oriental;
tráeme carteras de armiño
y collares de coral,
y una sortija de algas
con un brillante auroral!

El marinero responde
gozoso en su contestar:
—¡Cuando retorne a tu isla
de más allá de la mar,
te traeré lo que me pides
complaciendo tu soñar!

Cesáreo Rosa-Nieves

marina

Sueños hechos realidad

Santino el pastelero
texto e ilustraciones de Asun Balzola
Destino, 1989

Santino es un
magnífico pastelero
que sueña
con una sola cosa:
tener su propia
pastelería. ¿Logrará
Santino con sus maravillosas recetas
convertir su sueño en realidad?

Cepillo

Pere Calders
ilustraciones de Carme Solé Vendrell
libro en español de Feliu Formosa
HYMSA, 1987

Con empeño y un poco
de imaginación,
cualquier deseo puede
convertirse en realidad.
En este libro leerás lo
que le ocurrió al
joven Sala cuando un
viejo cepillo se
convirtió en su mascota.

Poncho, el cangrejo presumido

Silvia Dubovoy
ilustraciones de Felipe Alcántar
SITESA, 1990

A Poly le aburre
su vida de caracol
marino y sueña
con vivir de forma
diferente. Pero,
la historia de Poncho
el cangrejo le hace
comprender que, a
veces, las ilusiones y los sueños nos
impiden apreciar lo que tenemos.

Nota de la autora

Entre los recuerdos de mi familia se encuentra un retrato de mis abuelos con fecha de 1906. En esa época eran adolescentes y acababan de ganar un concurso del baile llamado "cakewalk". Como ganadores, los habían premiado con un bizcocho de decoración muy elaborada.

Introducido en los Estados Unidos por los esclavos, el "cakewalk" es un baile con raíces en la cultura afroamericana. Lo bailaban parejas que se pavoneaban y contoneaban alrededor de un cuadrado, al compás de música de violín y banjo. Mientras desfilaban los bailarines, dando flamantes pasos y complicados remolinos y giros, los mayores los calificaban según apariencia, gracia, precisión y originalidad de movimientos. La pareja ganadora se llevaba el bizcocho.

Nunca me ha sido difícil imaginar a mis abuelos pavoneándose alrededor de un cuadrado con la espalda arqueada, las puntas de los pies hacia arriba y con la cabeza en alto... Estaban llenos de alegría de vivir, especialmente Mama. Papa solía decir que él creía que Mama había capturado al Viento. Yo también lo creía.

Patricia C. McKissack

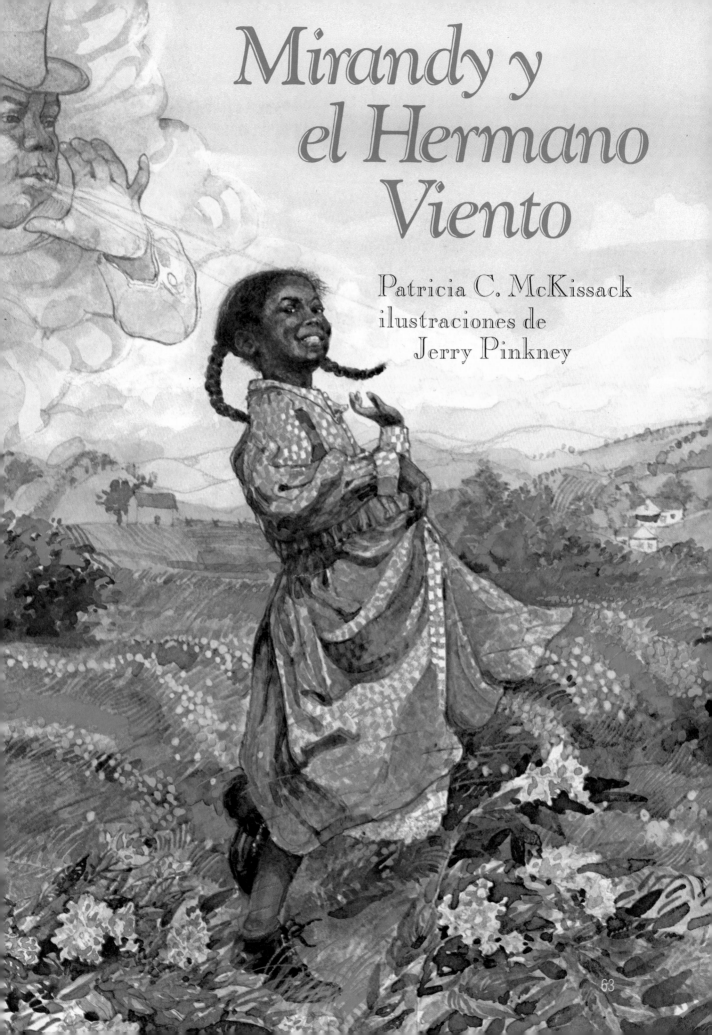

Mirandy y el Hermano Viento

Patricia C. McKissack
ilustraciones de
Jerry Pinkney

¡*Fsss*! ¡*Fsss*!

Había llegado la primavera y el Hermano Viento estaba de regreso. Vino silbando por la montaña, vestido de lo mejor y arrastrando tras de sí su larga cola plateada.

¡*Chas*! ¡*Chas*! ¡*Chas*!

—Ojalá el Hermano Viento fuera mi pareja en el "cakewalk" juvenil mañana por la noche —dijo Mirandy, con la cara contra la ventana fría de la cabaña—. Entonces seguro que ganaría.

Ma Dear sonrió.

—Un viejo refrán dice que quien echa mano al Viento lo puede mandar a hacer lo que quiera.

—Lo voy a hacer yo —dijo Mirandy. Y bailó alrededor del cuarto inclinándose, oscilando, girando.

—Éste es mi primer "cakewalk". ¡Y voy a bailar con el Viento!

Con la aurora, Mirandy se dispuso a capturar al Hermano Viento. La abuela Beasley estaba afuera dando de comer a las gallinas cuando se le acercó Mirandy muy emocionada y le preguntó:

—¿Sabes cómo agarrar al Hermano Viento? Quiero que sea mi pareja en el "cakewalk" esta noche.

La abuela Beasley se puso a pensar.

—Nadie puede poner esposas al Hermano Viento, mi niña. Él es especial. Él es libre.

Mirandy les preguntó lo mismo a todos los vecinos, pero nadie supo contestarle.

—A ése lo agarro yo, seguro que sí —dijo dando vueltas y más vueltas en el patio.

—¿A quién vas a agarrar?

No tuvo que volverse para saber que era el torpe de Ezel. Mirandy no le contestó sino que se fue hacia el camino. Ezel la siguió, caminando hacia atrás para verle la cara. Seguro que se tropezaba. Y se tropezó.

—¿Por qué preguntas a todo el mundo cómo agarrar al Viento?

—Ma Dear me dijo que si tú agarras al Viento, él hace lo que tú quieras. Lo quiero para que sea mi pareja en el "cakewalk" esta noche.

—Pero yo creía que yo...

Enseguida Ezel sonrió, bonachón como siempre. Los ojos le relumbraban como destellos de sol en un riachuelo. Entonces dijo:

—¿Qué crees que va a decir Orlinda si la invito a ser mi pareja?

—¡Orlinda! ¡La flacucha de Orlinda! Invítala y vas a ver —dijo Mirandy y se alejó pavoneándose.

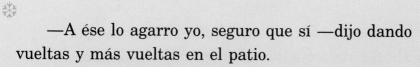

En la tienda, el Sr. Jessup le dijo a Mirandy que una tía abuela suya que vivía en Ipsala, Mississippi, decía que había que echar pimienta negra en las huellas del Hermano Viento. Eso le haría estornudar.

—Mientras está distraído estornudando, te escurres por detrás y le echas una colcha encima.

Mirandy corrió a su casa y agarró el pimentero de molinillo y una de las colchas de Ma Dear. Poco después, el Hermano Viento vino de paseo por la pradera, con su capa flotando suavemente sobre las hierbas.

A hurtadillas, Mirandy se fue por detrás y empezó a moler pimienta. Después le echó la colcha encima. Pero, *¡zas!* el Hermano Viento desapareció.

Mirandy aún estaba estornudando cuando le dijo a Ezel lo que había pasado.

—Eso te lo hubiera podido decir yo. El Hermano Viento no deja huellas —le dijo él a la vez que ordeñaba la vaca de la familia. Seguro que iba a derramar la leche. Y la derramó.

—¿Invitaste a Orlinda a ser tu pareja? —le dijo ella para cambiar de tema.

—Pues claro, y me contestó que...

—A mí no me importa qué te contestó —interrumpió Mirandy y se alejó a toda prisa.

Caminando por la orilla del arroyo, Mirandy llegó a la casita blanqueada de la Srta. Poinsettia. La gente decía que la Srta. Poinsettia no era bruja de verdad, como las de Nueva Orleáns. Pero nadie se atrevía a meterse con ella, por si acaso.

La Srta. Poinsettia invitó a Mirandy a entrar.

—Tu gente no aprueba la brujería. ¿Por qué me vienes a ver tú? —le dijo.

A Mirandy se le ocurrió que si la Srta. Poinsettia estaba al día con su brujería debería saber por qué. Pero no queriendo parecer insolente, le contestó:

—Necesito una poción para agarrar al Hermano Viento, para que sea mi pareja en el "cakewalk".

La mujer meneó la cabeza. Después se dirigió a una alacena, entre el tintineo de las joyas y el revoloteo de los vistosos pañuelos cosidos al vestido.

En un momento regresó con un libro viejo. Mirandy se metió las palabras en la cabeza a medida que la Srta. Poinsettia las leía.

—Eternamente agradecida —dijo Mirandy—. Pero no tengo más que mis centavitos de Navidad y de cumpleaños para pagarle.

—Considérame bien pagada si te pones esto al bailar esta noche. Y te garantizo que vas a ser la muchacha más bonita del baile.

Y la Srta. Poinsettia le dio a Mirandy dos de sus pañuelos transparentes.

Mirandy se fue a casa deprisa. Siguiendo las instrucciones del ensalmo, consiguió una botella de loza... la lavó con agua de lluvia del barril... y le echó una medida de sidra. Después se fue hasta el sauce grande al pie del arroyo y puso la botella en el lado norte del árbol. No quedaba más que esperar.

A poco, el Hermano Viento salió del bosque. Mirandy jamás había visto un cuerpo tan erguido o con la cabeza tan en alto. El ensalmo estaba dando resultado: olió él la sidra y, con un gran silbido, se metió en la botella.

—¡Te agarré! —Mirandy le puso el corcho a la botella y bailoteó a su alrededor. Pero cuando miró, el Hermano Viento estaba al otro lado del arroyo, doblado de la risa. Entonces, chasqueando la cola de su capa de viento, se esfumó. *¡Chas!*

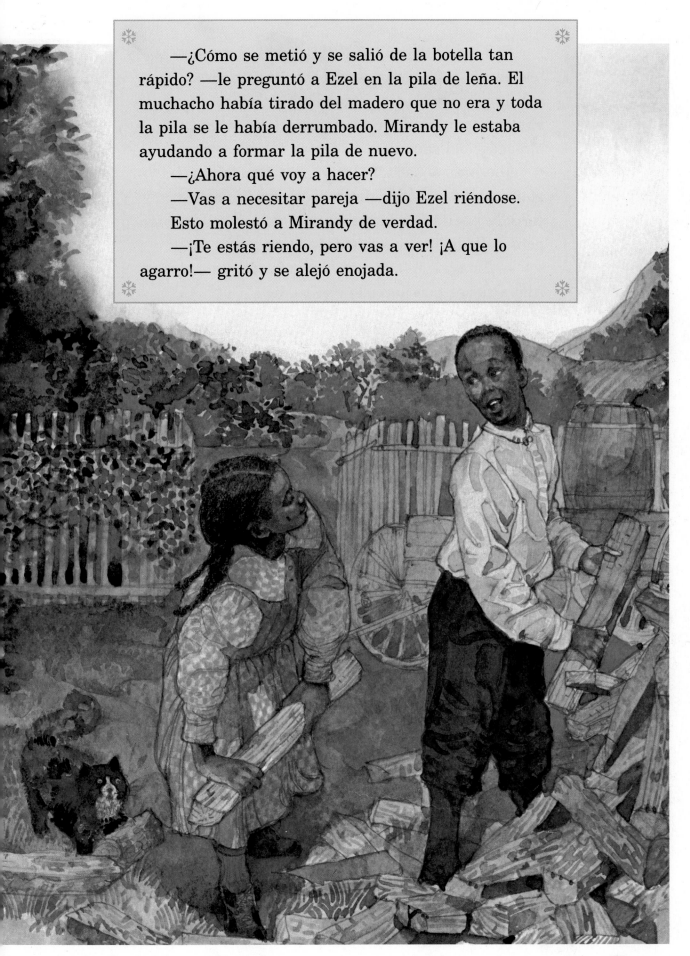

—¿Cómo se metió y se salió de la botella tan rápido? —le preguntó a Ezel en la pila de leña. El muchacho había tirado del madero que no era y toda la pila se le había derrumbado. Mirandy le estaba ayudando a formar la pila de nuevo.

—¿Ahora qué voy a hacer?

—Vas a necesitar pareja —dijo Ezel riéndose. Esto molestó a Mirandy de verdad.

—¡Te estás riendo, pero vas a ver! ¡A que lo agarro!— gritó y se alejó enojada.

Faltaban sólo unas cuantas horas para el "cakewalk" y Mirandy estaba meciéndose en el columpio, muy abatida, cuando el Hermano Viento se abalanzó por encima de los setos. Saltó sobre las lilas, alrededor del sauquillo y adentro del granero.

Mientras él sacudía las vigas y asustaba a las gallinas de Ma Dear, Mirandy se escurrió calladita y cerró la puerta. No había manera de que se escapara porque Pa había tapado todas las grietas.

—¡Te agarré! —dijo Mirandy dando palmadas—. Ahora tienes que hacer lo que yo diga.

Al anochecer, los vecinos de Ridgetop se empezaron a reunir en la escuela vestidos con su ropa dominguera. Los violinistas estaban en un rincón y la abuela Beasley y las otras personas mayores estaban sentadas formando el jurado. El patriarca Thomas llegó con dos grandes bizcochos de tres pisos: uno para los ganadores del "cakewalk" juvenil y otro para el de los adultos. Alguien dibujó un cuadrado grande en medio del piso, y la fiesta del "cakewalk" empezó.

Enseguida, Orlinda se acercó a Mirandy y le preguntó: —¿Quién va a ser tu pareja?

Mirandy trató de contener la emoción.

—Alguien muy especial —y añadió: —Les deseo mucha suerte a ti y Ezel. La van a necesitar.

—¿Yo y Ezel? Muchacha, no seas boba. Él me invitó, pero yo no bailo con ese torpe por nada del mundo —dijo mientras se abanicaba—. Ése ni siquiera puede caminar y respirar al mismo tiempo. No quiero que vaya a tropezar con mis pies frente a todo el pueblo—. Y las chicas se rieron.

Mirandy se puso las manos en las caderas y se paró cerca de Orlinda.

—Oye, ya no te burles más de Ezel, ¿sabes? —dijo en voz baja—. Es amigo mío y, para que lo sepas, ¡él y yo vamos a ganar ese bizcocho! —y levantó la cabeza y se fue deprisa.

Mirandy se preguntaba por qué había dicho tal disparate. Ella había agarrado al Hermano Viento. Ezel no podía ser su pareja. Pero tuvo una idea.

—Hermano Viento —gritó—. ¿Todavía estás ahí?

La puerta del granero matraqueó y a punto estuvo de salirse de sus bisagras.

—Estoy lista para pedirte mi deseo —le dijo en un susurro, y se fue corriendo en busca de Ezel.

Pasaron varias semanas y todavía la gente seguía hablando de cómo Mirandy y Ezel habían ganado el "cakewalk" juvenil. Esa noche habían hecho cabriolas y dado vueltas con estilo y gracia. *¡Fsss! ¡Fsss!* Y cuando la música aceleraba su ritmo, arqueaban la espalda y danzaban de un lado a otro. *¡Chis! ¡Chis!*

La gente todavía hablaba de cómo Mirandy
parecía un figurín de lo bonita, vestida de amarillo
con dos vistosos pañuelos atados a las muñecas.
Y todos estuvieron de acuerdo en que nunca antes
habían visto a Ezel ir tan erguido y con la cabeza
tan alta.

Cuando la abuela Beasley vio a Mirandy y a Ezel
girar y dar vueltas, moviéndose cual sombras a la luz
de las velas, echó la cabeza atrás riéndose y dijo:

—¡Esos chiquillos están que bailan con el Viento!

Conozcamos a
Patricia C. McKissack y
Jerry Pinkney

"¿Qué pasaría si...?" es una de las preguntas preferidas de Patricia McKissack. "¿Qué habría pasado si los hechos hubieran sido distintos?"

De niña le encantaba inventar nuevos finales para sus cuentos favoritos. Fue entonces cuando comenzó a escribir. Una vez a la semana enviaba una carta a un amigo que vivía en Hawai. En estas cartas describía a su familia, sus sentimientos y emociones y su vida diaria. En la actualidad, todavía se inspira en su familia para escribir cuentos.

Para McKissack es un placer saber que hay otra gente que lee y disfruta de sus narraciones. "Escribir es muy importante", nos dice la autora, "pero es igualmente importante que alguien lea lo que escribo".

❊

Jerry Pinkney utiliza modelos reales para sus ilustraciones. De hecho, él mismo es el Hermano Viento en "Mirandy y el Hermano Viento". Su esposa, Gloria, fue la modelo para la Srta. Poinsettia. Pinkney a menudo pide a sus modelos que se vistan como los personajes de los cuentos y que

representen las escenas que va a ilustrar.

Las acuarelas que realizó para "Mirandy y el Hermano Viento" parecen llenar toda la página. Para explicar su gran tamaño Pinkney dice: "Hay mucho movimiento en este cuento. Quiero que el lector sienta que la página no termina nunca, y que el cuento no tiene fin".

Cuando Jerry Pinkney estaba en la escuela primaria, sus maestros le solían pedir que dibujara frente a la clase. El ilustrador dice: "Me animaba mucho oír a otra persona elogiar lo que yo había hecho y ver que la gente admiraba mi trabajo y sentía interés por mis dibujos". Para Pinkney la comunicación es el aspecto más importante de su trabajo.

SUEÑOS

Aférrate a tus sueños,
porque cuando mueren
la vida es un ave sin alas
que volar no puede.

Aférrate a tus sueños,
pues cuando han pasado
la vida es un campo baldío
por la nieve helado.

Langston Hughes

CONTENIDO

¡Naturalmente!

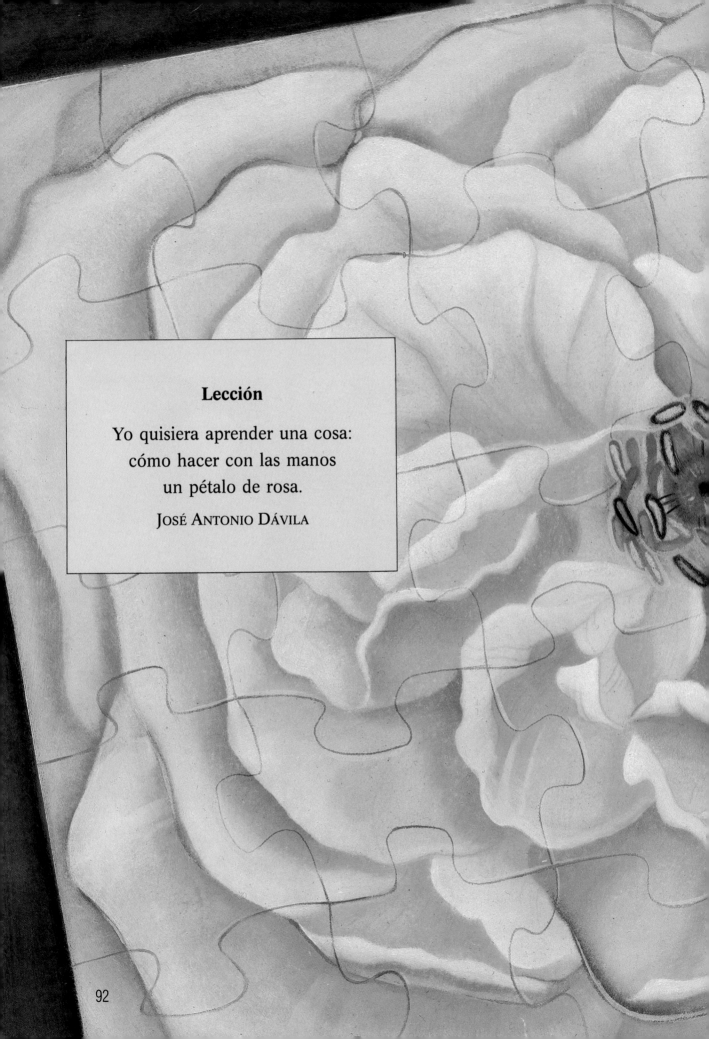

Lección

Yo quisiera aprender una cosa:
cómo hacer con las manos
un pétalo de rosa.

José Antonio Dávila

Los tres pichones

Onelio Jorge Cardoso

Eran tres pichones de pájaro carpintero y ninguno de los tres estaba dispuesto en manera alguna a hacer vida de pájaro. Eso de agarrarse al tronco de una palma para hacerle un agujero profundo a fuerza de martillar con el pico, no estaba en los planes de los tres pichones.

La madre, por su parte, vivía confiada en que una vez avanzado el verano, cuando los tres pichoncitos hubieran cambiado el plumón por la pluma, les sucederían enseguida las ganas de volar, olvidándose por tanto de sus disparatadas ideas. Pero se equivocaba la buena madre; ya los tres hermanitos tenían sus proyectos, y una mañana en que ella les preguntó qué iban a hacer si no resultaban pájaros en toda la extensión de sus alas, los tres contestaron:

—Queremos ser marineros.

—¡Cómo! —dijo la madre asombrada.

—¡Marineros! —dijeron los pichones a coro.

—Pero, hijos míos, ¿a qué viene pensar de ese modo? ¿Han visto ustedes algún pájaro navegante?

—Los patos —dijeron los pichones.

—¡Contra, sí!, pero no son marineros, son patos. Marinero es el que navega en un barco, y ningún pato va a bordo de sí mismo. En todo caso serán barcos, pero no marineros.

—Nosotros seremos marineros —dijeron los pichones.

—Bueno, pues habrá que verlo, veremos si el ala no tira más a volar que a navegar.

Y creyendo con esto que los tres pequeños plumosos se darían cuenta de sus incapacidades como navegantes, se echó al aire a buscarles la comida atravesando una nube de insectos sobre el río.

Entonces el mayor de los pichones dijo suspirando: —Bueno, por fin se lo dijimos.

—Me alegro —dijo el segundo—, así no le mentimos ni la engañamos.

—Seremos marineros —dijo el tercero, y los tres sacaron las cabecitas del nido para mirar el río.

Sí, porque resulta que aquel año, como los carboneros echaron abajo los árboles cerca del río, no hubo mucho tronco donde abrir el agujero y la madre tuvo que conformarse con uno abandonado de querequeté que había quedado allí, solitario en la rama de un bagá extendida sobre el río.

Y así, después que abrieron los ojos a este mundo los tres pichones, lo primero que vieron fue el agua transparente que corría siempre sin cesar. Quizás por eso soñaron con la navegación y los barcos, hasta que un día se hicieron la pregunta: —¿Adónde irán los ríos, eh?

—¡Quién lo sabe! —dijo Pichón Segundo.

Y Pichón Tercero dijo: —Para mí que dan la vuelta y vuelven a pasar, porque se está viendo que es la misma agua siempre.

—¡Quién sabe! —volvió a decir Pichón Segundo.

Pero la respuesta verdadera no la obtuvieron hasta muchos días después, cuando un viejo alcatraz que había venido a ver los montes florecidos, se posó en la rama del bagá.

—Buen día —dijo el alcatraz.

—Buen día —dijeron los pichones—. ¿Qué? ¿Anda usted de paseo, señor Alcatraz?

—Pues sí, dando una vueltecita. ¿Y ustedes qué?

—Esperando —dijeron los pichones.

—¿A mamá?

—No, al tiempo, a ver si crecemos y plumamos.

—Buena idea —dijo el pájaro de mar.

—Y usted, señor Alcatraz, ¿vive lejos?

—Bueno —dijo el alcatraz dándose aires de extranjero—, prácticamente vivo en el mar.

—¿El mar? ¿Y eso qué es? —preguntaron los pichones.

—Pues adonde van los ríos.

—¡Cómo! ¡Qué nos dice! ¡Cuente bien, señor Alcatraz! ¿Adónde van los ríos?

Y el alcatraz les contó las maravillas del mar. Cómo era de inmenso y cómo tenía olas y barcos y peces que lo recorrían y cómo el viento llevaba su parte en todo. Pero lo que más interesó a los pichones fue la idea de los barcos.

—¿Grandes así como un coco que navega?

—¡Ja, ja! —rio el alcatraz—. ¡Mil veces más grandes que mil cocos juntos!

99

—¡Qué maravilla!

—Y navegan el mundo entero manejados por navegantes que trabajan y viven a bordo todo el tiempo.

—Seremos marineros —dijeron los tres pichones.

Y aquel encuentro con el viejo alcatraz seguía tan vivo y persistente en sus memorias, que ahora mismo, cuando las tres cabecitas contemplaban el río, Carpintero Tercero dijo: —Bueno, si vamos a ser marineros de verdad lo primero es ir al mar.

—Cierto —dijeron los otros.

—Y entonces, ¿a qué esperamos?

—¡Hombre!, pues a que nos salgan las plumas —dijo Pichón Primero—. ¿De qué otro modo se puede ir al mar si no es volando en el caso nuestro?

—Escuchen —volvió a decir el tercero—, si todos los ríos van al mar, éste también irá. Entonces, ¿por qué no empezar a navegar y la pluma, si quiere, que nos vaya saliendo por el camino?

—¡Navegar! —dijeron los otros, haciéndoseles agua las bocas—. Pero no tenemos barco.

—Bueno, barco sí tenemos. Si se mira bien, embarcación tenemos —dijo Pichón Tercero con una carita de picardía que así, de pronto, no entendieron sus hermanos.

—Barco ya está hecho. Lo único que nos falta es echarlo al agua.

—¿Pero cómo? —dijeron los otros dos.

—Este nido mismo —dijo Pichón Tercero—. Lo que tenemos que hacer es mecerlo y remecerlo hasta que caiga al agua, y el río por su parte que haga lo demás.

—¡Hundirnos!

—¿Quién dijo eso? ¡La paja flota, hermanos!

—¡Qué bárbaro! —dijeron los otros dos, admirados.

—Repito que el río con su corriente hará lo demás. Nos llevará hasta el mar.

—¡Como si fuera un barco! —dijo Pichón Primero.

—Un barco es porque ya lo vemos como un barco —dijo el tercero.

Y Pichón Segundo, reventando de entusiasmo, dijo: —¡Ahora mismo, a mecerlo y remecerlo, pero ya!

Y dale que te dale, empezaron a columpiar el nido hasta que, ¡chump!, cayó al agua, bamboleándose con sus tres pichones dentro.

—¡Viva! —gritaron los tres—. ¡A navegar!

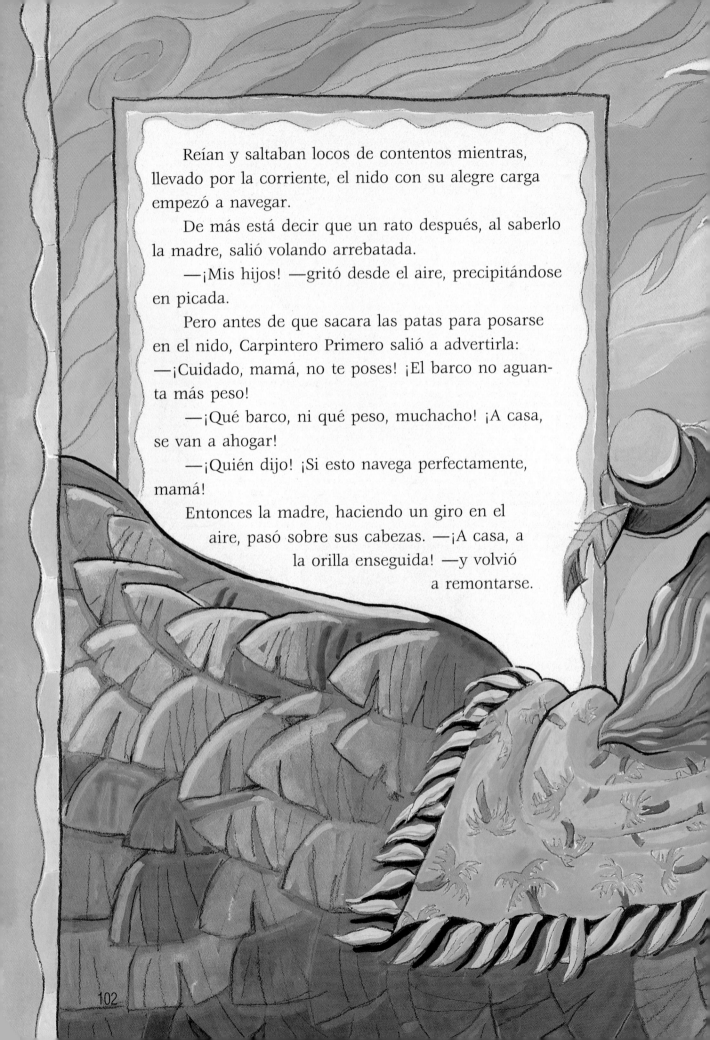

Reían y saltaban locos de contentos mientras, llevado por la corriente, el nido con su alegre carga empezó a navegar.

De más está decir que un rato después, al saberlo la madre, salió volando arrebatada.

—¡Mis hijos! —gritó desde el aire, precipitándose en picada.

Pero antes de que sacara las patas para posarse en el nido, Carpintero Primero salió a advertirla:

—¡Cuidado, mamá, no te poses! ¡El barco no aguanta más peso!

—¡Qué barco, ni qué peso, muchacho! ¡A casa, se van a ahogar!

—¡Quién dijo! ¡Si esto navega perfectamente, mamá!

Entonces la madre, haciendo un giro en el aire, pasó sobre sus cabezas. —¡A casa, a la orilla enseguida! —y volvió a remontarse.

Pero era imposible hacer regresar a los navegantes. Primero, porque no podían gobernar el nido y segundo, porque no tenían la intención de hacerlo.

—¡Viejita, compréndelo! —dijeron a coro con dulzura—. Ya volveremos un día y estarás contenta de nosotros.

—¡A casa, a casa! —dijo la carpintera pasando como una flecha disparada.

Pero ya dijimos que era imposible. Los carpinteros eran firmes en sus ideas y de ningún modo hicieron el menor esfuerzo por acercar el nido a la orilla.

—¡Es una lástima que la vieja no comprenda estas cosas! —dijo Carpintero Segundo.

—¡Una pena! —dijo Pichón Primero.

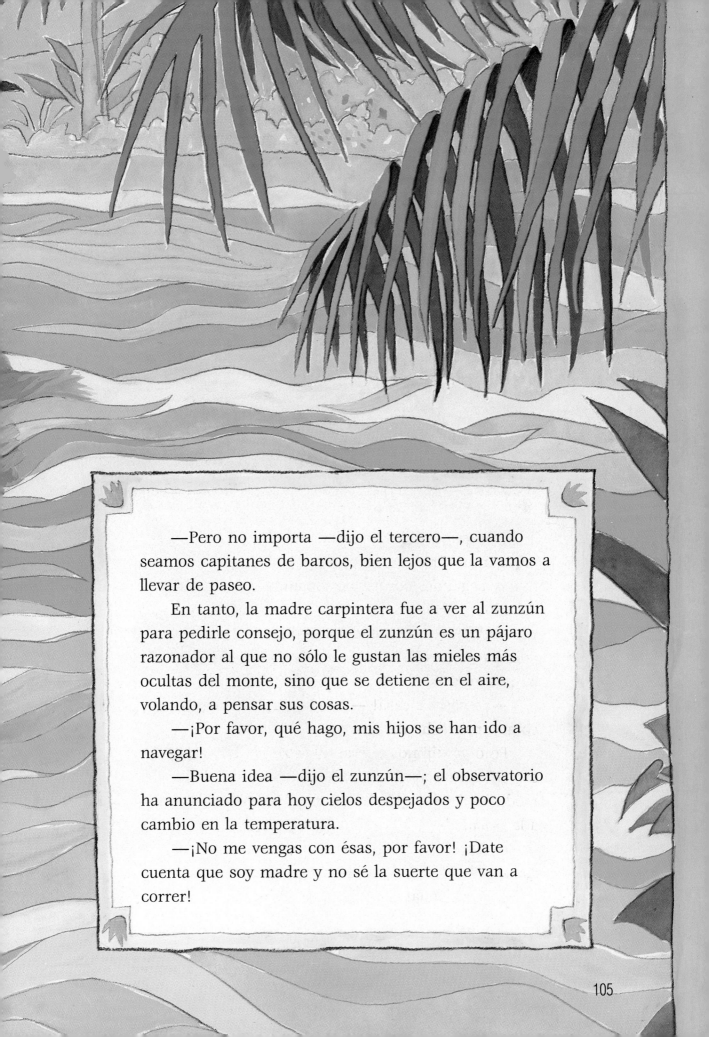

—Pero no importa —dijo el tercero—, cuando seamos capitanes de barcos, bien lejos que la vamos a llevar de paseo.

En tanto, la madre carpintera fue a ver al zunzún para pedirle consejo, porque el zunzún es un pájaro razonador al que no sólo le gustan las mieles más ocultas del monte, sino que se detiene en el aire, volando, a pensar sus cosas.

—¡Por favor, qué hago, mis hijos se han ido a navegar!

—Buena idea —dijo el zunzún—; el observatorio ha anunciado para hoy cielos despejados y poco cambio en la temperatura.

—¡No me vengas con ésas, por favor! ¡Date cuenta que soy madre y no sé la suerte que van a correr!

—Bueno, en cuanto a que eres madre, comprendo. Pero en cuanto a la suerte que van a correr, lo mismo les ocurrirá bajo tu pluma que fuera de ella.

—¡Imposible!

—Absolutamente. Lo malo sería que ellos estuvieran haciendo algo que no quisieran hacer. Eso sí los dañaría aunque vivieran a tu lado. Con el tiempo no serían más que unos pichones tímidos y tristes.

—¡Pero si hace cuatro días eran apenas tres huevitos en el nido!

—¡Sí, pero ahora son tres navegantes en la nave!

—¡La nave! —dijo la madre no sin cierto desprecio.

Y el zunzún entonces dijo: —Sí, la nave; las cosas no son como se llaman, sino como uno las va nombrando por el camino.

Y no se habló más.

Y entonces vinieron los interminables días de navegación, las hambres y las fatigas. Pero los pichones se mantuvieron valientes y decididos. Una vez el río se hizo estrecho y la corriente furiosa. El agua se precipitó dando tumbos violentos al nido entre las piedras, pero los navegantes no pensaron en ningún momento en abandonar el barco. Resistieron el hambre, la lluvia, el trueno y el viento, sin que nadie propusiera el regreso.

Hasta que una madrugada, de noche todavía, mientras pasaban sobre los pichones miles de estrellas, Pichón Segundo, quien dormía con la oreja despierta, dijo saltando: —¡Contra! ¿Eso qué es?

Era un sonido prolongado que bramó una vez, calló y volvió a sonar hasta completar tres rugidos interminables, que despertaron al resto de la tripulación.

Mas, entonces, ya con los ojos abiertos, se quedaron mudos de asombro. Era el río sin orillas, no más que cielo y agua, y tanta, que arriba todas las estrellas juntas no alcanzaban para servirle de techo al agua.

—¡El mar! —gritó Pichón Segundo—. ¡Por fin!

—¡Mira, un barco! —dijo Pichón Primero.

Y volvió de nuevo el bramido. Era un barco inmenso, navegando, todo alumbrado de luces.

En tanto, desde aquel barco, su viejo capitán, mirando atentamente el mar, descubrió el nido a la deriva.

—¡Tres náufragos! —dijo—. ¡Pronto, echen un bote al agua! ¡A recogerlos!

Y así fue como, por fin, los tres flacos y alegres navegantes subieron por primera vez, desde un verdadero mar, hasta un verdadero barco.

Y se fue el barco muy lejos con ellos y navegaron todos los mares del mundo y así pasó un año y pasó otro, y otro más, hasta que fueron tres, tres años de navegar.

Entonces regresaron, y una tarde en que la madre carpintera estaba construyendo, por quinta vez en su vida, un hueco en una palma, oyó tres voces mayores que la llamaban desde el suelo: —Mamá, venga a abrazar a sus hijos.

—¡Muchachos! —gritó la madre carpintera y fue a comérselos a besos.

Pero antes tuvo que detenerse para ver tres gorras que tenían puestas, tres gorras de capitanes de barcos.

Y, desde luego, casi sobra decirlo, los capitanes se llevaron a la madre de paseo por el mundo. Un día volvieron con regalos para el zunzún, que continuaba libando las mieles más secretas del monte.

CONOZCAMOS A

Onelio Jorge Cardoso

Onelio Jorge Cardoso llegó a ser un gran narrador de cuentos, gracias sobre todo a su empeño. Cuando era niño en Calabazar de Sagua, Cuba, la situación económica de su familia era muy difícil. Consiguió terminar la escuela secundaria, pero después se vio obligado a trabajar y no pudo hacer estudios universitarios. Tuvo numerosos empleos: fue aprendiz de laboratorio fotográfico, maestro rural, vendedor de medicinas y guionista de radio y televisión. Sin embargo, nunca perdió de vista su vocación de "cuentero". Seguramente, la narración "Los tres pichones" refleja su propia experiencia, ya que los tres protagonistas se empeñan, contra viento y marea, en realizar su sueño.

Onelio Jorge Cardoso ha obtenido importantes premios literarios y está considerado como uno de los mejores cuentistas de América.

NO DÉ COMIDA

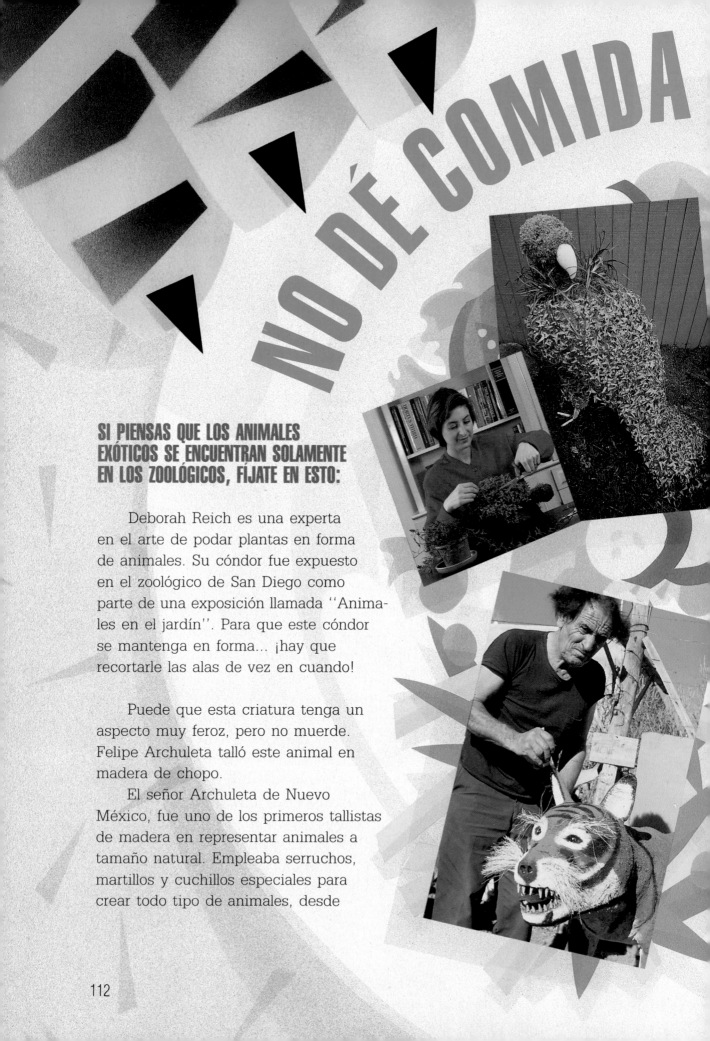

SI PIENSAS QUE LOS ANIMALES EXÓTICOS SE ENCUENTRAN SOLAMENTE EN LOS ZOOLÓGICOS, FÍJATE EN ESTO:

Deborah Reich es una experta en el arte de podar plantas en forma de animales. Su cóndor fue expuesto en el zoológico de San Diego como parte de una exposición llamada "Animales en el jardín". Para que este cóndor se mantenga en forma... ¡hay que recortarle las alas de vez en cuando!

Puede que esta criatura tenga un aspecto muy feroz, pero no muerde. Felipe Archuleta talló este animal en madera de chopo.

El señor Archuleta de Nuevo México, fue uno de los primeros tallistas de madera en representar animales a tamaño natural. Empleaba serruchos, martillos y cuchillos especiales para crear todo tipo de animales, desde conejos hasta elefantes. Añadía los últimos detalles con pintura, pedacitos de vidrio, cuerda, cable y caucho. El señor Archuleta murió recientemente, pero su hijo Leroy y otros tallistas continúan con la tradición.

Para esculpir animales fantásticos

sólo se necesitan unos baldes, unas palas y unos cuantos galones de agua coloreada. En Casper, estado de Wyoming, se utilizó nieve para dar forma a este enorme tigre blanco, con rayas y todo.

Después de modelar la nieve, los escultores añadieron los últimos detalles con agua coloreada. Este tigre sólo necesita temperaturas bajo cero para mantener su forma.

¿Por qué?

—¿Mamá, dónde acaba el cielo?

—Donde acaba tu mirar.

—¿Por qué se mueven las olas?

—Pues porque quieren jugar.

—¿Quién cambia, mamá, la luna?

—Su gran amor por el sol.

—¿Y el sol, por qué camina?

—Por darle luz a su amor.

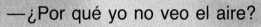

—¿Por qué yo no veo el aire?

—Porque te quiere engañar.

—¿Y el fuego, por qué quema?

—Porque nos quiere enseñar.

—¿Y, mamá, por qué la tierra,

por qué este día, esta vez?

¿Por qué el amor, por qué el frío?

¿Por qué yo digo por qué?

María de la Luz Uribe

NO MOLESTAR

LOS MISTERIOS DEL SUEÑO Y DE LA HIBERNACIÓN
DE LOS ANIMALES

MARGERY FACKLAM
ILUSTRACIONES DE PAMELA JOHNSON

Es otoño, y una grizzly de 300 libras pasa bamboleándose por una seca pradera del Parque Nacional de Yellowstone. Se detiene a cazar un ratón con un rápido zarpazo y luego se dirige sin prisa hacia un torrente de aguas cristalinas. Se para sobre sus patas traseras en la orilla para mirar y husmear el aire antes de zambullirse en las frías aguas. En un instante, atrapa un salmón de un manotazo y se lo traga. Devora dos peces más antes de vadear la corriente hasta la orilla, y se sacude el agua de su espeso y grisáceo pelaje, que brilla bajo el sol.

Día tras día, la grizzly galopa por los prados buscando ávidamente insectos, bayas y pequeños roedores, y deteniéndose para darse un verdadero banquete cuando encuentra los restos de un alce. La comida es lo único que parece interesarle.

Pero a medida que engorda y que el aire se vuelve más frío, la grizzly comienza a buscar otra cosa: su guarida de invierno. Como otros grizzlys, que son los carnívoros más grandes del mundo y que forman parte de la familia de los osos pardos, busca cada año un nuevo cubil. Cuando encuentra el lugar que le gusta, en una escarpada ladera que mira hacia el norte, al pie de un abeto, comienza a cavar. La tierra vuela mientras escarba un túnel con sus largas garras. El túnel que perfora bajo el árbol, que servirá de sólido techo a su cubil, es estrecho, pero sólo necesita un poco de espacio para abrirse paso hacia su dormitorio. En la primavera, después de cuatro o cinco meses de un profundo sueño llamado hibernación, la grizzly estará mucho más delgada.

La cavidad de su guarida es lo bastante grande como para permitirle acurrucarse en su interior. Durante el letargo invernal tendrá dos oseznos, pero éstos no ocuparán mucho espacio. Los cachorros de una osa de 300 libras son tan pequeños que dos podrían caber perfectamente en una salsera.

Durante semanas, la grizzly entra y sale gateando de su guarida para preparar su lecho. Algunos osos usan musgo y hierbas, pero ésta prefiere las blandas ramas de un abeto.

A finales de noviembre, cuando comienzan las heladas, la gran grizzly ya no puede correr por las praderas con la velocidad de un caballo. A medida que pasan los días, se mueve como si caminara dormida. La cabeza le cuelga y arrastra una pata detrás de otra. Y un día, cuando el viento azota la nieve levantando remolinos a su alrededor, la osa entra en su guarida. La nieve, que cae durante toda la noche, cubre la entrada de su túnel hasta hacerla desaparecer. Nadie podrá encontrarla. La grizzly estará a salvo durante el invierno, cómodamente abrigada bajo un manto de nieve. La osa no va a comer, beber, orinar o defecar hasta la primavera. Su ritmo cardíaco pasará de los 40 ó 50 latidos por minuto a 10 ó 12. Su temperatura bajará unos grados, y su respiración se hará lenta, como la de una persona que duerme profundamente.

Como sus primos los grizzlys, los osos negros también duermen durante el invierno, pero ellos no hacen túneles ni cavan profundas guaridas. Algunos escarban un hueco en la base de un árbol, a otros les gusta dormir bajo una pila de leña caída, y los hay que se acurrucan en pequeñas cuevas. Todos ellos preparan cómodos lechos de musgo, hojas, pinochas o cortezas y ramas que, como si fueran edredones de plumas, los mantendrán calientes.

Aunque es fácil descubrir las guaridas invernales de los osos negros, es casi imposible encontrar los bien escondidos agujeros de los grizzlys. Durante muchos años los científicos los rastrearon con la esperanza de seguirlos hasta sus guaridas de hibernación, pero nunca lo lograban. Perdían la pista de los osos en la espesa maleza o en las cegadoras tormentas de nieve.

Los grizzlys son miopes. No reconocen a un ser humano a más de cien yardas, pero tienen un aguzado sentido del olfato y pueden llegar a atacar si sienten el olor de una persona. El doctor Frank Craighead Jr., que los estudia con su hermano, el doctor John Craighead, ha tenido peligrosos encuentros en varias ocasiones.

—Nuestra vida —dice—, depende de poder detectar a los osos antes de que nos detecten a nosotros.

Durante su trabajo en el Parque Nacional de Yellowstone, los hermanos Craighead aprendieron a atrapar osos y a dormirlos con tranquilizantes. Después, tenían que trabajar en el escaso tiempo que el oso permanecía inconsciente. Lo levantaban con una red de nylon muy fuerte y lo pesaban. Uno de los miembros del equipo medía al oso mientras otro sacaba muestras de sangre. Tatuaban un número dentro de sus labios, examinaban sus dientes y le ponían una etiqueta de metal o de plástico en la oreja. El equipo de los Craighead llegó a conocer tan bien a los osos que les pusieron nombres. Entre ellos estaba Labio Cortado, Gran Pie, Caracortada, Nariz Rajada y Pata de Palo, que avanzaba cojeando con una pata tiesa.

Pero a pesar de lo mucho que los observaban y se ocupaban de ellos, nunca lograban encontrar sus guaridas... hasta que siguieron a Marian. Era la osa número 40 y se hizo famosa por ser la primera grizzly rastreada por radio.

En 1960, Marian fue atrapada y se le dio un tranquili- zante. Pesaba 300 libras y medía 65 pulgadas de largo. Los hermanos Craighead le pusieron un brillante collar de plástico rojo y amarillo con un pequeño radiotransmisor a pilas. El transmisor emitía una señal que la osa no podía percibir, pero que los Craighead podían escuchar en los receptores que llevaban en sus mochilas.

Después de seguir a Marian por todos lados, finalmente resolvieron el misterio de las guaridas de hibernación de los grizzlys. Desde entonces, los científicos han rastreado a muchos osos y estudiado muchos cubiles. Descubrieron que los osos, como las personas, tienen sus propias ideas sobre la comodidad. El túnel de la guarida de Marian sólo tenía dos pies de largo. Pero la de otro grizzly de Alaska contaba con un túnel en forma de S que medía 19 pies de largo y un dormitorio en forma de cucurucho de helado de unos seis pies de ancho y nueve pies de alto.

Después de los primeros radiotransmisores, como el de Marian, se han fabricado otros más perfeccionados con los que es posible seguir la pista de los osos día y noche hasta los lugares más remotos. El continuo *bip-bip* de las señales puede ser detectado por los radioreceptores desde satélites en el espacio, desde helicópteros que sobrevuelan la región, o desde camionetas estacionadas en una carretera cercana. Se ha llegado incluso a introducir "micrófonos clandestinos" en numerosas guaridas y, de esa forma, los científicos pueden saber cuándo se mueve un oso o cuándo varía la temperatura en su interior.

Algunos de estos transmisores son tan pequeños como una moneda de 25 centavos, y pueden ser implantados fácilmente bajo la piel del oso después de haberlo dormido con un tranquilizante. Cuando el oso despierta, no se da cuenta de que se ha convertido en una estación de radio ambulante que envía mensajes cada vez que cambia la temperatura de su cuerpo o su ritmo cardíaco.

Los indios del Noroeste respetaban al grizzly y lo llamaban Oso Que Camina Como Un Hombre, Viejo Hermano, y Viejo Hombre Con Garras. Una de sus leyendas dice que él fue quien enseñó a los seres humanos a sobrevivir en los bosques.

Es posible que el grizzly nos enseñe a sobrevivir en el espacio. Si averiguáramos cómo funciona la hibernación, sería más fácil y más seguro hacer largos viajes fuera de nuestra galaxia. Los astronautas en estado de hibernación no necesitarían comer, ni tendrían que gastar combustible para calentar la nave. Y no se aburrirían.

Todavía quedan muchas preguntas y muchos años de investigaciones antes de que podamos encontrar respuestas. ¿Cómo funciona la hibernación? ¿Cómo pueden los animales quedarse sin comer ni beber durante tantos meses y no morirse de hambre? ¿Por qué no se sienten débiles y enfermos cuando se despiertan en la primavera? ¿Por qué no se congelan en sus guaridas cubiertas de nieve? ¿Qué señal les indica que deben comer mucho para agregar las capas de grasa que les servirán para pasar el invierno? ¿Cómo saben cuándo es el momento oportuno para entrar en el cubil? ¿Y cómo saben cuándo es el momento de despertar?

¿Poseen los animales que hibernan alguna "poción mágica" que les permite hibernar?

CONOZCAMOS A MARGERY FACKLAM

Desde muy niña Margery Facklam ha creído que los animales están llenos de misterio. Por eso, siempre ha querido estar cerca de ellos.

Para pagar sus estudios universitarios trabajó cuidando una colonia de puercoespines. Más adelante se dedicó a la enseñanza en zoológicos y museos de ciencias naturales.

Con el tiempo, Facklam descubrió otra manera de estar en contacto con los animales: escribir sobre ellos. En "No molestar: los misterios del sueño y de la hibernación de los animales", se pregunta cómo los animales que hibernan pueden sobrevivir sin comer ni beber durante meses, por qué no mueren de frío ni en los inviernos más crudos, y cómo saben cuándo ha llegado el momento de despertarse. Facklam escribe para revelarnos los misterios del mundo animal.

LECHUZA

Si eres sabia como dicen,
Lechuza, dime por qué
tienes tú sólo dos patas
y tantas doña Ciempiés;

qué idioma canta la rana
Lafarré Silamisol,
qué instrumento toca el grillo
Lafamí Dorremidó.

Cuántos pelos tiene el gato
y dónde guarda la flor
el creyón con que se pinta
y su frasquito de olor.

Por qué brillan las estrellas,
y al sol, quién lo prende, quién.
Si eres sabia como dicen,
Lechuza, dime por qué...

Alberto Serret

¿CÓMO VIVEN LOS ANIMALES EN INVIERNO?

Catherine de Sairigné
ilustraciones
de Agnès Mathieu
libro en español
de María Puncel
Altea,1986

¿Alguna vez te has preguntado qué les ocurre a los animales cuando llega el invierno? Cada animal se defiende del frío a su manera y en este libro puedes ver las distintas costumbres invernales de muchos de ellos.

¿QUÉ VEN, OYEN, HUELEN Y SIENTEN LOS ANIMALES?

National Wildlife
Federation
Macmillan/
McGraw-Hill, 1993

Los animales están llenos de misterios para los humanos. Este libro te ayudará a conocer y a comprender mejor a nuestros amigos del reino animal. Verás cuántas cosas podemos aprender de ellos.

TIANGUIS DE NOMBRES
Gilberto Rendón Ortiz
ilustraciones
de Antonio Helguera
y Patricio Gómez
C.E.L.T.A. Amaquemecan,
1990

La cucaracha reina ha abierto un negocio de venta de nombres y todos los insectos quieren un nombre nuevo y elegante, a la moda de París. Pero cuando se den cuenta del lío que han armado... ¿será demasiado tarde?

uenta la leyenda que, durante la conquista de Guatemala, el capitán español Pedro de Alvarado se enfrentó al jefe indio Tecún Umán. Alvarado luchaba montado en un caballo y Tecún Umán luchaba a pie. Y se dice que, durante la lucha, un ave bellísima, verde y con el pecho rojo, volaba sobre la cabeza del guerrero indio y atacaba al conquistador a picotazos. La lanza de Alvarado atravesó finalmente el pecho del valiente indio y, desde entonces, el pájaro que lo defendía no ha vuelto a cantar.

El ave de la leyenda es el quetzal, que es hoy el símbolo de Guatemala. Aparece en la bandera, el escudo, las estampillas o sellos de correos, y también en las joyas, los tejidos y otros productos de artesanía. La moneda nacional se llama quetzal y lleva su nombre y su figura. Una de las ciudades más importantes de Guatemala es Quetzaltenango, que significa "lugar de los quetzales".

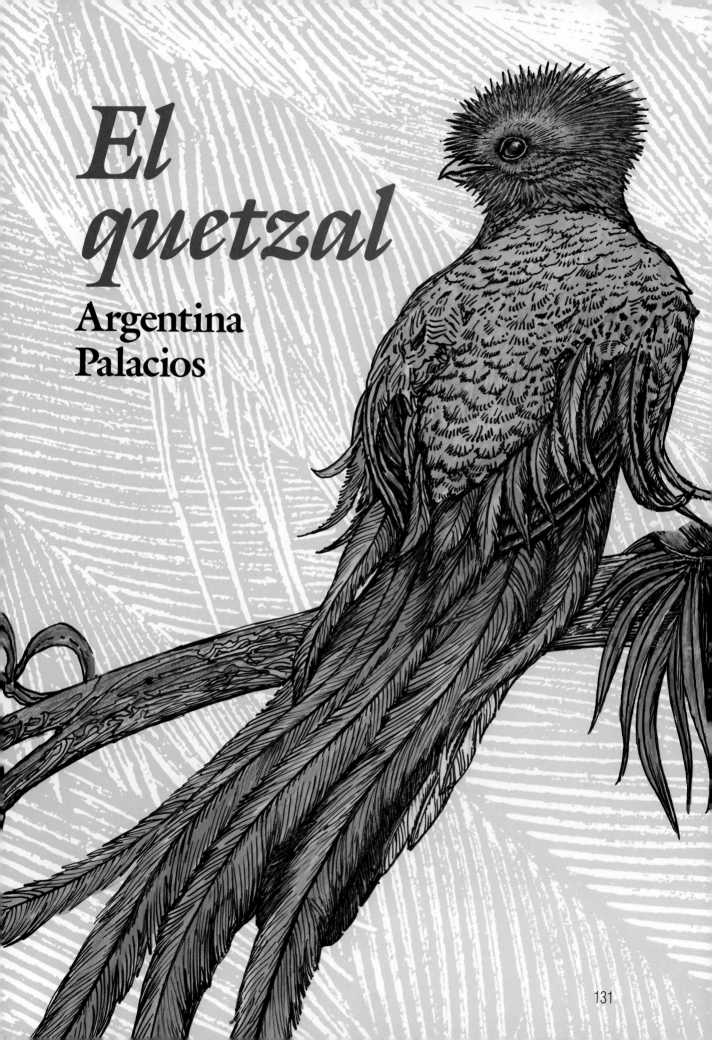

El quetzal

Argentina Palacios

La figura del quetzal aparece en las estampillas de correos y en el escudo nacional de Guatemala (*abajo*).

La selva tropical nubosa de Monteverde, en Costa Rica, es uno de los pocos lugares del mundo habitados todavía por el quetzal (*arriba*).

La joya de la selva

Los científicos usan a menudo el adjetivo "resplandeciente" cuando hablan del quetzal. Y ciertamente esta ave parece una joya o, mejor dicho, un conjunto de piedras preciosas. Y las joyas y piedras preciosas brillan, despiden resplandor.

El quetzal es una de las aves más bellas. Su nombre viene de *quetzalli,* palabra que en náhuatl, la lengua de los antiguos aztecas de México, quiere decir "pluma hermosa". Esta palabra se usa más que *kukul,* el nombre que le daban los indios maya-quichés de Guatemala. Pero el pájaro es igualmente importante para ambos pueblos.

Hoy en día, es posible encontrar quetzales en zonas de selva tropical nubosa desde el estado de Chiapas, en el sur de México, hasta la provincia de Chiriquí, en el oeste de Panamá. Este tipo de selva se encuentra a alturas superiores a los 5,000 pies (1,500 metros). Allí llueve casi todos los días del año y la vegetación es abundante.

133

El quetzal es, más o menos, del tamaño de una paloma. Tiene el pico pequeño y amarillo, y las alas cortas y redondeadas. Aunque no canta, emite un sonido parecido al de los patos.

Al igual que en otras especies, como el pavo real, el macho y la hembra son distintos. El macho, que es más hermoso, tiene en la cabeza un mechón de plumas doradas entremezcladas con verdes. Gran parte del cuerpo y de las alas es de un verde dorado y brillante, con unas cuantas plumas negras. El pecho es rojo escarlata. La cola, en la que predomina el blanco, tiene cuatro plumas verdes, alargadas y curvas. Las dos centrales pueden alcanzar hasta 3 pies (1 metro) de largo y, cuando el pájaro se posa, cuelgan imponentes bajo la rama. ¡No es de extrañar que nos haga pensar en la cola de un manto real!

La hembra no tiene ni el mechón ni las plumas alargadas de la cola. Tiene la cabeza del color del chocolate y un poquito de rojo escarlata le adorna el pecho grisáceo. Es mucho menos vistosa, pero no deja de ser hermosa.

El brillo de las plumas del quetzal lo hace confundirse con las hojas verdes cubiertas de gotitas de agua o de rocío. Si se ve en peligro, se posa con todo cuidado de modo que no se le vea la parte roja. Pero lo más sorprendente es que, bajo el microscopio, las plumas no son ni verdes ni brillantes. ¡Son de color café! Lo que vemos como color verde iridiscente se debe a un fenómeno físico. Tiene que ver con la forma del cuerpo del ave y el reflejo de la luz. Por esa razón, las plumas de quetzal que vemos en los museos decorando trajes y penachos, no se ven tan hermosas.

Por lo general, el quetzal es un pájaro solitario. Es raro ver un par de quetzales juntos y mucho más raro aún verlos en grupo.

Cuando llega la época de buscar pareja, el macho empieza a volar muy alto, hace piruetas complicadas y chilla con fuerza para atraer a la hembra.

Después, buscan juntos un lugar para el nido. Como ni el pico ni las garras del quetzal son lo suficientemente largos ni fuertes para excavar el nido, tienen que encontrar un tronco de árbol podrido donde hacer un hoyo, o algún hueco que haya hecho un pájaro carpintero en otro árbol.

Entre los dos ensanchan el hueco, si es necesario, hasta que la entrada mide unas 4 pulgadas, y luego lo arreglan a su gusto. No llevan al nido ni pajitas ni hojas ni ningún otro material que lo acolchone y suavice. Por eso los polluelos nacen con unos callos en los talones que desaparecen más tarde. Los nidos están siempre a bastante distancia del suelo. Se han llegado a encontrar nidos de quetzal a una altura de 30 pies (10 metros).

Entre la gente del pueblo se dice que el nido del quetzal tiene dos "puertas", una para entrar y otra para que el macho salga sin estropearse la cola. Pero eso no es más que un mito. Los científicos han observado que el nido sólo tiene un agujero. El macho se echa con las plumas en posición vertical y parte de ellas le sobresale del nido. A veces se le rompen y casi siempre acaban en muy mal estado al terminar el período de incubación.

Las largas plumas de la cola del quetzal macho sobresalen del nido (*arriba*).

La nidada es, por lo general, de dos pequeños huevos azulados. Tanto el macho como la hembra se turnan para incubarlos. A la hembra siempre le toca el turno de la noche. Los polluelos nacen a los 17 ó 18 días y no se pueden valer por sí solos ya que nacen ciegos y sin plumas. La hembra y el macho se turnan para llevarles comida a las crías. El quetzal se alimenta principalmente de frutas y bayas que arranca al vuelo con gran habilidad.

Una semana después de nacidos, los polluelos abren los ojos. A las dos semanas, plumas de color café les cubren el cuerpo, pero no la cabeza. Cuando tienen un mes salen del nido, volando perfectamente. El plumaje les cambia poco a poco al color de adulto. Al macho le crece la espectacular cola a los tres años.

El quetzal se convirtió en un símbolo de libertad porque se pensaba que no podía vivir enjaulado. Pero hoy en día sabemos que, si las condiciones son apropiadas, esta ave puede vivir en cautiverio y hasta reproducirse. En 1937, se llevaron nueve pollue-

Las plumas de color café de las crías cambian poco a poco al color verde del quetzal adulto. Quetzal de un mes (*arriba*).

los de Honduras al Zoológico del Bronx, en Nueva York. Fueron los primeros quetzales que se exhibieron en un Zoológico de los Estados Unidos. Cinco se quedaron en el Bronx y cuatro se enviaron al Zoológico de Londres, Inglaterra. Después, otros zoológicos consiguieron quetzales para sus colecciones. Es difícil saber cuánto tiempo vive un quetzal en la selva. Sin embargo, se sabe que uno de los quetzales del Bronx vivió 22 años, 2 meses y 9 días.

Un ave de leyenda

El quetzal ha sido y es objeto de veneración y leyenda desde hace miles de años.

Antes de la conquista española, los aztecas veneraban al dios Quetzalcóatl. Lo representaban de dos maneras: como un ser de forma humana con un penacho de plumas de quetzal en la cabeza, y como una serpiente con plumas; naturalmente, las plumas de la serpiente eran de quetzal.

Desde antes de los aztecas, los mayas veneraban a un dios con los mismos atributos de Quetzalcóatl. Lo llamaban Kukulcán.

Por los documentos que han llegado hasta nuestros días, sabemos que, entre los aztecas, sólo el emperador y los nobles tenían el derecho a adornarse con plumas de quetzal. Cualquier persona que no fuera de la nobleza era castigada a la pena de muerte si usaba las plumas o mataba un quetzal.

Las plumas que usaban eran sólo las de la cola, las más hermosas. Cazadores especialmente entrenados atrapaban a los pájaros vivos y se las arrancaban. Después, los soltaban en el bosque para que las plumas les volvieran a crecer.

Para los aztecas, esas plumas eran tan valiosas como el oro o el jade. Cuando Moctezuma recibió a Hernán Cortés, el emperador azteca le regaló al conquistador español un extraordinario penacho de más de 170 plumas de quetzal que puede verse hoy en día en un museo de Viena, Austria. Una copia del original se encuentra en el Museo Nacional de Antropología en la Ciudad de México.

Los aztecas representaban a veces al dios Quetzalcóatl como un ser humano con un penacho de plumas de quetzal (*izquierda arriba*). Otras veces lo representaban en forma de serpiente cubierta con plumas de quetzal (*derecha*). Las plumas del quetzal eran usadas como adorno por los nobles aztecas. Penacho del emperador Moctezuma (*centro*).

139

Muchas son las leyendas que tienen al quetzal como protagonista. Una de ellas cuenta que, hasta la conquista española, el color del quetzal era sólo verde. Después de una sangrienta batalla en la que muchos guerreros indios perdieron la vida, llegaron cientos de quetzales a velar a los muertos. Al acercarse, se mancharon el pecho con la sangre de los valientes guerreros caídos y, a partir de ese día, el quetzal tiene el pecho rojo escarlata.

Otra leyenda, más antigua, narra la historia del nacimiento del quetzal. En ella se cuenta que un poderoso jefe quiché tuvo un hijo a quien llamó Kukul.

Cuando nació el niño, un colibrí se posó en un árbol frente a la casa del cacique. Era el colibrí más grande y más hermoso que jamás se había visto en la región.

Al ver este signo, los sabios de la tribu dijeron: —Kukul no morirá nunca. Vivirá para siempre por todas las generaciones de quichés.

En el pueblo hubo gran alegría. Todo el mundo quería y admiraba a Kukul. Todo el mundo, menos Chirumá, el tío de Kukul, que soñaba con ser jefe un día.

Chirumá se puso a pensar en la profecía. No podía ser cierto que alguien viviera para siempre.

"Kukul debe tener un poderoso amuleto", se dijo Chirumá. "Lo averiguaré en la primera oportunidad."

Un día, Chirumá encontró a Kukul profundamente dormido sobre una estera. Estuvo buscando largo rato con gran cautela pero no pudo encontrar nada. Cuando ya se iba a alejar, notó que bajo la estera, a la altura de la cabeza, había una pluma de colibrí.

"Lo encontré", se dijo lleno de alegría. "Sin duda, éste es el amuleto que lo protege en las batallas: la pluma del colibrí que se posó frente a su casa cuando él nació."

Pocos días después, mientras cazaba por la selva con su arco y sus flechas, Kukul oyó un ruido muy leve entre las hojas. Miró por todas partes y no vio ni hombre ni animal. Siguió andando. Entonces oyó el silbido de una flecha que al instante se le quedó clavada en el pecho.

142

El herido Kukul se arrancó la
flecha y se taponó la herida, pero
la sangre se le desbordaba. Todo
el pecho se le fue poniendo de
color rojo escarlata. Las fuerzas
empezaron a faltarle y al fin cayó
sobre la hierba húmeda, color de
esmeralda, y cerró los ojos.

Poco a poco su cuerpo fue
tomando el color de la hierba y
su piel se fue convirtiendo en plumas. Las plumas del pecho le quedaron del color de su sangre. El
sol dorado de la tarde brilló sobre
la cola y le dio sus colores. Kukul
se fue transformando en ave.

Cuando los demás miembros
de la tribu llegaron al lugar donde
Kukul había caído, lo único que
vieron fue un hermoso pájaro que
se echó a volar hacia el cielo. Y
cuenta la leyenda que ese pájaro
es inmortal. Es el kukul, al que
conocemos más comúnmente como quetzal.

Un ave inmortal

A pesar de la veneración y las leyendas, el quetzal es un ave que se encuentra en peligro de desaparecer. Si los seres humanos de hoy en día no tenemos cuidado, desaparecerá para siempre, por todas las generaciones.

Los antiguos nobles aztecas, ya lo sabemos, utilizaban las plumas de los quetzales para adornarse. Pero no los mataban para quitarles las plumas. Otros, sin embargo, no han sido tan cuidadosos.

A mediados del siglo pasado, se mataban miles de quetzales todos los años para exportar las plumas a Europa y otras partes del Viejo Mundo; todo por la moda. Se llegó a creer que el quetzal, el inmortal kukul de la leyenda, había desaparecido. Por fortuna, no fue así.

Aunque en Guatemala hay una ley que prohibe matar, atrapar o exportar quetzales (vivos o muertos), eso sigue ocurriendo hoy, no sólo en Guatemala sino también en otros países de Centroamérica.

A pesar de todas las dificultades, no hay que perder la esperanza. En 1972, se estableció en Guatemala el primer santuario, o refugio, exclusivamente para quetzales.

El quetzal vive protegido en refugios naturales como el de la selva tropical de Monteverde, en Costa Rica (*abajo*).

La situación parece también ir mejorando en otros países. En Costa Rica, por ejemplo, existe la reserva de selva tropical nubosa de Monteverde, donde el quetzal vive protegido. Y en Panamá pasa igual en la reserva del volcán Barú. Y en Nicaragua, Honduras, Belice, El Salvador y México también hay muchas personas interesadas en la conservación y la ecología. Es de esperar que todas ellas hagan posible que kukul, el quetzal, viva para siempre, por todas las generaciones, como dice la leyenda.

Conozcamos a
Argentina Palacios

Cuando Argentina Palacios llegó a los Estados Unidos después de terminar sus estudios en la Universidad de Panamá, no se imaginaba que su amor a los niños la conduciría al Zoológico del Bronx, en Nueva York. Pero así es, pues allí trabaja explicando las costumbres de los animales.

Su actividad principal, su auténtica vocación, es contar historias a los niños, de viva voz o por medio de los libros que publica. Argentina narra cuentos en bibliotecas o escuelas y escribe relatos y obras de teatro infantil: su objetivo es la educación y el entretenimiento de la infancia. Su familia cuenta con varias generaciones de maestros y escritores para quienes oír y contar historias era una costumbre y un placer.

En "El quetzal" nos describe las características de este hermoso pájaro, siempre presente en la historia y tradiciones de la América Central, y nos explica por qué su supervivencia está amenazada. Argentina Palacios nos dice que "es deber de todos hacer un esfuerzo para salvar al quetzal y a todos los animales que habitan nuestro planeta".

CONTENIDO

HOMBRO CON HOMBRO

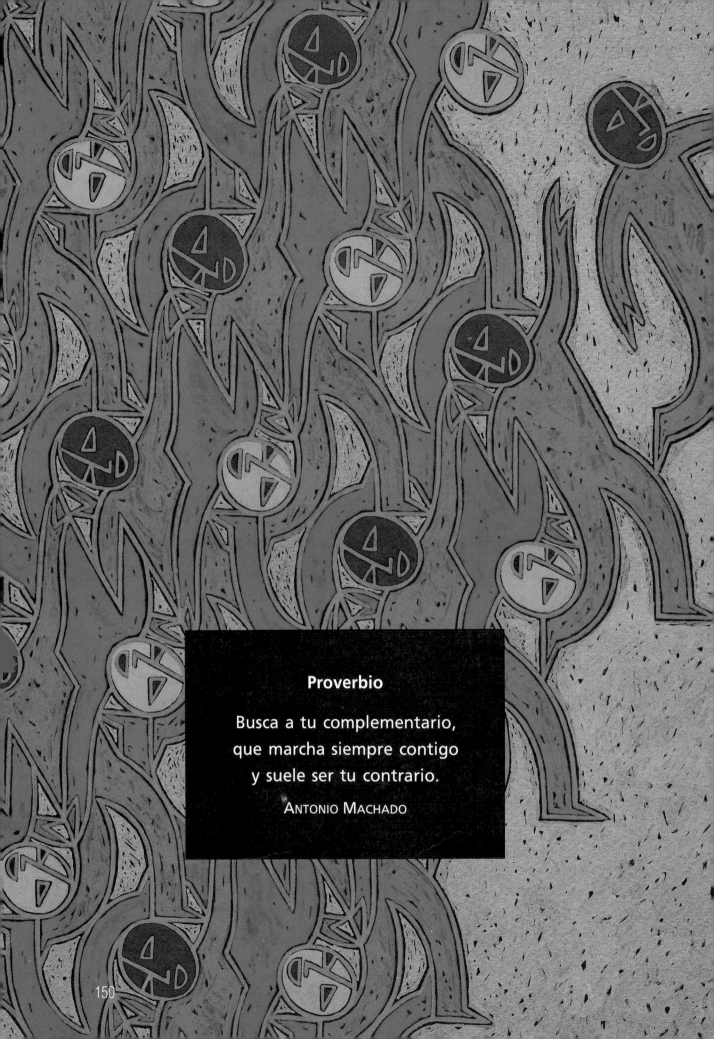

Proverbio

Busca a tu complementario,
que marcha siempre contigo
y suele ser tu contrario.

ANTONIO MACHADO

LA TARTA DE MIEL

Consuelo Armijo

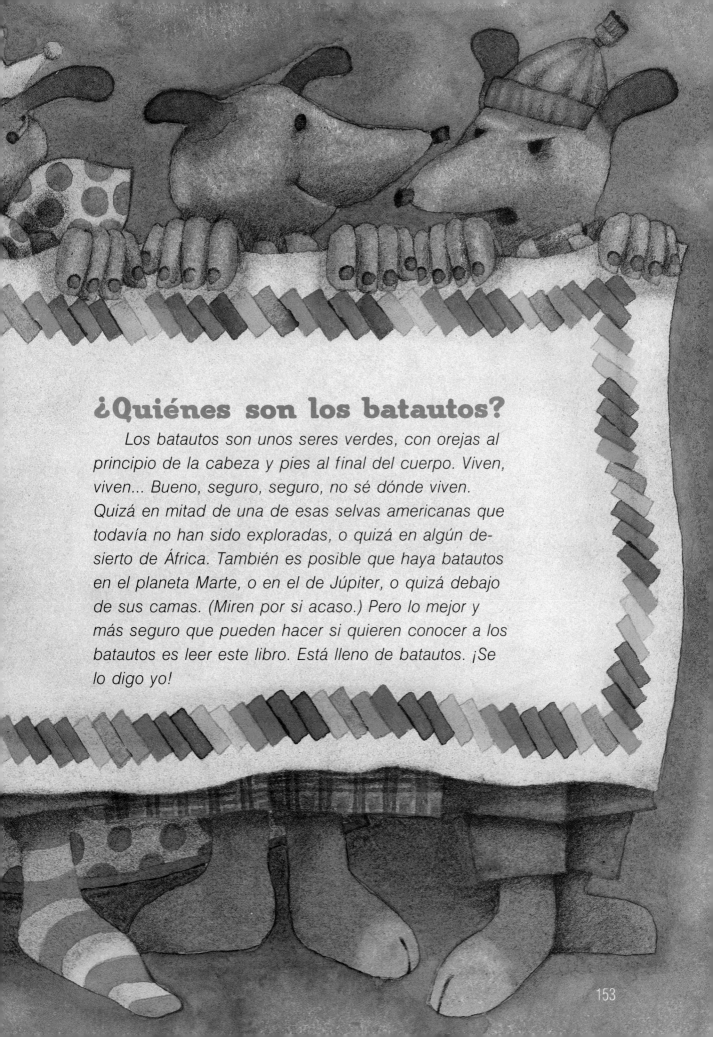

¿Quiénes son los batautos?

Los batautos son unos seres verdes, con orejas al principio de la cabeza y pies al final del cuerpo. Viven, viven... Bueno, seguro, seguro, no sé dónde viven. Quizá en mitad de una de esas selvas americanas que todavía no han sido exploradas, o quizá en algún desierto de África. También es posible que haya batautos en el planeta Marte, o en el de Júpiter, o quizá debajo de sus camas. (Miren por si acaso.) Pero lo mejor y más seguro que pueden hacer si quieren conocer a los batautos es leer este libro. Está lleno de batautos. ¡Se lo digo yo!

¡Cómo llovía aquella tarde! Además había truenos, relámpagos y viento. Era lo que se dice una tarde de perros.

Peluso estaba convidado a merendar tarta de miel en casa de Buu, pero Buu vivía al otro lado del bosque, y a Peluso, cuando se mojaba, le daba reuma. El pobre Peluso prefería no ir, pero se imaginó a Buu trabajando la mañana entera en la cocina para preparar la tarta. Seguro que se había gastado todas sus provisiones de miel y que ahora estaba esperándolo para poder merendar juntos. Peluso suspiró y se dispuso a salir. No quería desilusionar a Buu. Además él nunca comprendería que no fuera, porque aunque Buu tenía el corazón más bueno que ser alguno haya tenido en este mundo, tenía un defecto: no comprendía bien las cosas. Eso es lo que Peluso, que creía conocer en seguida a todos los batautos, había pensado de él desde la primera vez que lo vio. Por eso se había prometido a sí mismo defender siempre a Buu y ser siempre su amigo.

Peluso abrió la puerta de su casa, y ya iba a salir, cuando algo mojado se le incrustó en la barriga haciéndole caer sentado.

—Buenas tardes —dijo Buu sacudiendo su chorreante cuerpo sobre el pobre Peluso, de tal suerte que éste no acababa de enterarse si había caído fuera o dentro de su casa.

—Buenas tardes, Buu —contestó Peluso muy asombrado—.
Gracias por venir a pesar de la lluvia —agregó, armándose
ya un lío con todo.

—¡Pero Peluso, si he venido precisamente por eso! Me
acordé de tu reuma y pensé que sería mejor que fuera yo el
que viniera —y Buu se volvió a sacudir.

—¡Qué amable de tu parte! —dijo Peluso sacudiéndose
el agua que Buu se había sacudido.

—Bah, no tiene importancia. Así he estrenado mi impermeable —y Buu enseñó su impermeable, que había traído doblado debajo del brazo.

"Verdaderamente" pensó Peluso, "es una pena que Buu comprenda tan poco las cosas".

El pobre Buu se acercó al fuego tiritando de frío. Peluso, que ya empezaba a darse cuenta de la situación, le trajo corriendo una toalla y le dio una fricción. Ahora sólo había una cosa que preocupaba a Peluso: ¿qué le iba a dar de merendar a Buu? No tenía nada preparado y el pobre Buu se merecía una buena merienda después de ese remojón. ¿Cómo le iba a decir que no tenía nada? Además, Buu no lo entendería.

Así que Peluso, confiando que una inspiración viniera en su auxilio, dijo a Buu con la mejor de sus sonrisas:
—Siéntate en la butaca y ponte cómodo, querido Buu, mientras yo voy arriba a preparar la merienda.

Una vez en su pequeña cocina, Peluso encontró la situación difícil. Él, por lo general, era austero en sus comidas. Aquella mañana había traído las provisiones de la semana: siete grandes patatas. Las tenía en una repisa puestas en fila. Ahí estaba la patata del lunes, la del martes, la del miércoles y la de todos los demás días, pero...

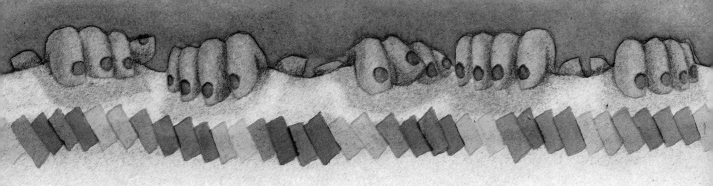

¡Nadie da a sus invitados patatas para merendar! De repente se acordó de que tenía una tableta de chocolate. Sí, la tenía desde un día que decidió convidarse a sí mismo y trajo dos tabletas. Una se la comió ese día, y la otra la guardó por si acaso decidía convidarse otra vez. Estaba dentro de un bote en la repisa más alta.

Peluso cogió un taburete, se subió encima y sacó del bote la pastilla. Era una pastilla pequeña; con ella no tendrían para merendar los dos, pero Peluso la derritió al fuego, luego peló las patatas y las fue colocando unas sobre otras con muy buen pulso, formando una torre, y entonces vertió el chocolate derretido sobre ellas.

"Ya está" se dijo, "tarta de chocolate. La de miel es mejor, pero ésta no estará mal".

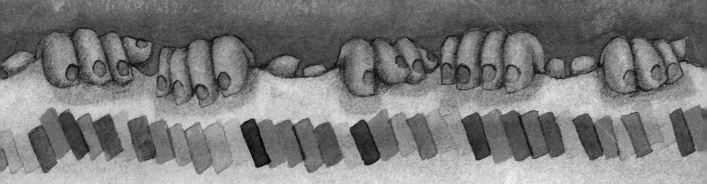

Con mucho cuidado para que la torre no se derrumbara, Peluso se dispuso a bajar las escaleras. Ya iba por la mitad del camino cuando, por causas ajenas a todas las voluntades, la patata de más arriba, que formaba el remate de la tarta, dio un pequeño salto y cayó al suelo. Quiso el destino que Peluso fuera a poner el pie encima de la patata, y, en ese mismo instante, se organizó una reñida carrera escaleras abajo entre Peluso y la patata. A cierta distancia les seguía el resto de las patatas y el plato que las contuvo, armando un estruendo capaz de romper los tímpanos más resistentes. ¡Para que luego hablen de la bomba atómica!

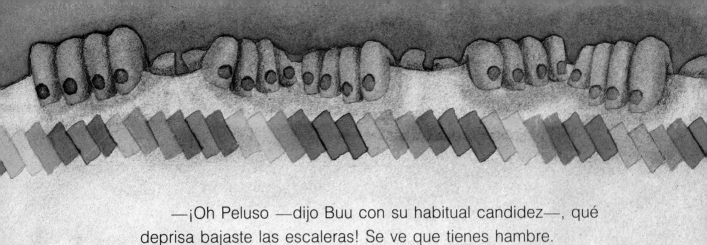

—¡Oh Peluso —dijo Buu con su habitual candidez—, qué deprisa bajaste las escaleras! Se ve que tienes hambre.

Peluso levantó la cabeza y abrió la boca para contestar algo, pero no lo hizo y permaneció con la boca abierta. ¡Sobre la mesa acababa de ver la tarta de miel más hermosa que jamás viera en su vida!

—Peluso —dijo Buu con mucha paciencia—, no trajiste los platos.

—Ahora voy —dijo Peluso pasmado todavía, mientras escondía las enchocolatadas patatas debajo de la butaca para que Buu no las viera.

"Pues, señor, no me lo explico" pensaba Peluso, mientras iba por los platos. "¿De dónde habrá salido esa tarta? No puede ser otra cosa sino que las hadas buenas la hayan traído como premio a la bondad de Buu, que se ha recorrido el bosque bajo la lluvia solamente para que yo no tenga reuma. Sí," se dijo convencido, "eso debe de ser".

Peluso y Buu merendaron opíparamente, charlaron y rieron; en fin, se divirtieron de lo lindo.

Era muy tarde cuando Buu se despidió para irse a su casa.

—Ven —le dijo Peluso—, te voy a envolver en tu impermeable para que no te mojes.

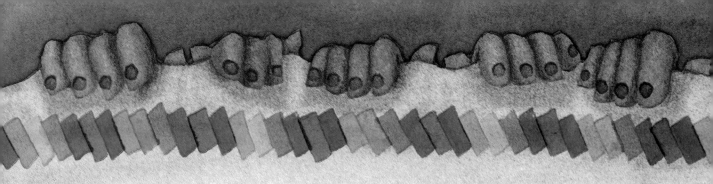

Buu iba a decir que sería mejor limpiar antes el impermeable, puesto que había traído envuelta en él la tarta, y todo
el mundo sabe lo pagajosa que es la miel, pero antes de que
lo dijera, Peluso ya lo estaba envolviendo, y había tanto cariño
y buena voluntad en sus ojos, que Buu sonrió y le dijo:

—Muchas gracias, Peluso; qué bien lo has hecho; seguro
que así no me mojo.

Antes de acostarse, mientras se frotaba con un cepillo de
crin de camello para quitarse la miel de su cuerpo, Buu pensaba en la suerte que era tener un amigo tan bueno y que lo
quisiera tanto como Peluso.

"Sólo tiene un defecto" pensó mientras se restregaba
fuertemente, "que a veces no comprende las cosas".

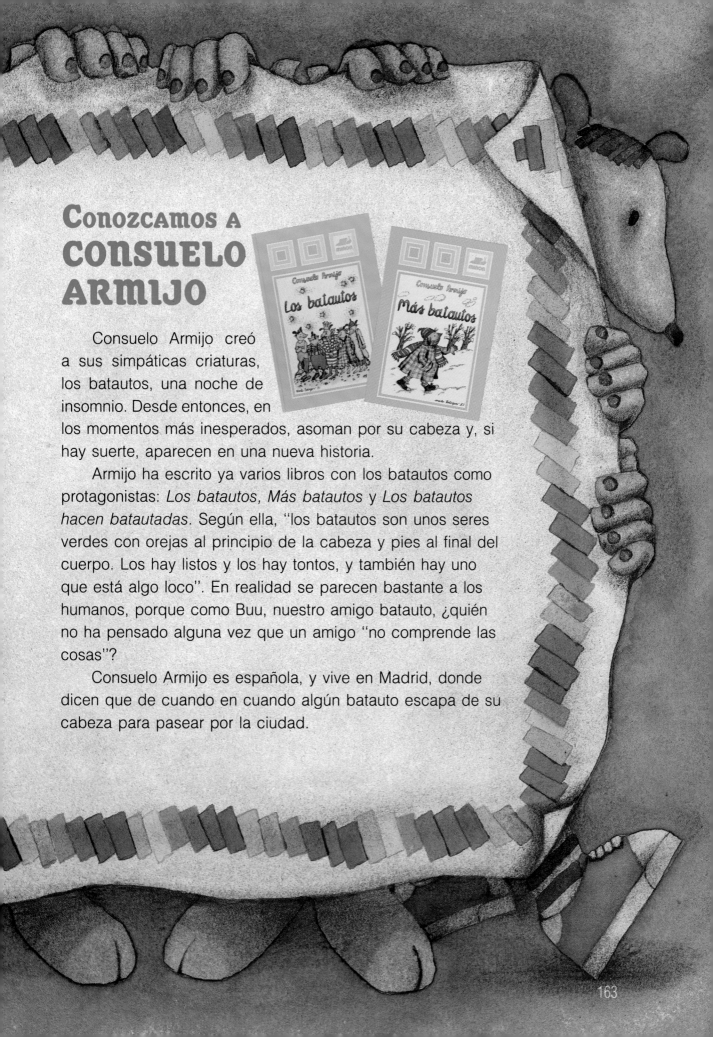

Conozcamos a CONSUELO ARMIJO

Consuelo Armijo creó a sus simpáticas criaturas, los batautos, una noche de insomnio. Desde entonces, en los momentos más inesperados, asoman por su cabeza y, si hay suerte, aparecen en una nueva historia.

Armijo ha escrito ya varios libros con los batautos como protagonistas: *Los batautos, Más batautos* y *Los batautos hacen batautadas*. Según ella, "los batautos son unos seres verdes con orejas al principio de la cabeza y pies al final del cuerpo. Los hay listos y los hay tontos, y también hay uno que está algo loco". En realidad se parecen bastante a los humanos, porque como Buu, nuestro amigo batauto, ¿quién no ha pensado alguna vez que un amigo "no comprende las cosas"?

Consuelo Armijo es española, y vive en Madrid, donde dicen que de cuando en cuando algún batauto escapa de su cabeza para pasear por la ciudad.

163

¡QUÉ PEQUEÑO ES

Aunque la ciudad de Portland, en Oregón y la ciudad de Sapporo, en Japón, están a muchas millas de distancia, mantienen una relación muy estrecha. En realidad, Portland y Sapporo son "ciudades hermanas".

Sapporo, Japón

EL MUNDO!

Entre los niños de las escuelas primarias de Portland y Sapporo hay un constante intercambio de cartas, dibujos, cintas musicales y poemas. Todos están de acuerdo en que conocer las fiestas, las costumbres y el lenguaje de otra cultura es muy divertido. Al compartir estas experiencias, los niños de Portland y Sapporo entablan lazos de amistad.

Muchas ciudades de los Estados Unidos tienen hermanas en otras partes del mundo. Hay ciudades tan entusiasmadas con la idea, que tienen más de una ciudad hermana. La ciudad de Saint Louis, en Missouri, tiene cuatro hermanas: una en Francia, una en Irlanda, una en Alemania y una en Japón.

Puedes escribir a la organización *Sister Cities* (Ciudades Hermanas):

Sister Cities International
120 South Payne Street
Alexandria, Virginia 22314

La próxima vez que veas un mapa del mundo, piensa en todos los niños de otros países que podrían ser tus amigos. El mundo es muy pequeño, ¿no es verdad?

Querida Noriko:
Muchas gracias por tu carta. Aquí te envío algunas fotos de Portland. Seguro que te gustan las fotos de los jardines de rosas; se parecen mucho a los jardines japoneses, llenos de flores de colores.
¿Te imaginas ser el jardinero encargado de todas esas plantas? Yo creo que no podría hacerlo. La verdad es que nunca se me ha dado muy bien la jardinería, no tengo mucha habilidad con las plantas.
¿Y a ti? Cuéntamelo en

Tiene el

leopardo un abrigo...

Tiene el leopardo un abrigo
en su monte seco y pardo:
yo tengo más que el leopardo,
porque tengo un buen amigo.

Tiene el conde su abolengo;
tiene la aurora el mendigo;
tiene ala el ave: ¡yo tengo
allá en México un amigo!

Tiene el señor presidente
un jardín con una fuente,
y un tesoro en oro y trigo;
tengo más; tengo un amigo.

José Martí

TATICA

Hilda Perera

atica era una perrita chica, graciosa, con el rabo tan contento y tan móvil, que parecía de azogue. Los ojos los tenía del color del azúcar cuando ya casi es caramelo. No hablaba, porque no hablan los perros, pero ladraba de tantas formas distintas: de gusto, de cariño, de miedo, de ira y hasta de perdón, que ni falta le hacía. Además, lo que no podía expresar ladrando, lo decían sus ojos sinceros que miraban de frente: "Yo te comprendo, y no importa lo que te hagan los demás, siempre estaré al lado tuyo". Y un consuelo así, no sabe decirlo mucha gente, ni con la lengua, ni con los ojos.

No; no era perra de las que se
compran en tiendas de mascotas y llevan dos apellidos
y comen comidas más especiales y costosas que muchos
niños. Su abuelo era *bulldog;* su abuela, *cocker spaniel;*
su padre, *fox-terrier* y su mamá, *chihuahua:* o sea, que
Tatica era completamente sata. Estos perros suelen entrar en las casas por empeño de niño o soledad de viejo.
Si Tatica llegó a casa de los González, fue por carambola.
Se embarcaba Agripino, su dueño, a Estados Unidos, a
ver si se hacía rico, y la traía para que hicieran el favor
de cuidarla mientras tanto.

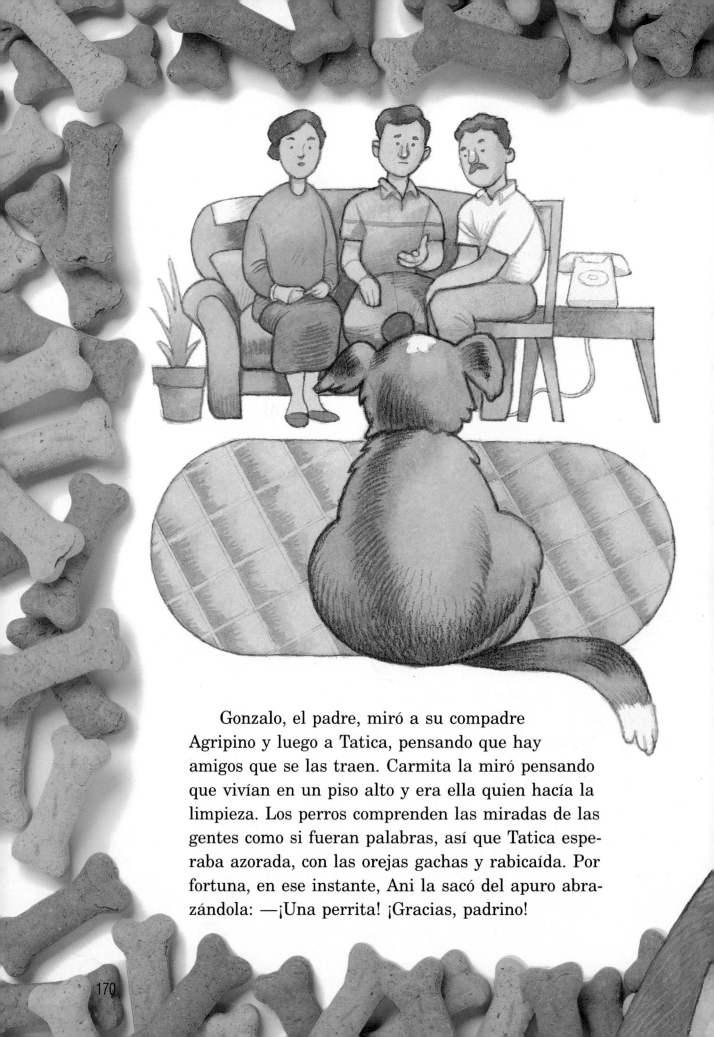

Gonzalo, el padre, miró a su compadre
Agripino y luego a Tatica, pensando que hay
amigos que se las traen. Carmita la miró pensando
que vivían en un piso alto y era ella quien hacía la
limpieza. Los perros comprenden las miradas de las
gentes como si fueran palabras, así que Tatica esperaba azorada, con las orejas gachas y rabicaída. Por
fortuna, en ese instante, Ani la sacó del apuro abra-
zándola: —¡Una perrita! ¡Gracias, padrino!

Asunto concluido: Tatica se quedaba en la casa.

Fue un tiempo estupendo. En casa de los González se cantaba mucho, se discutía poco, no había mal genio, se comía bien y todo el mundo: "Tatica esto, Tatica lo otro", "dame la patica", "ven y te acaricio". En fin, esas cosas que hacen felices a perros y personas.

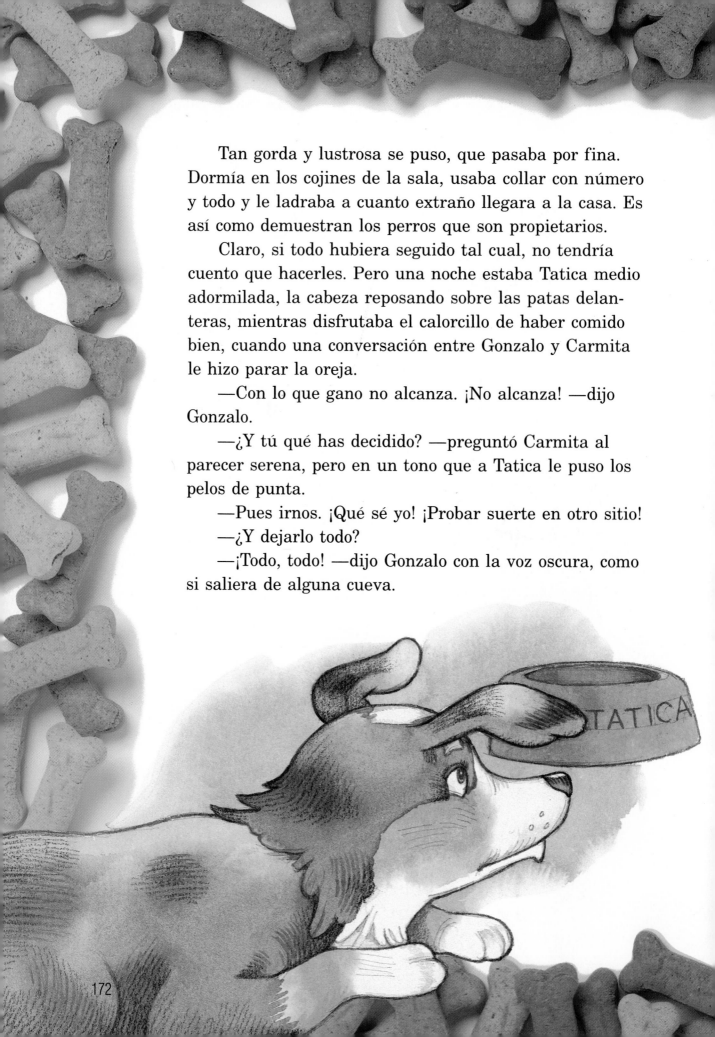

Tan gorda y lustrosa se puso, que pasaba por fina.
Dormía en los cojines de la sala, usaba collar con número
y todo y le ladraba a cuanto extraño llegara a la casa. Es
así como demuestran los perros que son propietarios.

Claro, si todo hubiera seguido tal cual, no tendría
cuento que hacerles. Pero una noche estaba Tatica medio
adormilada, la cabeza reposando sobre las patas delan-
teras, mientras disfrutaba el calorcillo de haber comido
bien, cuando una conversación entre Gonzalo y Carmita
le hizo parar la oreja.

—Con lo que gano no alcanza. ¡No alcanza! —dijo
Gonzalo.

—¿Y tú qué has decidido? —preguntó Carmita al
parecer serena, pero en un tono que a Tatica le puso los
pelos de punta.

—Pues irnos. ¡Qué sé yo! ¡Probar suerte en otro sitio!

—¿Y dejarlo todo?

—¡Todo, todo! —dijo Gonzalo con la voz oscura, como
si saliera de alguna cueva.

Esa noche, Tatica tuvo una horrible pesadilla: se veía corriendo por calles solas, comiendo en los latones de basuras y apedreada por todos. Tanto, que saltó como un cohete y se metió bajo la manta, junto a Ani. Allí, con la tibieza del cariño y acurrucada a ella, recuperó la paz.

No pensó más en el asunto y el terror se le fue poniendo tan chiquitico, que casi ni lo notaba: era sólo sombra de miedo lo que sentía cuando salían todos y se demoraban en regresar.

Por lo demás, seguían Ani con Tatica y Tatica con Ani: "estoy contigo" y "juego a lo que juegues" y "si alguien te cae mal, seguro que a mí también me cae gordo", es decir, amigas de veras.

Un día llegó un señor flaquito que parecía un poste por lo alto y, aunque Tatica le ladró cuanto pudo, subió las escaleras y entregó un telegrama que decía:

"Te mando pasajes. Buena suerte. Agripino."

A Tatica se le congeló el espinazo. No porque lo entendiera —que no entienden los perros de telegramas— sino porque al leerlo lloró Carmita, y Gonzalo se puso tan serio que su cara parecía un nubarrón a punto de empezar a llover. En seguida sacaron maletas y baúles y se pusieron a empacarlo todo. Desde ese día se llenaba de parientes la casa; cuando se despedían, se despedían llorando.

Tatica andaba entre aquel tumulto de maletas y tristezas, con el rabo metido entre las piernas. Nadie se ocupaba de ella. Dondequiera estorbaba. Una noche, hasta Carmita —que siempre le disimulaba sus "fallos" con aserrín— le había gritado delante de todos: —¡Tatica, te lo hiciste otra vez en la sala! ¡Parece mentira!

La cosa fue de mal en peor. Un día Tatica vio que se cerraron todas las maletas. Vino Gonzalo con traje y corbata; Carmita, con un abrigo sobre el brazo, y Ani, oliendo a nuevo, con su traje a cuadros y sus zapatos de charol.

Miraron todos la casa, los muebles y a ella, que estaba quieta, afincada en sus cuatro paticas, con las orejas como dos antenas y en los ojos su mirada más inteligente y más ávida, a ver si lograba comprender.

Gonzalo dijo, casi brusco: —Vamos, ¡que se hace tarde! ¡Vamos, hijita!

Ani puso su cartera en un sillón, cargó a Tatica, le alisó mucho el pelo y susurró en su orejita parada:

—Adiós, mi perrita. Nos veremos pronto.

Carmita la separó diciéndole que "era grande y tenía que conformarse". Tatica pensó que no se verían nunca.

La vio decir adiós, subir al automóvil, y se estuvo tensa, callada, pero cuando la perdió de vista, lanzó un solo aullido largo, como el de la sirena de un barco al despedirse. Después, se topó con la casa vacía, repleta de silencio.

"¿Qué me irá a pasar?", pensó.

177

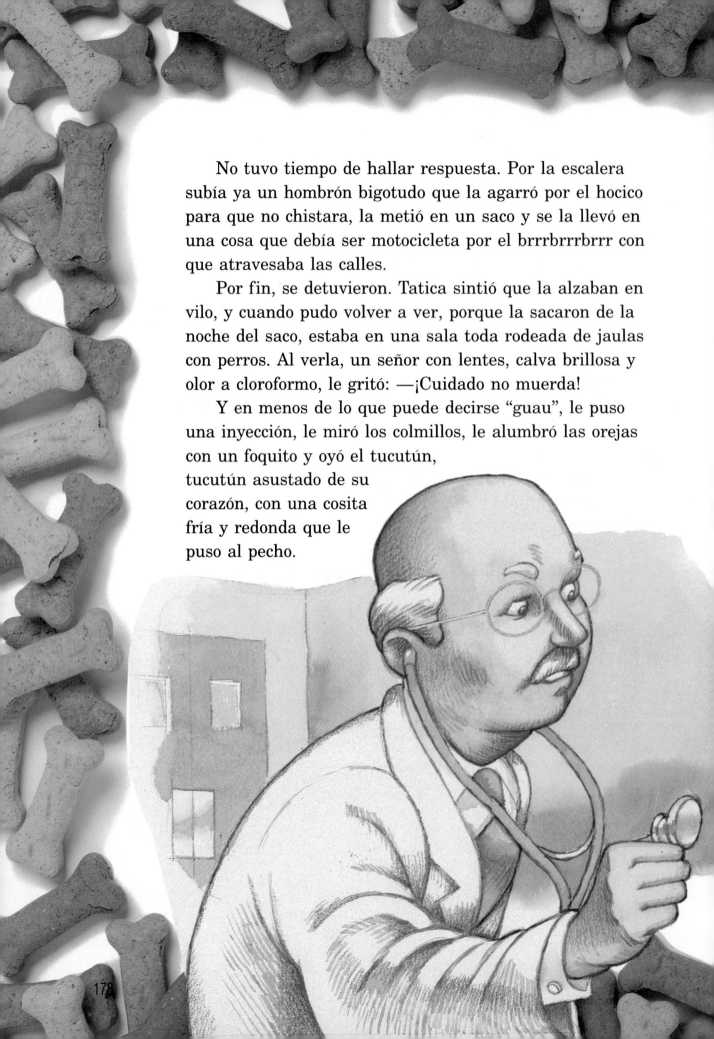

No tuvo tiempo de hallar respuesta. Por la escalera subía ya un hombrón bigotudo que la agarró por el hocico para que no chistara, la metió en un saco y se la llevó en una cosa que debía ser motocicleta por el brrrbrrrbrrr con que atravesaba las calles.

Por fin, se detuvieron. Tatica sintió que la alzaban en vilo, y cuando pudo volver a ver, porque la sacaron de la noche del saco, estaba en una sala toda rodeada de jaulas con perros. Al verla, un señor con lentes, calva brillosa y olor a cloroformo, le gritó: —¡Cuidado no muerda!

Y en menos de lo que puede decirse "guau", le puso una inyección, le miró los colmillos, le alumbró las orejas con un foquito y oyó el tucutún, tucutún asustado de su corazón, con una cosita fría y redonda que le puso al pecho.

—¡A la jaula! —ordenó y, con un empujón, la metió en una especie de caja con barrotes.

Por primera vez en su vida, Tatica insultó ladrando. Después se sintió tan sola, como si en todo el mundo no quedara nadie a quien moverle el rabo.

—¿Tú vienes por enferma o porque te embarcas?

Era la voz del galgo fino que estaba en la jaula vecina.

—¿Usted sabe dónde está Ani? ¿Por qué me trajeron aquí? ¿Qué hacen con nosotros? ¿Por qué me ponen en jaula, si yo no muerdo? —preguntó Tatica con ansiedad.

—¡Debe de ser que estás enferma! —contestó una *poodle* muy aristocrática, desde la jaula izquierda—. ¡Siendo tan sata no creo que a nadie se le ocurra mandarte a buscar! El caso mío es distinto. ¡Tengo tanto *pedigree,* que soy una inversión! Dondequiera, por lo bajo, me valúan en quinientos dólares...

—¿Qué cosa es *pedigree?* —preguntó Tatica muy impresionada.

—¡Clase, hija! ¡Clase, linaje, alcurnia, aristocracia!

"¡Ay, Dios mío", pensó Tatica "si es por eso, me quedo en esta jaula toda la vida!"

—¡Vamos, a callarse todos! —exclamó de pronto una chihuahua malgeniosa y enérgica—. ¡Cállate tú, Margarita, que serás más fina que ella, pero eres muchísimo más pesada! ¡Y tú también, galgo neurasténico!

Enseguida, volviéndose a Tatica, le dijo: —Tú, tranquila. El día menos pensado te embarcas y te reúnes con tu familia. Y al doctor, respeto y poco caso. Grita por sordo, no por malo.

Oyéndola, Tatica se consoló bastante y logró dormirse.

Al día siguiente, muy de mañana, vino un ayudante, la sacó de la jaula y la midió del rabo al hocico con un centímetro.

—¡Así lo miden a uno cuando se muere! —exclamó, lúgubre, el galgo flaco.

—¡Y cuando se embarca, perro aguafiestas! —aulló la chihuahua.

Efectivamente, al poco rato vino un carpintero con cara de hambre y conformidad, trajo unas tablas y, mientras claveteaba, suspiraba mirando a Tatica:

—¡Suerte que tienen algunos perros! ¡A mí nadie me paga el pasaje!

Al oírlo, Tatica comenzó a dar saltos de alegría.

Tenía motivos, porque al día siguiente vino el doctor y le ordenó a gritos: —¡Métase ahí, vamos!

Con la tranquilidad de la sordera, Tatica se dejó meter en la caja de tablas —huacal— que había hecho el carpintero.

—¡Feliz tú que te marchas! —la despidió el galgo enternecido.

—¡Las cosas que hay que ver! ¡Una sata inmunda se va; en cambio yo, que valgo un Potosí, me quedo! —exclamó la *poodle* con despecho.

—Buen viaje y buena suerte —ladró la chihuahua.

El hombrón que la trajo alzó el huacalito, lo subió a la moto y atravesó la ciudad molestando.

Cuando llegaron al aeropuerto, Tatica estaba aturdida. ¡Qué ir y venir de gente! ¡Cuánto ruido! Y, de contra, aquellos señores uniformados que la miraban con desprecio, se encogían de hombros y ¡paf!, allá te va un cuño y otro cuño sobre el huacalito. Cuando la subieron al avión estaba completamente mareada, llena de humillación y más sola que nunca. ¡Así, como un bulto más entre maletas y baúles! Por el ventanuco sólo veía pasar noche y noche y más noche; por su corazón, también.

De pronto, Tatica sintió dolor de oídos, y en el estómago una sensación de vacío, como la vez que Ani la llevó a la tienda y la subió en un elevador.

Entonces una voz misteriosa, que no venía de gente, advirtió: —Señores pasajeros, dentro de unos minutos aterrizaremos en la ciudad de Nueva York.

"Ahorita veo a Ani, ahorita veo a Ani", se decía Tatica por darse ánimo.

Pero la cosa no fue tan sencilla.

Cuando bajaron, todo estaba gris y negro, como cubierto de humo, y quien la recibió no fue Ani, sino su dueño anterior, Agripino, el que se fue a Estados Unidos a hacerse millonario.

Tatica, siempre cortés, le movió el rabo. Un dueño es un dueño. Pero observó que Agripino, de millonario nada, porque ni automóvil tenía. Sin muchas palabras la metió primero en un ómnibus, después en un tren que iba como un bólido bajo la tierra y, al fin, subieron mil pisos para llegar a un apartamento que parecía un huacal, sólo que más grande, más oscuro y más alto.

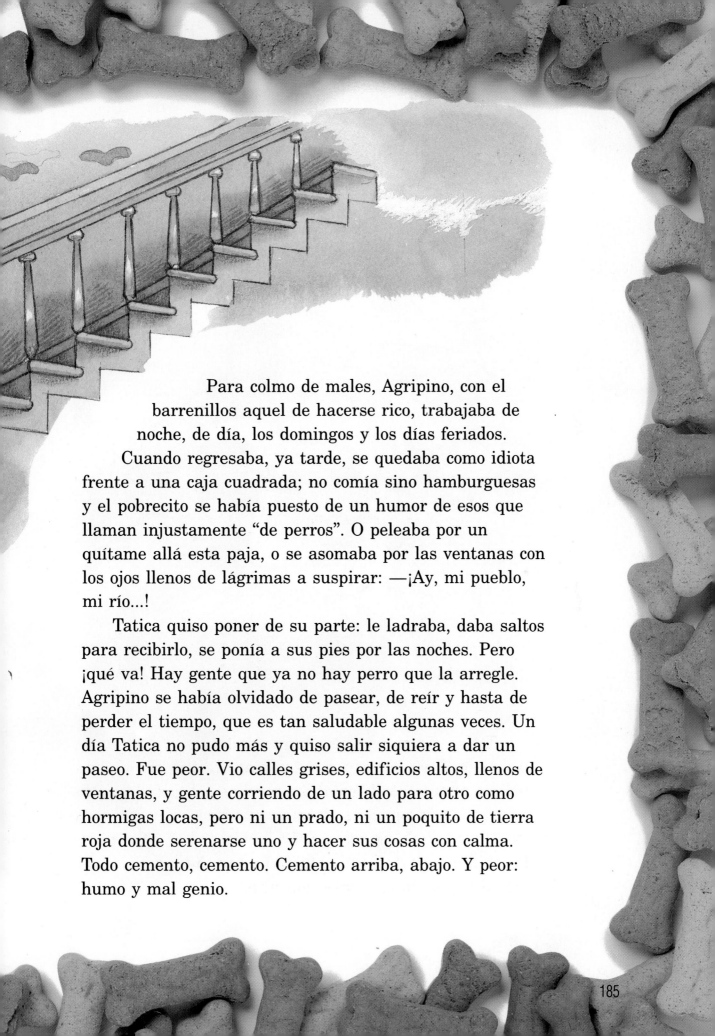

Para colmo de males, Agripino, con el barrenillos aquel de hacerse rico, trabajaba de noche, de día, los domingos y los días feriados.

Cuando regresaba, ya tarde, se quedaba como idiota frente a una caja cuadrada; no comía sino hamburguesas y el pobrecito se había puesto de un humor de esos que llaman injustamente "de perros". O peleaba por un quítame allá esta paja, o se asomaba por las ventanas con los ojos llenos de lágrimas a suspirar: —¡Ay, mi pueblo, mi río...!

Tatica quiso poner de su parte: le ladraba, daba saltos para recibirlo, se ponía a sus pies por las noches. Pero ¡qué va! Hay gente que ya no hay perro que la arregle. Agripino se había olvidado de pasear, de reír y hasta de perder el tiempo, que es tan saludable algunas veces. Un día Tatica no pudo más y quiso salir siquiera a dar un paseo. Fue peor. Vio calles grises, edificios altos, llenos de ventanas, y gente corriendo de un lado para otro como hormigas locas, pero ni un prado, ni un poquito de tierra roja donde serenarse uno y hacer sus cosas con calma. Todo cemento, cemento. Cemento arriba, abajo. Y peor: humo y mal genio.

Tatica volvió a casa de Agripino, se puso a sus pies y estaba empezando a resignarse; es decir, a morirse un poco. Se puso mustia, perdió las ganas de comer y era toda ojos color caramelo y dentro, soñada, la imagen de una niñita de ocho años que la metía bajo su manta y le decía: "¡Tatica, mi perrita linda!".

Con todo y estar amargado, Agripino reconoció en la perrita la misma enfermedad que padecía él, el tedio, porque un día miró sus ojos tristes y le dijo: —¡Qué va, perrita, a ti te salvo yo de esto!

Y antes de que fuera a quitársele la buena idea, o se le olvidara con tanto quehacer, cogió a Tatica, la metió en un automóvil y estuvieron viaja que viaja por una carretera aburridísima donde no había sino señales de tráfico y estaciones de gasolina. Viéndolas, Tatica se decía con desgano: —¡Dios mío, y el mundo no se acabará nunca...!

Por fin, después de una curva, llegaron a un pueblo de casas igualitas y cuadradas, todo lleno de sol. Entraron en una calle alegre, donde jugaban niños, y se detuvieron frente a una casa con jardín, roble fornido, lleno del piar de muchos pájaros, y césped verde y acogedor, como una bienvenida.

Tatica se arrimó a mirar por la ventanilla y el corazón casi le salta del pecho. ¡No, no podía ser! De un brinco se puso en la calle.

Allí, en la reja de enfrente —¡casi no podía creerlo!— estaban Gonzalo, Carmita y Ani, que la abrazó con todas sus fuerzas: —¡Mi perrita querida!

Tatica chillaba, daba saltos y... ¡no pudo evitarlo!

—¡Ay Tatica, Tatica! —dijo Carmita.

Pero enseguida, contenta y sonriendo, sin pizca de enojo, buscó el aserrín.

Conozcamos a
Hilda Perera

Hilda Perera escribió su primer libro a los diecisiete años y desde entonces no ha dejado de escribir. Muchas veces, las ideas para sus cuentos nacen de las largas conversaciones que tiene con los niños.

Hilda Perera ha basado algunos de sus libros en las experiencias de niños, que como ella, nacieron en Cuba y ahora viven en los Estados Unidos. En "Tatica", la protagonista del cuento debe hacer frente a situaciones desconocidas cuando tiene que "emigrar" a Nueva York siguiendo a sus amos.

Con sus excelentes relatos Hilda Perera ha ganado dos veces el Premio Lazarillo de Literatura Infantil.

Juramento de amistad

¡Shang ya!
Yo quiero ser tu amigo,
ahora y siempre, sin pausa ni desmayo.
Cuando los cerros se allanen
y los ríos se sequen,
cuando el invierno traiga el rayo y el trueno,
cuando el verano traiga la lluvia y la nieve,
cuando se junten el cielo y la tierra,
sólo entonces me separaré de ti.

Anónimo,
China, Siglo I a. C.

Papel picado creado por el artista chino Wang,
Mei. El papel picado se ha utilizado como
decoración en los hogares chinos durante siglos.

En buena compañía

El oso Ota
texto e ilustraciones de
Ivan Gantschev
libro en español de
Marinella Terzi
Ediciones SM, 1988

El nuevo guardabosque no trata
muy bien al oso Ota ni a los
otros animales del bosque. Pero
Ota, con su gran corazón, lo
ayudará a comprender la
importancia de la amistad.

Un hatillo de cerezas
María Puncel
ilustraciones de Viví Escrivá
Ediciones SM, 1984

Un hatillo de cerezas viaja de
casa en casa, entre los
generosos vecinos de un pueblo:
de Antonio a la abuela
Francisca, a su hermana María,
a la pequeña Ana... ¿Adivinas
dónde terminó el hatillo?

Atariba y Niguayona
Harriet Rohmer
y Jesús Guerrero Rea
ilustraciones de Consuelo Méndez
libro en español de
Rosalma Zubizarreta
Children's Book Press, 1988

En esta bella leyenda taína se
narra la historia de Niguayona
y su fantástico viaje en busca de
la fruta del caimoní que puede
salvar la vida de su amiga
Atariba.

COMPA

DE EQ

Peter Golenbock

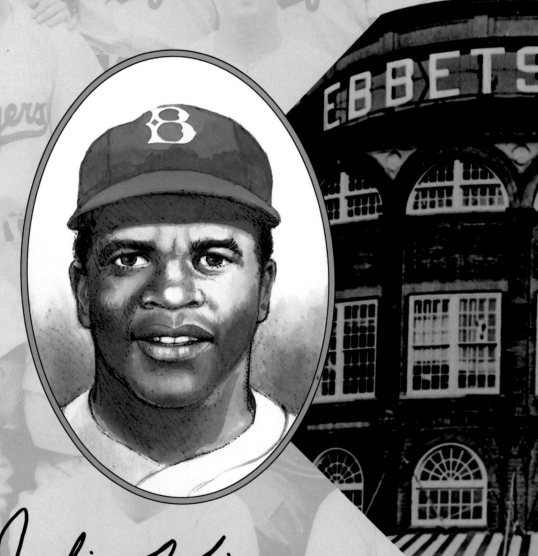

Jackie Robinson

ÑEROS
UIPO

ilustraciones de Paul Bacon

"Pee Wee" Reese

Jackie Robinson fue mucho más que mi compañero de equipo. Tenía un inmenso talento, habilidad y dedicación. Jackie creó un modelo para las futuras generaciones de jugadores de béisbol. Era un ganador.

Jackie Robinson era también un hombre.

PEE WEE REESE
31 de octubre, 1989

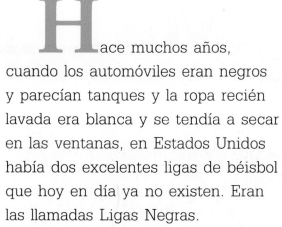

Hace muchos años, cuando los automóviles eran negros y parecían tanques y la ropa recién lavada era blanca y se tendía a secar en las ventanas, en Estados Unidos había dos excelentes ligas de béisbol que hoy en día ya no existen. Eran las llamadas Ligas Negras.

Las Ligas Negras contaban con extraordinarios jugadores, a los que los aficionados iban a ver jugar dondequiera que fueran. Los jugadores de estas ligas eran héroes, pero no ganaban mucho dinero y sus vidas no eran nada fáciles.

En los años 40 no existían leyes contra la segregación racial. En muchos lugares del país no se permitía que las personas de raza negra fueran a las mismas escuelas e iglesias que las de raza blanca. No podían sentarse en la parte delantera de los autobuses o de los tranvías. No podían beber agua de las mismas fuentes que los blancos.

En aquel entonces, muchos hoteles no admitían a negros, así que los jugadores dormían en sus carros. En muchas ciudades no había restaurantes que les sirvieran comida, por lo que a menudo tenían que comer sólo lo que pudieran comprar y llevar con ellos.

Muy diferente era la vida de los jugadores en las Ligas Mayores. Éstas eran ligas para jugadores de raza blanca. Si se los compara con los de las Ligas Negras, los jugadores blancos ganaban mucho dinero. Se alojaban en buenos hoteles y comían en los mejores restaurantes. Sus fotos aparecían en tarjetas de béisbol y los mejores jugadores llegaban a ser famosos en el mundo entero.

Muchos norteamericanos sabían que los prejuicios raciales eran algo censurable, pero pocos se atrevían a discutir la situación abiertamente. Y mucha gente era insensible a los problemas raciales. Algunos temían protestar: grupos como el Ku Klux Klan reaccionaban violentamente contra aquellos que intentaban cambiar el trato que se daba a los negros.

El gerente del equipo de béisbol de los Dodgers de Brooklyn era Branch Rickey. Él no tenía miedo de cambiar las cosas. Quería ofrecer a los seguidores de los Dodgers los mejores jugadores sin que importara el color de su piel. Rickey pensaba que la segregación era injusta y quería dar a todo el mundo la oportunidad de competir por igual en todos los estadios de béisbol de los Estados Unidos.

Para esto, necesitaba a un hombre especial.

Branch Rickey quería encontrar a un jugador destacado de las Ligas Negras que fuera capaz de competir con éxito a pesar de las posibles amenazas o agresiones. Tendría que poseer el suficiente autocontrol para no reaccionar agresivamente contra aquellos jugadores que trataran de intimidarlo o lesionarlo. Rickey sabía que si ese hombre daba una mala imagen en el campo, sus oponentes tendrían una excusa para seguir excluyendo a los negros de las Ligas Mayores por muchos años más.

Rickey pensó que Jackie Robinson podría ser el hombre que buscaba.

Jackie fue a Brooklyn para entrevistarse con Rickey.

—Quiero un hombre que tenga el coraje de no devolver los golpes —le dijo Rickey.

—Si usted se arriesga, yo haré todo lo que pueda para cumplir —le respondió Jackie Robinson.

Se dieron la mano. Branch Rickey y Jackie Robinson inauguraban así lo que más tarde se conocería como "el gran experimento".

Durante el entrenamiento de primavera con los Dodgers, multitudes de negros, viejos y jóvenes, se agolpaban alrededor de Jackie como si fuera un salvador. Era el primer jugador negro que se sometía a la prueba de jugar en un equipo de las Ligas Mayores. Sabían que si él tenía éxito otros seguirían su camino.

Al principio, la vida de Jackie en el equipo estuvo llena de humillaciones. Los jugadores que venían del Sur, hombres a quienes se les había enseñado desde niños a evitar a la gente negra, se iban a otra mesa cuando él se sentaba a su lado. Muchos jugadores de los equipos rivales eran crueles con él, y lo insultaban desde sus "dugouts"; algunos intentaban hacerle daño con los clavos de sus zapatos. Los lanzadores apuntaban a su cabeza al lanzar la pelota. Y recibía amenazas de muerte, de individuos y de organizaciones como el Ku Klux Klan.

A pesar de todas esas dificultades, Jackie Robinson no se dio por vencido y consiguió entrar en el equipo de los Dodgers de Brooklyn.

Pero entrar en los Dodgers fue sólo el comienzo. Jackie tuvo que soportar abusos y hostilidades a lo largo de toda la temporada. Lo peor era lo que sentía: a menudo se encontraba muy solo. Cuando el equipo iba de viaje él tenía que ir por su cuenta, pues sólo los jugadores blancos podían quedarse en los hoteles de las ciudades donde jugaban.

Pee Wee Reese, el jardinero corto de los Dodgers, había crecido en Louisville, Kentucky, y rara vez había visto a una persona de raza negra, a menos que fuera en la parte trasera de un autobús. Muchos de sus amigos y familiares detestaban la idea de que fuera a jugar con un hombre negro. Además, de todos los jugadores, Pee Wee Reese era el que más tenía que perder con la llegada de Jackie al equipo.

Jackie había jugado como jardinero corto, y todo el mundo creía que le quitaría ese puesto a Pee Wee. Otros hombres se habrían enfurecido con Jackie, pero Pee Wee era diferente. Él se dijo: "Si es lo bastante bueno como para tomar mi puesto, se lo merece".

Cuando sus compañeros sureños hicieron circular una petición para echar a Jackie del equipo y le pidieron que firmara, Pee Wee contestó:

—Me da igual que sea negro, azul o a rayas —y se negó a firmar—. Sabe jugar y nos puede ayudar a ganar —les dijo—. Eso es lo que importa.

Al comenzar la temporada, los Dodgers jugaron contra los Reds en Cincinnati, muy cerca de Louisville, el pueblo de Pee Wee.

Los Reds jugaban en un estadio tan pequeño que los jugadores casi podían sentir en la nuca el aliento de los espectadores. Muchos de los que estaban allí ese día le gritaron cosas terribles y detestables a Jackie.

Por encima de todo, Pee Wee Reese creía que uno tiene que hacer lo que considera justo. Cuando oyó los gritos de los aficionados, decidió hacer algo.

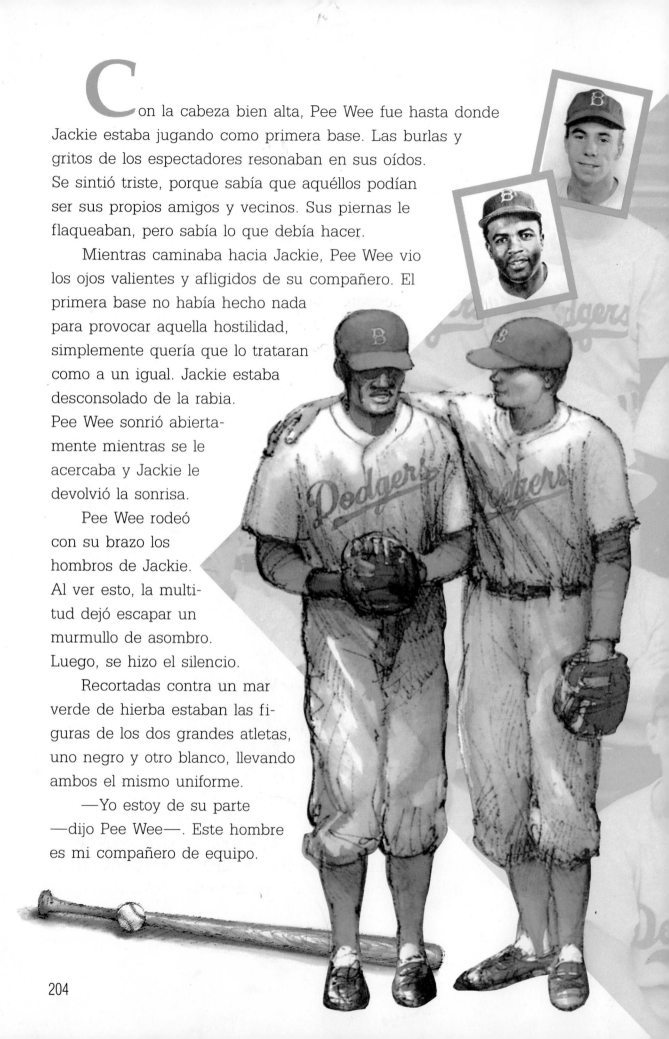

Con la cabeza bien alta, Pee Wee fue hasta donde Jackie estaba jugando como primera base. Las burlas y gritos de los espectadores resonaban en sus oídos. Se sintió triste, porque sabía que aquéllos podían ser sus propios amigos y vecinos. Sus piernas le flaqueaban, pero sabía lo que debía hacer.

Mientras caminaba hacia Jackie, Pee Wee vio los ojos valientes y afligidos de su compañero. El primera base no había hecho nada para provocar aquella hostilidad, simplemente quería que lo trataran como a un igual. Jackie estaba desconsolado de la rabia. Pee Wee sonrió abiertamente mientras se le acercaba y Jackie le devolvió la sonrisa.

Pee Wee rodeó con su brazo los hombros de Jackie. Al ver esto, la multitud dejó escapar un murmullo de asombro. Luego, se hizo el silencio.

Recortadas contra un mar verde de hierba estaban las figuras de los dos grandes atletas, uno negro y otro blanco, llevando ambos el mismo uniforme.

—Yo estoy de su parte —dijo Pee Wee—. Este hombre es mi compañero de equipo.

CONOZCAMOS A
Peter Golenbock

Cuando Peter Golenbock tenía trece años conoció a uno de sus héroes: tras un partido de la Serie Mundial entre los Dodgers y los Yankees, estrechó la mano de Jackie Robinson. Para el autor fue una gran experiencia. "Sentía mucha admiración por él", recuerda Golenbock. "Robinson era inmenso y cuando nos saludamos mi mano desapareció dentro de la suya."

Algunos años después, Golenbock comenzó a trabajar como periodista deportivo. Rex Barney, que era el lanzador de los Dodgers cuando Robinson jugaba con ellos, le contó la anécdota de dos de sus compañeros: Jackie Robinson y Pee Wee Reese. Peter Golenbock nunca olvidó la historia.

Cuando lo invitaron a escribir sobre béisbol para jóvenes, pensó inmediatamente en el valor con que Robinson se propuso ser el primer jugador negro de las Ligas Mayores, y además, claro, también recordó la anécdota que Rex Barney le había contado.

En "Compañeros de equipo", Golenbock narra lo que hizo Robinson para cambiar la historia del béisbol. Como el autor, nunca olvidarás esta narración.

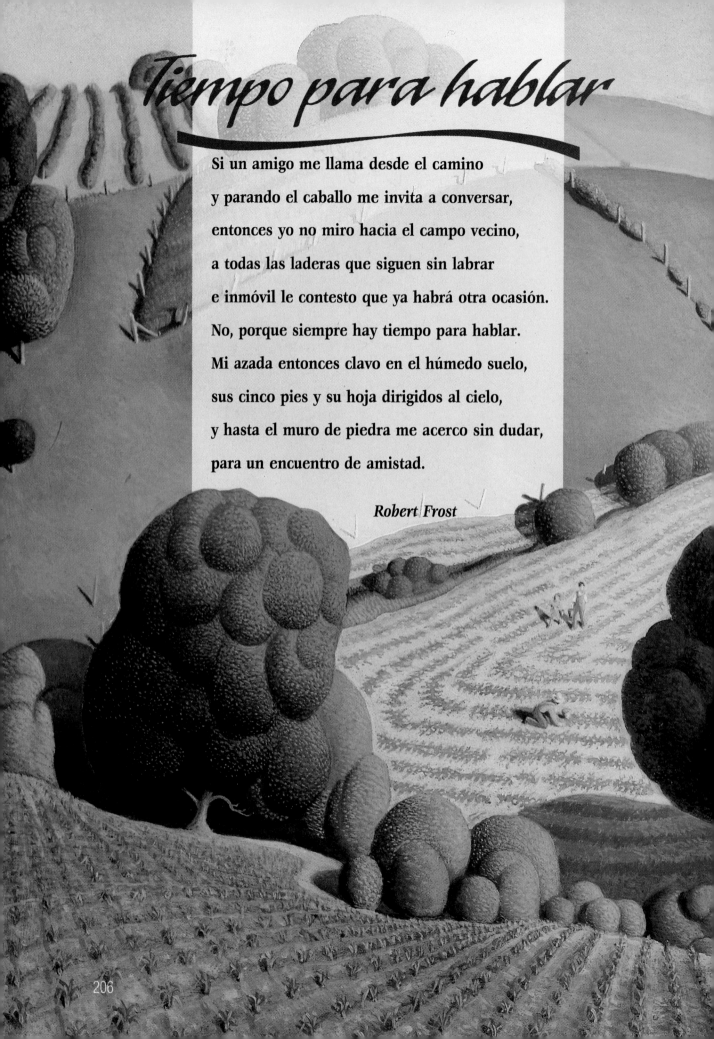

Tiempo para hablar

Si un amigo me llama desde el camino

y parando el caballo me invita a conversar,

entonces yo no miro hacia el campo vecino,

a todas las laderas que siguen sin labrar

e inmóvil le contesto que ya habrá otra ocasión.

No, porque siempre hay tiempo para hablar.

Mi azada entonces clavo en el húmedo suelo,

sus cinco pies y su hoja dirigidos al cielo,

y hasta el muro de piedra me acerco sin dudar,

para un encuentro de amistad.

Robert Frost

Brotes de maíz (Young Corn), pintura de Grant Wood, 1931.
Cortesía de *Cedar Rapids, Iowa, Community School District.*

207

CONTENIDO

QUERER ES PODER

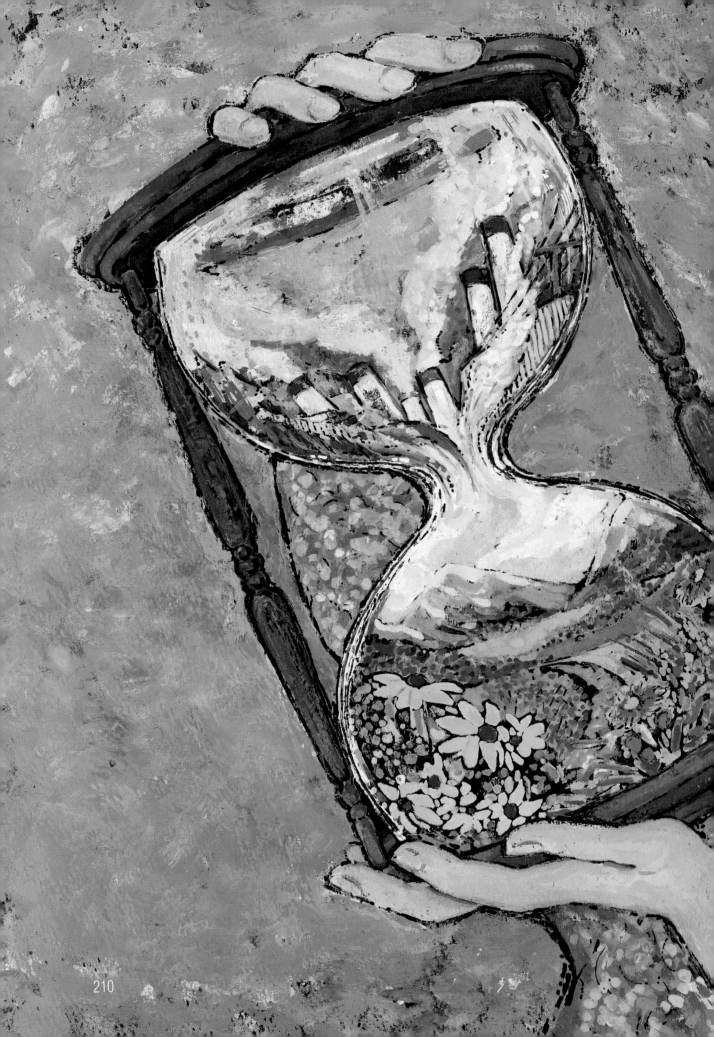

Ecopoemas

El error consistió
en creer que la tierra era nuestra
cuando la verdad de las cosas
es que nosotros somos de la tierra.

NICANOR PARRA

211

VUÉLVET

JOHN ELKINGTON, JULIA HAILES, DOUGLAS HILL Y JOEL MAKOWER

ilustraciones de TONY ROSS

E VERDE

Manual
del niño para
salvar el planeta

¡Tú puedes hacerlo!

A lo largo y ancho del mundo, niños como tú están ayudando a salvar la Tierra. Es verdad. Tal vez no se sientan poderosos o importantes, pero lo son.

"¿Cómo es posible esto?" podrías preguntarte. "Yo no cuento más que conmigo. Aun con todos mis amigos, vecinos y compañeros de clase no somos un grupo muy grande. ¡Y en el mundo hay miles de millones de personas!"

Bueno... muchas de esas personas son niños; y cada día son más los niños que le dan importancia a los problemas del medio ambiente. Muchos niños están haciendo algo por él. Cuando millones de niños empiecen a hacer lo mismo, el mundo entero prestará atención y se dará cuenta.

Por lo tanto, ¡tú tienes poder para cambiar el mundo!

Probablemente hayas oído cosas sobre el medio ambiente: la contaminación, la capa de ozono, las selvas tropicales, o el efecto de invernadero. Es posible que no entiendas lo que significan algunas de estas cosas. No te preocupes, a muchos adultos les ocurre lo mismo.

¡Estos problemas parecen tan grandes y tan lejanos! La capa de ozono está a miles de millas en el cielo. Las selvas tropicales están casi todas en otros países. ¿Qué podrías hacer tú para resolver estos problemas?

Pero el hecho es que, cuando los niños hablan, los adultos escuchan. Y cuando los niños hacen algo, los adultos ponen atención. No es necesario ser famoso, ni rico ni importante para que los adultos te escuchen. Sólo tienes que preguntar.

Entonces, ¿qué vas a hacer tú?

La contaminación del aire y la lluvia ácida

Es posible que ya sepas lo que es la contaminación del aire. Casi todas las ciudades (y zonas del campo) tienen el aire contaminado. Peor aún, algunos de los sitios más bellos de Estados Unidos tienen el mismo problema, entre ellos el Gran Cañón de Arizona, los Everglades de Florida y el Parque Nacional Yosemite de California.

¿Qué ha ocurrido para llegar a esto? La contaminación que generan las centrales eléctricas ha contribuido mucho a empeorar la calidad del aire. Los autos son otro gran problema. Aunque los autos que se hacen hoy contaminan menos que los que se hacían hace unos años, hoy hay muchos más autos y además, recorren muchas más millas que antes. El resultado es que la contaminación del aire causada por los autos no ha disminuido mucho.

En algunas zonas, como Los Ángeles, la contaminación es tan grave que el gobierno se ha visto obligado a limitar muchas actividades diarias, como manejar el auto, hacer barbacoas e incluso cortar el pasto con podadora de motor. Todo esto contribuye a contaminar el aire.

¿Qué tiene de malo el aire contaminado? Cuando el aire se ensucia demasiado puede ser molesto respirarlo, y uno puede estar inhalando sustancias peligrosas. Incluso niveles bajos de contaminación pueden causar muchas enfermedades, sobre todo entre los bebés y los adultos de más edad, como tus abuelos.

Y eso no es todo. La contaminación del aire también perjudica a las plantas y los animales. Puede envenenar árboles y cultivos, y hasta matar bosques enteros.

CUANDO LA LLUVIA SE VUELVE VENENO

Antes contábamos con la lluvia para limpiar el aire. Pero hoy, en algunas partes de Estados Unidos, hasta la lluvia está contaminada. La llamamos "lluvia ácida", aunque este problema afecta también a la nieve, al agua-nieve, al granizo, ¡y hasta a la niebla!

¿Qué es lo que convierte a la lluvia en veneno? El problema proviene ante todo de quemar combustibles fósiles, entre ellos la gasolina para los automóviles, y el aceite que se usa para la calefacción. La fuente principal es la combustión de carbón (sobre todo ciertas

clases de carbón con altos niveles de azufre) en las centrales eléctricas.

Todas estas fuentes de contaminación liberan óxidos de nitrógeno o bióxido de azufre. Una vez en el aire, estas dos sustancias se mezclan con otras sustancias químicas y con el agua, formando ácido sulfúrico. Cuando estas sustancias químicas se mezclan con la humedad, caen a la tierra, donde pueden hacer mucho daño.

¿Qué hace la lluvia ácida cuando cae? Desde luego, envenena a los peces y a los demás seres vivos de ríos, lagos y torrentes. Además, mata los árboles. Puede afectar también a los edificios y monumentos. Se ha comprobado que algunos de los edificios más antiguos y valiosos del mundo han sufrido daños causados por la lluvia ácida.

La lluvia ácida también afecta a la gente. Algunos científicos la consideran una amenaza para la salud porque causa enfermedades del pulmón y otros problemas graves. Entre las personas más afectadas por la lluvia ácida están los bebés, los ancianos y la gente con enfermedades respiratorias, como el asma y la bronquitis.

UN DATO IMPRESIONANTE
Casi 110 millones de norteamericanos viven en zonas con niveles de contaminación del aire que el gobierno federal considera perjudiciales.

Un PEQUEÑO EXPERIMENTO

Puedes comprobar por ti mismo los efectos de la lluvia ácida. Necesitas dos plantas de interior de la misma especie. (No lo hagas sin el permiso de la persona encargada de las plantas.)

Pon las plantas de modo que reciban la misma cantidad de luz solar. Cuando necesiten agua, riégalas con la misma cantidad, pero añade un poco de jugo de limón o de vinagre al agua de una de ellas.

Observa las plantas durante dos semanas. La que recibió el agua con el jugo de limón o el vinagre (las dos sustancias son muy ácidas) no va a crecer tan bien como la otra. Es más, acabará por morirse.

Así es como el ácido afecta a las plantas. También afecta a árboles, insectos, peces, animales y seres humanos.

¿QUÉ PUEDES HACER TÚ?

Lo más importante es conservar energía prudentemente. Cuanta menos usemos, menos necesitaremos generar en las centrales eléctricas, que son contaminadoras. Como vas a ver, hay muchas cosas que puedes hacer para reducir la energía que usas, sin necesidad de limitar tus actividades.

Demasiada basura

¿Cuántas cosas has arrojado hoy a la basura? ¿Una caja vacía de cereal? ¿La bolsa de tu almuerzo? ¿Una lata vacía de refresco? ¿Unos papeles de la escuela? Cuando uno se pone a pensar en esto, sorprende ver cuántas cosas se echan a la basura.

Cada año, una familia norteamericana típica arroja a la basura:

- 2,460 libras de papel
- 540 libras de objetos de metal
- 480 libras de vidrio
- 480 libras de restos de alimentos

UN DATO IMPRESIONANTE

Los norteamericanos tiramos 25,000 millones de tazas de espuma sintética cada año, y 2.5 millones de botellas de plástico cada hora.

Después de sumarlo todo, resulta que cada uno de nosotros arroja más de 1,200 libras de basura al año; mucho más que la gente de la mayoría de los demás países. Cerca del 80 por ciento de esa basura va a parar a los grandes basureros. (Del 20 por ciento restante, cerca de la mitad se recicla y la otra mitad se quema.) Un grave problema es que se nos está acabando el espacio para basureros; más de la mitad de todos los del país estarán llenos dentro de diez años.

¿Dónde pondremos toda nuestra basura cuando se nos acabe el espacio?

Pero la basura no plantea sólo un problema de espacio. Entre el 5 y el 15 por ciento de las cosas que arrojamos contiene sustancias peligrosas. Estas sustancias pueden filtrarse en el suelo y contaminar el aire, el agua y el terreno, acabando por hacer daño a la gente y a otros seres vivos. Entre las cosas que contienen sustancias peligrosas que pueden causar graves problemas están las pilas, los plásticos, las tintas usadas en los empaques y los pañales desechables.

EL PROBLEMA DE LOS EMPAQUES

Una de las cosas que más arrojamos a la basura son los materiales usados para empaquetar. Piensa en los productos que tú y tu familia compran. Desde los bocadillos hasta los discos compactos, muchos productos llevan varios envoltorios. Algunos tienen cuatro o cinco capas, entre ellas varias de plástico; en realidad muchas más de las necesarias. Si la tuya es una casa típica, cerca de la tercera parte de los empaques que compran se arrojarán a la basura tan pronto como se abra el paquete.

Parte de esos envases es importante; protege los productos y garantiza su higiene. Pero hay muchos que sólo sirven para llamar la atención y hacernos comprar cierto producto. El excesivo empaque aumenta el costo, pues se paga más por productos que vienen muy empacados. También pagamos la basura de otras formas: por ejemplo, con mayores impuestos para crear nuevos basureros, y con gastos médicos y seguros más altos, para curar enfermedades causadas por la contaminación.

LA SOLUCIÓN DEL RECICLAJE

La verdadera tragedia es que gran parte de lo que desechamos podría reciclarse o volver a aprovecharse.

No todo es reciclable, y unos materiales son más fáciles de reciclar que otros. Pero, reciclar es lógico: ¿por qué desechar lo que todavía puede usarse?

¿Qué puede reciclarse? Casi cualquier cosa:

Metales: como el aluminio, el acero y el estaño. Todos estos metales tienen que extraerse de la tierra. Ésta es una operación que puede estropear el paisaje y contaminar el agua y el aire. La mayoría de los metales puede fundirse y reciclarse una y otra vez. Esto ahorra cantidades enormes de energía.

Vidrio: se hace sobre todo con arena, y difícilmente podría hablarse de escasez de arena en el mundo. Sin embargo, convertir la arena en vidrio requiere gran cantidad de energía.

Cuando el vidrio se funde y se convierte en botellas y frascos nuevos se usa mucha menos energía (y mucha menos arena). Cada tonelada de vidrio triturado ahorra el equivalente de unos 30 galones de petróleo.

Papel: se saca de los árboles, por supuesto, y derribar árboles puede causar problemas ambientales. En Estados Unidos derribamos

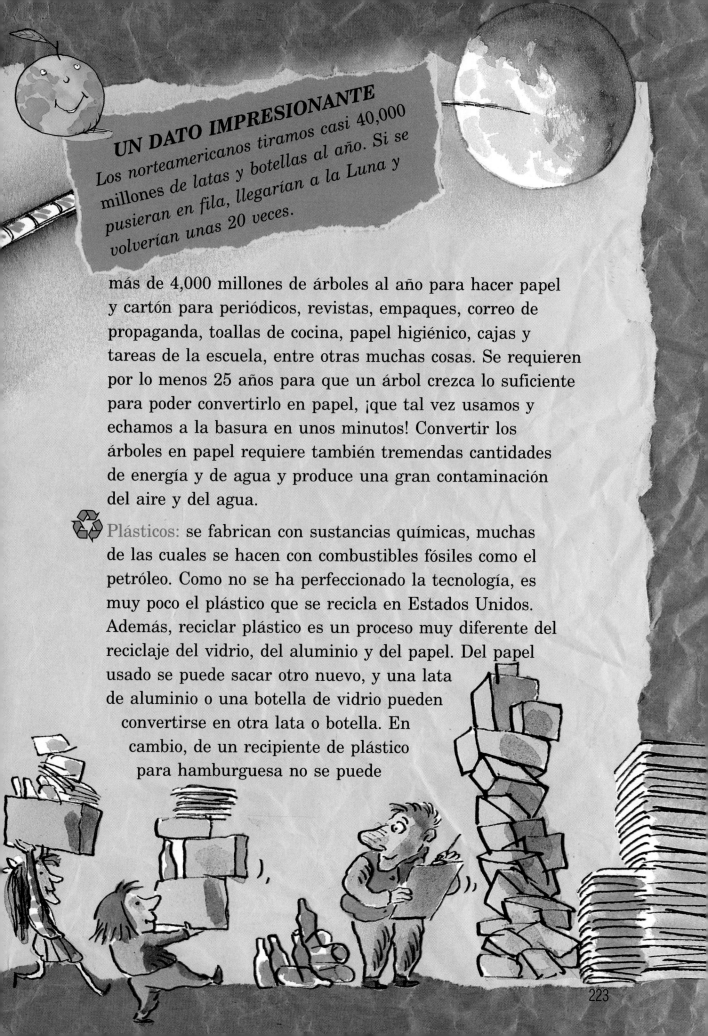

UN DATO IMPRESIONANTE

Los norteamericanos tiramos casi 40,000 millones de latas y botellas al año. Si se pusieran en fila, llegarían a la Luna y volverían unas 20 veces.

más de 4,000 millones de árboles al año para hacer papel y cartón para periódicos, revistas, empaques, correo de propaganda, toallas de cocina, papel higiénico, cajas y tareas de la escuela, entre otras muchas cosas. Se requieren por lo menos 25 años para que un árbol crezca lo suficiente para poder convertirlo en papel, ¡que tal vez usamos y echamos a la basura en unos minutos! Convertir los árboles en papel requiere también tremendas cantidades de energía y de agua y produce una gran contaminación del aire y del agua.

Plásticos: se fabrican con sustancias químicas, muchas de las cuales se hacen con combustibles fósiles como el petróleo. Como no se ha perfeccionado la tecnología, es muy poco el plástico que se recicla en Estados Unidos. Además, reciclar plástico es un proceso muy diferente del reciclaje del vidrio, del aluminio y del papel. Del papel usado se puede sacar otro nuevo, y una lata de aluminio o una botella de vidrio pueden convertirse en otra lata o botella. En cambio, de un recipiente de plástico para hamburguesa no se puede

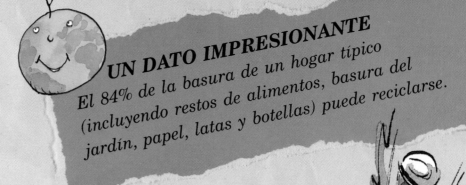

obtener otro recipiente. En el mejor de los casos, se puede transformar en algo diferente: como una maceta para una planta o la caja para una cinta de video. Hay, pues, límites en el uso del plástico reciclado.

Otros materiales: en esta categoría se incluyen muchos productos diferentes que usamos todos los días, como pilas, baterías y ruedas de automóviles, ropa, aceite y basura del jardín.

¿Qué es lo que *no puede* reciclarse? En general, no es posible reciclar cosas hechas con varias clases diferentes de materiales como, por ejemplo, varias especies de plásticos, o metales mezclados con plástico o papel. Los siguientes objetos son sólo tres ejemplos de cosas no reciclables, que con toda seguridad acabarán en los basureros:

- latas de aerosol, hechas con varias clases de metales y plásticos
- cajas de jugos, hechas con una combinación de plástico, cartón y papel de aluminio
- las botellas de plástico blando para salsa de tomate, mostaza y otros productos, hechas con una mezcla de diferentes plásticos

224

EL MITO DE LA DESCOMPOSICIÓN

Estábamos acostumbrados a pensar que todo lo que se echaba al basurero, a la larga, acababa por descomponerse; es decir, se pudría y desaparecía por completo. Pero, por fin hemos aprendido que en realidad esto no es así.

De alguna manera, todo en el mundo es biodegradable. Con el paso del tiempo, el aire, la luz del sol y otros elementos terminarán por destruir y consumir la casa, el auto y las posesiones de tu familia. Es posible que se necesiten cientos o miles de años para que eso suceda, pero sucederá tarde o temprano.

Pero, cuando las cosas se entierran en un basurero, donde apenas hay aire y luz del sol, las cosas no se destruyen. ¡De hecho, enterrar las cosas en un basurero es una manera de *conservar* la basura, más que de *deshacerse* de ella!

Es probable que hayas leído algo sobre los antiguos egipcios, que sepultaban a sus gobernantes envolviéndolos en lienzos muy apretados y poniéndolos en cajas que se almacenaban en lugares frescos y oscuros (las momias). Cuando se entierra la basura se hace algo parecido.

Así que contar con que la basura se descomponga (lo que a veces se llama biodegradabilidad o fotodegradabilidad) no es una solución a nuestras montañas de basura.

UN DATO IMPRESIONANTE
El uso de papel reciclado en una edición dominical del New York Times ahorraría 75,000 árboles.

225

CÓMO RECONOCER LO QUE ESTÁ RECICLADO

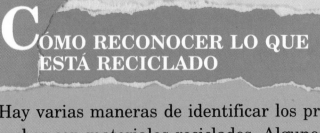

Hay varias maneras de identificar los productos hechos con materiales reciclados. Algunos lo dicen en la etiqueta: "Hecho con material reciclado". Pero algunas etiquetas no revelan *qué cantidad* del material ha sido reciclado. ¿Es un 5% o un 100%?

Es posible que no haya modo de saberlo. Busca el símbolo de reciclaje que ves a la derecha; pero ten cuidado: a veces el símbolo indica que el producto *puede reciclarse*, no que está hecho con material reciclado. Si el producto o el empaque están hechos de cartón, como una caja de cereal o de galletas, hay una manera fácil de saber si ha sido reciclado: examina por dentro la tapa.

Si la *parte interior* del cartón es gris o café oscuro, la caja está hecha con material reutilizado; si es blanca, está hecha con material virgen (no reutilizado). Siempre que puedas, escoge el producto hecho con material reutilizado.

UN DATO IMPRESIONANTE

Si cada norteamericano reciclara una décima parte de sus periódicos, salvaríamos unos 25 millones de árboles al año.

¿QUÉ PUEDES HACER TÚ?

Hay tres "R" que necesitas conocer para convertirte en un consumidor verde:

Rehúsate a comprar cosas que estén demasiado empacadas, hechas de plásticos o de otros materiales que no sean completamente reciclables, que sean un desperdicio o que realmente no necesites.

Reutiliza todo lo que puedas, y compra productos hechos de material reutilizado (reciclado) o empacados en él.

Recicla todo lo que puedas. Esto nos permite usar al máximo nuestros preciosos recursos.

CONOZCAMOS A

John Elkington, Julia Hailes, Douglas Hill y Joel Makower

La lucha por la conservación del medio ambiente une a la gente de todo el mundo. Cuando Joel Makower, un escritor de Washington, D.C., leyó dos manuales sobre la defensa de la Tierra, escritos por los autores británicos John Elkington, Julia Hailes y Douglas Hill, decidió que con ellos podía formar un gran equipo de trabajo. El resultado es "Vuélvete verde".

A los autores de "Vuélvete verde" les encanta recibir cartas de sus lectores. "Nos alegra conocer a los jóvenes que ponen en práctica las cosas que explicamos en el libro", dice Makower. "La protección del medio ambiente depende de ellos." Puedes escribir a los autores a esta dirección:

The Green Consumer
1526 Connecticut Avenue NW
Washington, DC 20036

La vida de un árbol

AÑOS

1 2   15   30

brote   pimpollo   árbol joven

Un árbol termina de crecer a los 50 años; es entonces cuando lo talan.

Una tirada del diario dominical necesita 140 acres de bosque.

dura de 2 a 3 días. Con las ramas, la corteza y las astillas se hace

¿A QUIÉN LE IMPORTAN LOS ÁRBOLES?

¿A quién le importan los árboles?
Seguro a los jardineros,
las abejas, las hormigas
y a los pájaros carpinteros.
Constructores de mil cosas:
arquitectos, ingenieros,
artistas y hasta libreros.

¿Y a quién le importa
que el árbol pase a la historia?
Ese árbol que allí ves
tardó años en crecer
con sol, lluvias y nieves,
y sólo un día en caer.

¿A quién le importa
que el árbol nos dé mil cosas?
¿No quieres plantar un árbol
que te proteja del sol,
te dé aire puro y refugio
y que te ofrezca su fruto?
El árbol, es evidente,
es nuestro amigo de siempre.

¿A quién le importan los árboles?
¡A ti y a mí!

40   50

talado/
convertido en papel/
usado/ desperdicio de papel

una pulpa de madera de la que se saca el papel. Este proceso toma unas 12 horas.

Para obtener una libra de papel se necesitan 4 libras de pulpa.

SHUMATE

CORTARON TRES ÁRBOLES

Eran tres.
(Vino el día con sus hachas.)
Eran dos.
(Alas rastreras de plata.)
Era uno.
Era ninguno.
(Se quedó desnuda el agua.)

Federico García Lorca

EL GRAN REGALO

Cuento del año 2100

AARÓN CUPIT

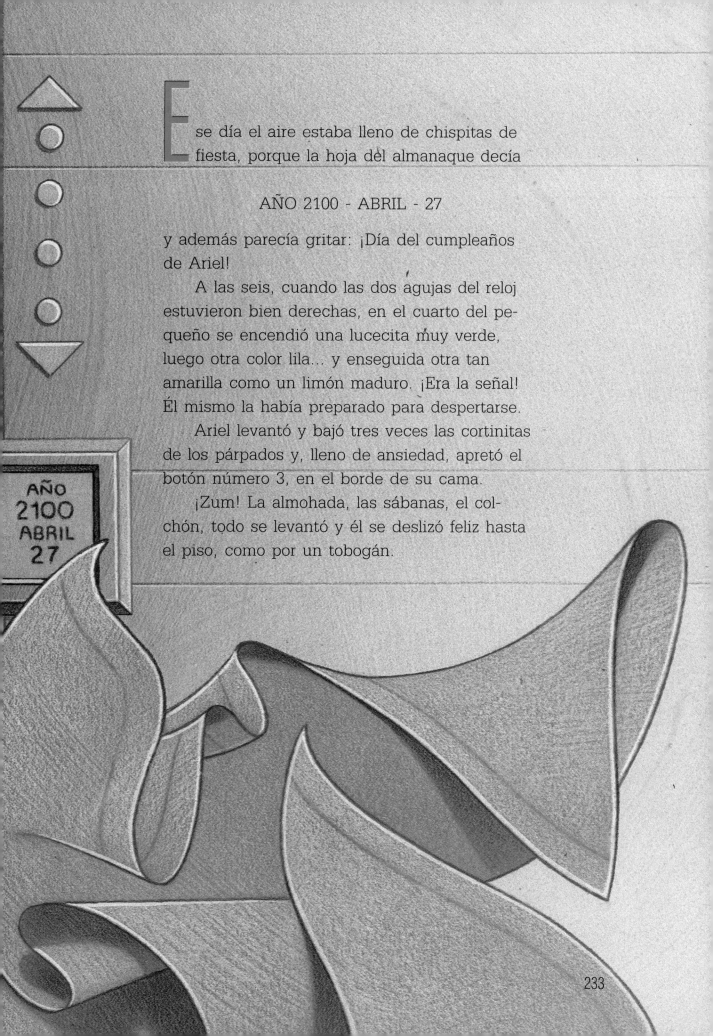

Ese día el aire estaba lleno de chispitas de fiesta, porque la hoja del almanaque decía

AÑO 2100 - ABRIL - 27

y además parecía gritar: ¡Día del cumpleaños de Ariel!

A las seis, cuando las dos agujas del reloj estuvieron bien derechas, en el cuarto del pequeño se encendió una lucecita muy verde, luego otra color lila... y enseguida otra tan amarilla como un limón maduro. ¡Era la señal! Él mismo la había preparado para despertarse.

Ariel levantó y bajó tres veces las cortinitas de los párpados y, lleno de ansiedad, apretó el botón número 3, en el borde de su cama.

¡Zum! La almohada, las sábanas, el colchón, todo se levantó y él se deslizó feliz hasta el piso, como por un tobogán.

AÑO
2100
ABRIL
27

De un salto llegó a la ventana, redonda como un globo. Junto a ella estaba su reluciente multimueble electrónico... pero no vio nada encima, ni debajo, ni alrededor. "¿Me habrán regalado un juguete invisible?", fue lo primero que pensó.

Con mucho cuidado empezó a palpar. No fuera que por descuido chocara y rompiera algo. Tocó, miró y volvió a tocar... ¡sin encontrar nada!

"No puede ser", se dijo. "Mamá y papá no van a dejarme sin regalo..." Siguió buscando, para ver si había algo escondido.

—Ariel... —oyó la voz de su papá, fuerte y cariñosa.

—Querido... —se unió la voz de su mamá.

¡Las voces salían del primer tubo del multimueble!

"Me regalaron un audión... ¡Qué alegría! Mandaré mensajes a todos mis amigos... Y ellos me enviarán mensajes a mí...", pensó Ariel al tiempo que levantaba la tapa del tubo y sacaba un pequeño aparato parlante, que tenía dos antenitas como una mariposa.

La voz de su mamá continuó:
—Este audión es tuyo...

Sabíamos que deseabas tener uno...

Y la voz de su papá agregó:

—Tienes otro regalo de cumpleaños... ¡Un viaje a la nueva Nueva York!

¡Fiiiiis!... ¡Fiiiiis!... Se oyeron dos silbidos de aire comprimido, seguidos por alegres carcajadas. Los padres de Ariel aparecieron de un salto desde el piso de abajo, en un suave movimiento de su calzado neumático.

—¡Mamá... papá... gracias por el audión! ¡Es lindísimo! —dijo Ariel dando un beso a cada uno.

—¿Y qué me dices del viaje a la nueva Nueva York? En dos días nos divertiremos muchísimo. Además, ¡volaremos en un avión superlúcico!

—¿Supersónico?

—Superlúcico, más veloz que la luz —aclaró la mamá—. ¿No te entusiasma?

Ariel no contestó y se puso a mirar las dos antenas de su audión.

La mamá, que conocía cada uno de sus gestos y miradas, le preguntó: —¿No te gusta ir a la nueva Nueva York? ¿Quisieras ir a otra parte... más lejos, Ariel...?

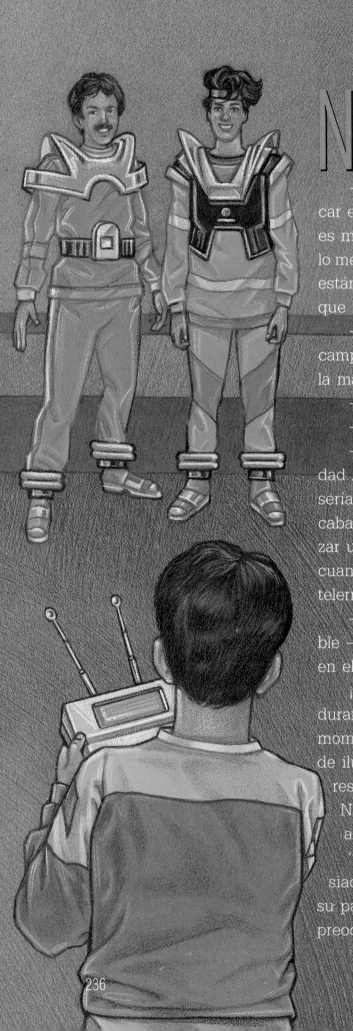

o, más cerca... me gustaría ir al campo.

—Querido... —trató de explicar el papá—. Bien sabes que eso es muy difícil. Necesitaríamos por lo menos una semana. Los caminos están tan llenos de saltamóviles que no se puede avanzar.

—¿Por qué se te ocurre ir al campo? —preguntó dulcemente la mamá.

—No sé... tengo tantas ganas...

—¿Ganas de qué?

—De ver un caballo de verdad... Y ganas de tocarlo. Ah, sería lo más lindo del mundo. Ir a caballo, subir una montaña, cruzar un bosque. Si les digo que cuando aparece un caballo en la telerrelieve, salto para acariciarlo...

—Me pides algo casi imposible —dijo el papá—, pero pensaré en ello.

¡Qué inquietud tuvo Ariel durante todo ese día! En algunos momentos se sintió muy alto, lleno de ilusiones; de repente se sentía resbalar, tropezando a cada rato.

Ni siquiera en la fiesta con sus amigos pudo olvidarse.

"¿No habré pedido demasiado?" se preguntó. Pensó que su padre se había ido muy preocupado... su mamá estaba

muy nerviosa... ¿Qué culpa tenía
él? ¿Acaso era malo tener ganas de
ir al campo y montar a caballo?

"¿No será un capricho?" volvió a pre-
guntarse. "No, porque con un caballo puedo
hacer muchas cosas. Llego a un bosque o a una
selva... arranco un fruto de un árbol y me lo como; veo
un arroyo y tomo agua con las manos. Igual que en la
telerrelieve."

A la mañana siguiente la mamá vino temprano a
saludarlo. Llevaba un vestido muy alegre y en la mano
tenía un supletodo de viaje.

—Tu papá tiene una linda sorpresa para ti —le dijo—.
Yo también quiero acompañarlos y por eso me voy antes.
¡Hasta pasado mañana!

Y dándole un fuerte beso salió rápidamente, sin que
Ariel tuviera tiempo de salir de su asombro.

—Mañana iremos al campo —le dijo más tarde, muy
contento, su papá.

—¿Cómo...? ¿Descubriste una forma de salir de la ciudad, sin saltamóvil ni avión?

—Sí. Es un gran secreto, casi un misterio.

—¡Cuéntame, papá! ¿Cómo es?

—Bueno. Te adelantaré algo. Iremos al campo en dos...
no te puedo decir el nombre. Son dos cosas muy antiguas
dejadas por tu bisabuelo, que conservamos como reliquias
en el cuarto subsuelo. Por suerte hay una más grande y
otra más pequeña.

Todas las preguntas de Ariel fueron contestadas con
sonrisas. Tuvo que esperar, conteniendo su alegría y su
curiosidad.

Llegó por fin el gran momento y su papá lo llevó al
cuarto subsuelo. ¡Allá estaban las dos cosas maravillosas,
misteriosas y secretas que los llevarían al campo!

Ariel notó que su papá estaba entusiasmado y que para él era también una gran aventura.

—¿Qué es esto? ¿Cómo se llama? ¿Para qué sirve? —preguntó cuando vio aparecer, entre un montón de cosas extrañas, dos ruedas grandes que giraban... y otra rueda chica entre ambas... y adelante dos caños doblados como dos bigotes.

—Es una bicicleta, querido. Se usó mucho en el siglo pasado. Yo te enseñaré a andar en ella. Practicaremos, antes de partir, en la terraza...

¡Eso era más lindo que todo lo imaginado! Sin embargo, a Ariel le entró una duda: —¿Cómo haremos, papá, para salir de la ciudad? ¿Cómo vamos a cruzar y adelantar, entre tantos saltamóviles?

—Eso es otro gran secreto. Al final del viejo metro, el que hasta hace poco anduvo a electricidad, hay un largo sendero. Está lleno de recovecos y conduce a las afueras, bien lejos. Los rascacielos fueron construidos tan juntos que por ahí no puede pasar ningún saltamóvil.

Todo lo que siguió fue glorioso para Ariel.

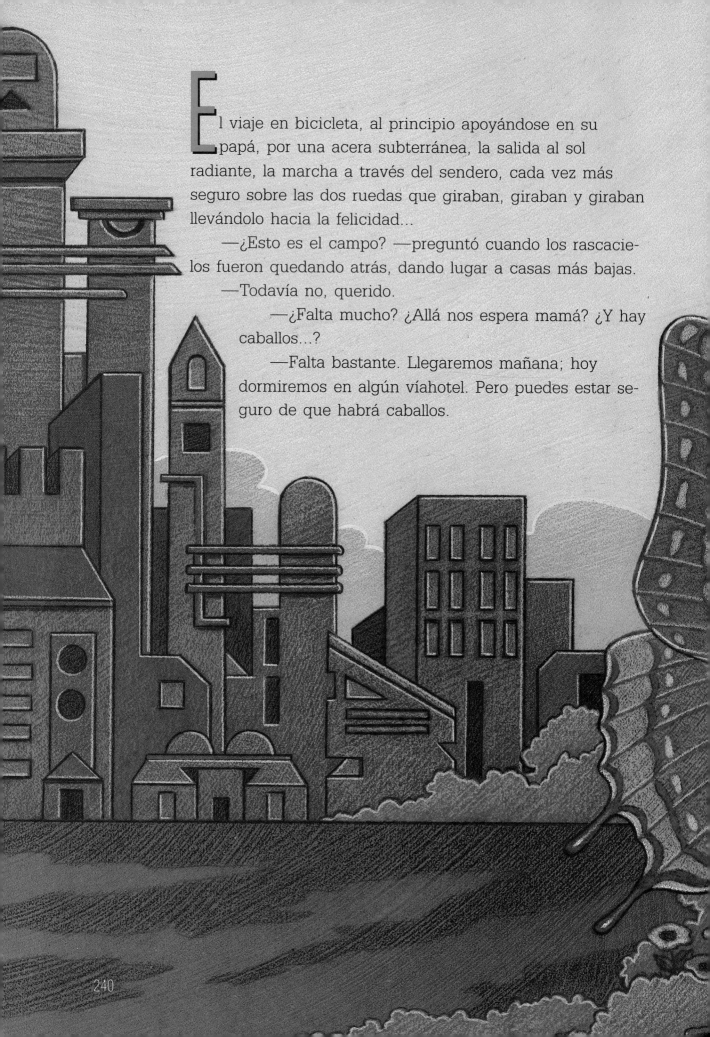

El viaje en bicicleta, al principio apoyándose en su papá, por una acera subterránea, la salida al sol radiante, la marcha a través del sendero, cada vez más seguro sobre las dos ruedas que giraban, giraban y giraban llevándolo hacia la felicidad...

—¿Esto es el campo? —preguntó cuando los rascacielos fueron quedando atrás, dando lugar a casas más bajas.

—Todavía no, querido.

—¿Falta mucho? ¿Allá nos espera mamá? ¿Y hay caballos...?

—Falta bastante. Llegaremos mañana; hoy dormiremos en algún víahotel. Pero puedes estar seguro de que habrá caballos.

¡Cuántas cosas desconocidas aparecieron en el viaje!

—Mira, papá, ¡una mariposa! ¡Una mariposa de verdad! ¡Qué hermosos colores! Es mucho más linda que las de la telerrelieve.

Y a cada momento algo nuevo: —Papá, ¿qué es esto tan brillante? ¡Una piedrecita! Papá, una rosa verdadera. ¡Y qué perfume tiene! Papá, una abeja. ¿Dónde tiene la miel?

Por fin el padre pudo decirle: —Ya estamos llegando. En aquella casa nos espera mamá. Ahí, cerca de eso que parece una torre... que tiene una rueda arriba...

—¿Y eso qué es?

—Es un antiguo molino de viento. Servía para sacar agua de un pozo.

—¡Esto parece un cuento! —exclamó Ariel—. Y el aire tiene un olor especial, que me gusta.

—Es el olor a tierra mojada, del que siempre hablaban mi abuelo y mi papá.

La mamá estaba esperándolos y Ariel sintió una gran alegría al verla con el cabello suelto levantado por el viento. De su mano fue descubriendo un mundo de maravillas. No sólo había plantas, flores, pájaros, nidos, vacas, liebres, perdices, árboles con frutos, un arroyo... sino también caballos. ¡Muchos caballos, como para alegrar a todos los niños! Y un poni, en el que Ariel montó por primera vez y dio un largo y gozoso paseo, hasta que se animó a subir a un caballo más grande...

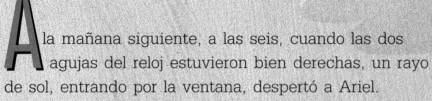

A la mañana siguiente, a las seis, cuando las dos agujas del reloj estuvieron bien derechas, un rayo de sol, entrando por la ventana, despertó a Ariel.

''Es la señal'', se dijo.

Se vistió rápidamente, tomó su audión y se dispuso a grabar un mensaje para sus amigos de la ciudad. Iba a contarles todo, pasarles su alegría y su felicidad, decirles con detalles y más detalles lo que veía...

Le costó empezar. ¡Qué difícil era! ¿Cómo explicarles lo que es una gota de rocío? ¿Con qué palabras decirles cómo es una flor silvestre? ¿Cómo podía darles una idea de lo que se siente viendo un cielo sin fin, redondo y azul?

Entonces Ariel apretó el botoncito rojo del audión y dijo de un golpe: —¡Créanme! Acá hay olor a tierra mojada y hay caballos de verdad.

CONOZCAMOS A
AARÓN CUPIT

En "El gran regalo", Ariel tiene un deseo que es difícil de realizar en el año 2100: ver el campo. Con sus padres emprenderá la aventura que lo llevará a ese mundo desconocido para él. Aarón Cupit, el autor de este cuento, es también un gran aficionado a las aventuras. Nació en Buenos Aires, Argentina, y desde muy joven decidió aventurarse por el mundo: con dieciseis años se fue a vender libros a Paraguay. A partir de entonces recorrió muchos países de América y Europa.

Pero parece que su gran afición es la palabra escrita, pues ha trabajado como tipógrafo, linotipista y corrector de pruebas en diarios, y como redactor, subdirector y director técnico en importantes editoriales. Es autor de muchos libros, en su mayoría dirigidos al público infantil. Mencionaremos sólo unos cuantos: *Amigo Chum, El alegre jardín, La jirafita que se escapó del zoológico y Cuentos del año 2100*, que obtuvo el premio Lazarillo en 1972.

Ronda del PINAR

Las agujas del pino
—señor, señero—
nunca fueron agujas
de costurero.
Las agujas del pino
—señor, señora—
nunca fueron agujas
de bordadora.
Las agujas del pino
—señor, señor—
nunca fueron agujas
de tejedor.
Pero todas quisieran
—señor, ¡soñar!—
coser, bordar, tejer
el viento al mar.

David Chericián

EL ÚLTIMO ÁRBOL

texto e ilustraciones de
Štěpán Zavřel
libro en español de
Marinella Terzi
Ediciones SM, 1988

Hace mucho tiempo, los habitantes de un pueblo cometieron el error de cortar casi todos los árboles de sus bosques. Pero dos niños, Said y Lea, les muestran la manera de recuperar y cuidar sus árboles.

NUESTRO MEDIO

Alicia Castillo y Óscar Muñoz
ilustraciones de Luis Vargas
CONAFE, 1984

Si quieres saber cómo podemos aprovechar el medio ambiente sin destruirlo, aquí encontrarás información sobre los procesos de la naturaleza y su relación con nuestra vida.

JOACHIM

Kurt Baumann y David McKee
libro en español de
Humpty Dumpty
Lumen, 1981

¿Qué puede pasar en una ciudad donde todo el mundo compra y compra... y bota y bota... sin parar? La interesante historia de Joachim de seguro te hará ver la basura como nunca la habías visto antes.

LA SELVA TROPICAL

el espectáculo de la vida

RICARDO CICERCHIA

¿**H**as pensado alguna vez en lo que se necesita para vivir en una casa? Tiene que haber comida, agua, luz eléctrica... Además, hay que cocinar, lavar los platos, sacar la basura, hacer las camas, pagar las facturas del teléfono, reparar de vez en cuando alguna lámpara... Todo eso no lo hace una persona sola: es necesario que todos colaboren. ¿Qué crees que pasaría si la gente que vive en una casa no cooperara, si nadie hiciera su tarea cuando le toca? Sería imposible vivir así.

La Tierra es como una casa gigantesca, en la que los seres vivos y lo que los rodea —agua, aire, luz— forman una comunidad donde cada uno de los miembros coopera con los demás. Esa comunidad es lo que llamamos un *ecosistema*. Los animales necesitan a las plantas que ofrecen alimento y refugio; las plantas necesitan a los animales que transportan el polen y distribuyen semillas; y nosotros necesitamos el oxígeno producido por las plantas y los alimentos que animales y plantas proporcionan. Por eso es tan importante conocer y cuidar la naturaleza.

La selva tropical es uno de los ecosistemas más ricos y variados del planeta. Allí encontramos animales como el loro (izquierda arriba), el armadillo (derecha arriba) y flores de gran colorido como la bromelia (derecha abajo).

La ciencia que estudia la relación entre los diferentes organismos y su entorno natural es la *ecología*. Esta palabra viene del griego *oikos* (que significa "casa") y *logos* ("estudio"): es, pues, el estudio del hogar que todos compartimos.

La ecología nos ayuda también a comprender los riesgos de muchos cambios que la especie humana está provocando en el planeta. Hay tantas personas en la Tierra que es necesario producir un gran número de cosas. Las fábricas —que nos permiten disfrutar de muchos productos y comodidades— traen al mismo tiempo consecuencias negativas para el medio ambiente: humos que contaminan el aire y desperdicios que ensucian las aguas. Millones de árboles han sido cortados para obtener la madera y el papel con que se construyen casas y se hacen libros o periódicos. Al desaparecer los bosques, muchos seres humanos y animales se quedan sin hogar.

La explotación de las selvas tropicales para obtener madera y papel es una de las principales causas de su progresiva destrucción (abajo).

Los humos y residuos de las fábricas contaminan el aire y el agua (arriba).

Todos esos cambios han afectado especialmente a las selvas tropicales que hay en América Latina, África y el sudeste de Asia, donde viven miles de especies de animales y plantas. Las selvas son muy importantes: ayudan a regular la temperatura, la humedad y la composición de los gases de la atmósfera terrestre. Son como grandes pulmones que limpian el aire que todos respiramos. Cualquier cambio en ese ecosistema verde alteraría el clima en todos los países del mundo.

Durante siglos, las selvas han sido fuente de minerales, aceites, maderas, metales y medicinas que han contribuido a nuestro bienestar. Pero el aprovechamiento de esas riquezas ha provocado una gran destrucción. Cada año se pierden 15 millones de acres (seis millones de hectáreas) de selva tropical (la extensión aproximada del estado de West Virginia), y en menos de cincuenta años las selvas podrían desaparecer completamente. Son nuestro más valioso y frágil tesoro natural.

¿Cómo es posible que esto ocurra?, te preguntarás. Pues bien, una de las causas de esta situación es nuestra propia ignorancia. Hemos olvidado cómo se vive en la casa natural, cómo se coopera con los demás seres vivos. Necesitamos aprender de nuevo a convivir con la naturaleza y a usarla respetuosamente. En las selvas tropicales viven miles de comunidades indígenas desde tiempos remotos. Podemos aprender mucho de esos pueblos que conocen bien cada árbol, planta y animal que convive con ellos.

Se cuenta que, hace mucho tiempo, unos colonos llevaron el nogal desde su entorno natural a un lugar extraño para él. Pasaba el tiempo y no florecía. Alarmados, preguntaron a los indígenas si conocían el secreto del árbol. Los nativos explicaron que el polen que daba vida al árbol viajaba en abejas que sólo vivían en arbustos cercanos a la selva. Era una relación que los recién llegados desconocían: el árbol necesitaba volver a su hogar para florecer.

En la actualidad, expertos de todo el mundo intentan reunir y salvar los conocimientos de los habitantes de las selvas. Varios científicos han visitado la frontera de Brasil y Surinam, donde viven los indios tirio, para aprender de ellos los distintos usos medicinales de las plantas. Ese pueblo utiliza unas trescientas plantas para curar enfermedades con medicinas que nosotros aún no conocemos. Toda la humanidad puede beneficiarse así del intercambio entre las diferentes sociedades y culturas, cada una enseñando lo que sabe y aprendiendo de las demás.

¿Qué está pasando ahora en las selvas? ¿Qué se puede hacer para salvarlas? En todo el mundo, hay muchas personas que trabajan para intentar reparar los daños sufridos por la naturaleza. Vamos a ver tres ejemplos de selva tropical en el continente americano: la Amazonia (América del Sur), Guanacaste en Costa Rica (Centroamérica) y el Yunque en la isla de Puerto Rico.

América
del Sur:
la Amazonia

La mariposa de alas de cristal es una de las numerosas especies de insectos que habitan la selva amazónica (izquierda).

El Amazonas es el río más caudaloso del mundo. Va desde los Andes peruanos hasta el Océano Atlántico, atravesando todo el territorio de Brasil. Los científicos creen que alrededor de ese río viven más de diez millones de especies de plantas y animales. En algunas áreas se han llegado a contar hasta 3,000 especies de árboles en una sola milla cuadrada. En 1840, el alemán Friedrich Von Martius hizo una lista de las especies que había descubierto en sus años de exploración de la región amazónica. ¡Esa lista llenó quince volúmenes de su obra *Flora Brasiliensis*!

La vegetación de esta selva es tan alta y densa que sólo algunos rayos de luz llegan hasta el suelo. Los árboles más altos alcanzan la altura de un edificio de quince pisos, y en algunos se han encontrado hasta 400 especies diferentes de insectos. Las ramas y las lianas son utilizadas por los monos para desplazarse por la jungla. Más abajo encontramos arbustos, enredaderas parásitas, flores tropicales de gran colorido y las raíces inmensas de los árboles que se alimentan con las sustancias químicas de las hojas y ramas caídas.

Como la región del Amazonas se encuentra en la zona ecuatorial del planeta, la temperatura es cálida y se mantiene constante entre 77° y 80° Fahrenheit (25° y 27° centígrados). Llueve mucho, y durante la estación húmeda la lluvia puede caer varios días seguidos sin parar.

Las abundantes ramas y lianas de los árboles son utilizadas como medio de transporte por monos, como los titís enanos (arriba).

Los inmensos árboles tropicales son fuente de maderas preciosas muy codiciadas (derecha).

A los pies de los árboles crecen exóticas plantas tropicales como la orquídea (abajo).

En este ecosistema se van a cumplir diez millones de años de armonía entre la vida animal y la vegetal. Sus habitantes se necesitan mutuamente: una de las cosas que sorprendió a algunos exploradores fue saber que ciertas hormigas que viven en los troncos y se alimentan de las hojas caídas de algunos árboles combaten con fiereza a los insectos que pueden dañar y devorar a sus verdes compañeros.

La selva brasileña ha sido llamada el pulmón de la Tierra. Según los científicos, produce por lo menos una quinta parte del oxígeno que necesitamos para vivir. Pero los rancheros incendian miles de acres de selva para convertirlos en tierras de pastoreo para el ganado o en tierras de cultivo. Por esa razón, estos fantásticos jardines podrían transformarse en un triste desierto en un futuro no muy lejano.

¿Quién vive en la selva? La Amazonia es el hogar de más de 180 comunidades indígenas, cada una con su propia cultura, idioma e historia. Estos indios se adaptaron a vivir en la selva hace miles de años. Aprendieron a conseguir veneno de ciertas plantas para cazar con flechas, a reconocer las plantas comestibles, a protegerse de insectos y serpientes durmiendo en hamacas atadas a los

árboles y a viajar en canoas hechas de troncos.

Los yanomami son una de esas comunidades indígenas. Los antropólogos piensan que aún quedan por descubrir algunos grupos de yanomami, pues viven en zonas de selva tan frondosas que resulta muy difícil localizar sus aldeas. Viven en Brasil y en el sur de Venezuela, y son cazadores. Utilizando varios tipos de plantas y animales, estos indios fabrican arcos, algunos apropiados para cazar pájaros, otros para cazar tapires, armadillos y cerdos salvajes. También cultivan más de ochenta variedades de vegetales, como bananas y aguacates.

Entre los cultivos de los indígenas de la selva amazónica se encuentra la banana (arriba).

En la Amazonia viven desde hace miles de años numerosas comunidades indígenas, como los indios yaminahua (abajo).

261

Los yanomami no están a salvo de los peligros de la civilización moderna: la busca de oro en la selva está provocando la destrucción del ecosistema en el que viven. Se calcula que, de los 10,000 yanomami que habitaban la parte brasileña de la Amazonia, unos 1,200 han muerto desde que, hace dos años, los buscadores de oro invadieron sus tierras. Afortunadamente, los gobiernos de Brasil y Venezuela han aprobado la creación de una zona protegida para que los yanomami puedan seguir cultivando y cazando sin ser molestados.

Se cree que todavía quedan por localizar algunas comunidades de indios yanomami. Mujer yanomami moliendo grano para hacer harina (arriba).

Además de los yanomami, muchas otras tribus se encuentran amenazadas. Se cree que en el año 1500, cuando los primeros colonizadores portugueses llegaron a las costas de Brasil, había aproximadamente tres millones y medio de habitantes en la región del Amazonas. Hoy en día quedan, como mucho, doscientos mil indios. La selva es su casa y no podrían vivir en otro lugar.

Una de las organizaciones ecológicas más importantes del mundo es la Fundación Chico Mendes. Francisco "Chico" Mendes fue uno de los primeros en hacer campaña por todo el mundo para intentar salvar la selva amazónica. La fundación que lleva su nombre ha decidido organizar una campaña internacional de protección de la Amazonia y de sus comunidades indígenas. El objetivo es crear zonas protegidas en las que se puedan recoger los productos que ofrece la selva (caucho, frutas) sin dañarla. Su lema es: "NO MÁS DÉCADAS DE DESTRUCCIÓN". Su tarea es promover el respeto por el medio ambiente, por todas las formas de vida y por la diversidad de la naturaleza.

Grandes extensiones de selva son quemadas para obtener más terrenos de cultivo (abajo).

América Central: Guanacaste
(Costa Rica)

Cuando imaginamos una selva, inmediatamente pensamos en las lluvias constantes y la humedad. Pero también existen selvas en las que durante meses no llueve ni una gota: son las llamadas selvas tropicales secas.

Cuando llegaron en el siglo XVI, los españoles encontraron cerca de trescientas mil millas cuadradas de este tipo de selva en Centroamérica. Lentamente, el abuso de sus recursos ha reducido su superficie a menos del 2% de su extensión original. Esta selva seca ha sido maltratada por el cultivo de algodón, la cría de ganado, y la caza de muchos de sus animales.

Al noroeste de Costa Rica, entre los volcanes Orosí y Cacao, en el Parque Nacional de Guanacaste, se encuentra una de estas selvas. Guanacaste forma parte de un ecosistema mayor que se extiende desde Mazatlán, en México, hasta el Canal de Panamá. Siempre recibe fuertes lluvias entre mayo y diciembre.

La estación seca es mucho más calurosa y ventosa: durante el día, la temperatura de la región llega a los 106° Fahrenheit (38° centígrados), y por la noche desciende hasta los 76° Fahrenheit (23° centígrados).

El rey de este hermoso mundo natural es el guanacaste, el esbelto árbol nacional de Costa Rica. Curiosamente, se dice que este árbol crecía originalmente en México. Sus semillas viajaron de polizones hacia el sur dentro de las panzas de los caballos y bueyes de los primeros exploradores españoles. Estos animales tragaban las semillas al comer frutos en las tierras de México. Más tarde, después de que el animal hubiera recorrido muchas millas de camino, su sistema digestivo expulsaba las semillas que no podía digerir debido a la dura corteza que las protegía. Después de ese "viaje", las semillas crecían lejos de sus lugares de origen. De esta forma, los animales han colaborado en la distribución de muchas especies de árboles y plantas.

En la selva de Costa Rica viven el pecarí de labio blanco (arriba), y el jaguar (izquierda). El guanacaste es el árbol nacional de Costa Rica (derecha).

Allí vive también el pecarí de labio blanco, el mamífero que más ha sufrido los efectos de la caza en esta selva. El pecarí es un animal casi ciego; se parece al cerdo, y puede pesar entre 60 y 130 libras (de 20 a 50 kilogramos). Suele moverse siempre en grupo. Se alimenta sobre todo de raíces que encuentra gracias a su increíble olfato, pero también come animales pequeños. Sus métodos de caza son a veces poco comunes: para matar a las serpientes, por ejemplo, salta sobre ellas y las pisotea con sus afiladas pezuñas. Aunque no lo parece, estos animales son muy ágiles y se defienden con mucha valentía: el fiero jaguar no se atreve con ellos si están en grupo, y sólo ataca a los que se quedan rezagados.

Hoy, el pecarí es una especie en peligro de extinción y los pocos sobrevivientes viven en las seguras laderas de los volcanes. Preocupados por su suerte, los niños de una escuela de Liberia, capital de la provincia de Guanacaste, junto con la Fundación Neotrópica, una organización ecológica de Costa Rica, han iniciado una campaña de protección de la fauna de los parques. Su objetivo es la implantación de una ley que prohiba definitivamente la caza. Para llamar la atención sobre este problema, los niños han "rebautizado" algunas calles de la ciudad con los nombres de especies en riesgo de desaparición.

Se ha difundido por todo el mundo la idea de crear un Bosque Tropical Internacional de los niños en Costa Rica. El proyecto, que nació en la imaginación de niños centroamericanos y de grupos internacionales para la protección del medio ambiente, consiste en comprar tierras al sur de Guanacaste, plantar miles de semillas y crear escuelas de educación ecológica para niños de todo el mundo.

El Caribe: el Yunque (Puerto Rico)

A ntes de que los conquistadores españoles llegaran a Puerto Rico, allí vivían los indios taínos. Ellos no llamaban a la isla Puerto Rico, sino Borinquén. Yuquiyú era su espíritu protector, y decidieron darle el mismo nombre a la selva donde se refugiaban de los invasores y se escondían de los enemigos.

El Yunque es la pequeña selva sobreviviente de la antigua Yuquiyú. Ocupa ahora las laderas de las montañas Luquillo, en la punta noreste de la isla. Es una selva en forma de escalera, que sube hasta alcanzar más de 3,500 pies (1,050 metros) de altura.

El primer escalón llega hasta los 2,000 pies (600 metros). El suelo fértil, la escasa altitud y la lluvia frecuente y moderada crean condiciones óptimas para la vida de una extraordinaria cantidad de plantas y árboles, entre ellos el más abundante es el tabonuco. En esta zona vive una boa espectacular que sólo se encuentra en Puerto Rico: la boa puertorriqueña, que puede llegar a medir hasta siete pies de largo.

La vereda de árboles gigantes, en El Yunque (arriba). *La cotorra puertorriqueña está en grave peligro de extinción* (izquierda).

Entre los 2,000 y los 2,500 pies (600 y 750 metros), donde la lluvia es abundante y el clima más fresco, vive el palo colorado. Los troncos de este árbol, de color bermellón, tienen agujeros que aprovecha como vivienda la cotorra puertorriqueña, un ave que no es posible encontrar en ningún otro lugar del mundo y que actualmente se encuentra en grave peligro de extinción. En 1975 se calculaba que vivían en el

Yunque solamente trece de estos animales (algunos más se conservaban en cautividad). Desde entonces, los biólogos han luchado por favorecer la reproducción de la cotorra, cuidando de las crías e incluso defendiéndolas de otros animales.

Cerca de estas lomas está el territorio de las palmas. Algunas de ellas llegan a alcanzar los 50 pies (15 metros) de altura. Y finalmente, en la cima, están los nudosos árboles enanos, cubiertos de plantas colgantes. Los fuertes vientos y lluvias hacen difícil la vida animal en esta zona. Aquí viven algunas raras especies adaptadas al clima.

Aunque no es muy grande —sólo queda el 10% de su tamaño original— el Yunque todavía esconde muchos secretos. El CNF (Caribbean National Forest) ha contado hasta el presente 230 especies de árboles, 16 de mamíferos y 66 de pájaros; 19 tipos de reptiles, 15 especies de anfibios, 18 familias de crustáceos y 5 especies de peces.

La boa puertorriqueña es una de las especies animales que se encuentra solamente en la isla de Puerto Rico (abajo).

En Puerto Rico también hay personas que hacen lo posible por salvar la riqueza animal y vegetal de su selva. Uno de los éxitos de las campañas ecológicas ha sido la prohibición del uso comercial de los animales. Sin embargo, otro peligro amenaza a la frágil selva puertorriqueña: las empresas madereras todavía están autorizadas a talar parte de la selva. Un grupo de organizaciones protectoras del medio ambiente —entre ellas la Sociedad de Historia Natural de Puerto Rico, Greenpeace y la Sociedad Borinquén Audubon— trata de evitarlo. Esta lucha recién comienza.

Vista del territorio de las palmas de sierra en el Yunque (arriba). Una bromelia de Puerto Rico (abajo).

El futuro: una esperanza verde

Somos miembros de una gran comunidad natural. Este hecho nos obliga a respetar y proteger el maravilloso ciclo de la vida. La desaparición de nuestros bosques y selvas ha dado al árbol un papel simbólico en la defensa del medio ambiente, y las campañas infantiles de "Plantemos un árbol" ya se han hecho famosas en todo el mundo. Como hemos visto en diferentes partes de América, hay motivos para la esperanza. Es una esperanza de color verde y, como en Costa Rica, los niños y niñas de todo el mundo tienen mucho que aportar.

Conozcamos a
Ricardo Cicerchia

En la vida profesional de Ricardo
Cicerchia, la historia y la ecología
siempre han estado ligadas. Cicerchia
es profesor de historia, y a finales de
los años 80 fue director del Programa
de Estudios Latinoamericanos Gabriel
García Márquez en la ciudad de Nueva York. Dentro de este
programa se enseñaba español a los niños, junto con la cultura,
la historia, la literatura y los problemas ecológicos de Latinoamérica. Gracias a esta experiencia Cicerchia se convenció de que
"los niños son los que realmente tienen poder para defender el
medio ambiente".

Durante esa época también se dedicó al periodismo y
escribió numerosos artículos sobre ecología para su columna en
un diario de Nueva York.

En el artículo que aquí presentamos Ricardo Cicerchia nos
conduce hasta las selvas americanas para que conozcamos los
graves problemas que las afectan y tomemos conciencia de lo
que debe hacerse si se quiere evitar su desaparición.

ENSEÑA A TUS HIJOS

Nuestras canciones llevaban, en sus melodías,

todos los sonidos de la naturaleza:

el murmullo del agua, el suspiro del viento

y las llamadas de los animales.

Enséñaselas a tus hijos

para que amen la naturaleza como nosotros la amamos.

Poema escrito por representantes de
varias naciones de indios norteamericanos.

275

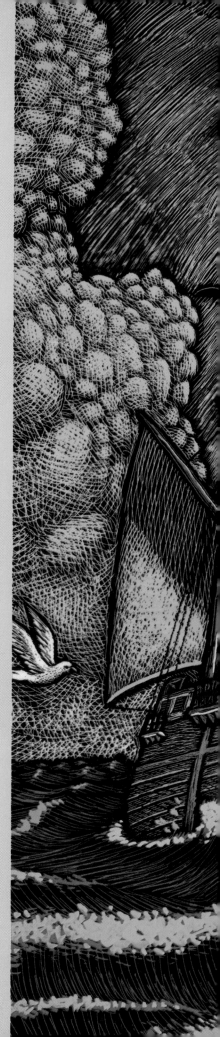

CONTENIDO

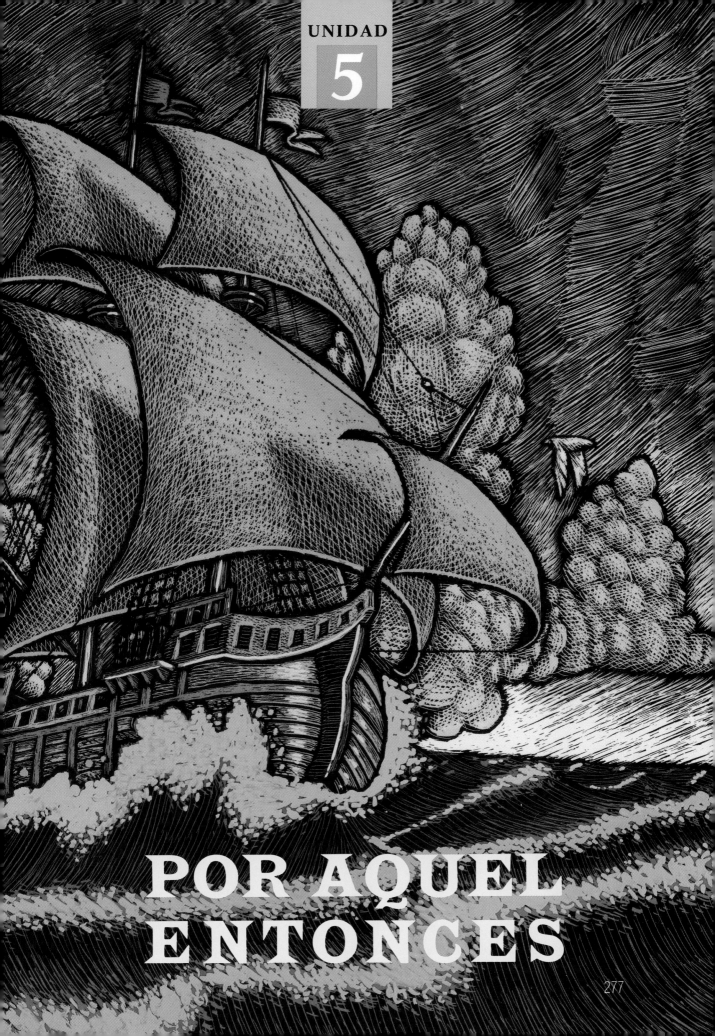

POR AQUEL ENTONCES

Pausas I

¡El mar, el mar!
Dentro de mí lo siento.
Ya sólo de pensar
en él, tan mío,
tiene un sabor de sal mi
pensamiento.

JOSÉ GOROSTIZA

Conozcamos a
José Antonio del Cañizo

¿Qué recuerdos pintaría José Antonio del Cañizo? ¡Quién sabe! Como nació en Valencia en 1938, tal vez pintara alguna escena de esa ciudad. Como es ingeniero agrónomo, quizá pintara campos sembrados. Como es autor de varios libros de jardinería, puede que pintara rosas y claveles. En fin... como es autor de muchos libros, quizá entre sus recuerdos aparecerían los personajes de *Las fantásticas aventuras del caballito gordo*, *Las cosas del abuelo* y *El maestro y el robot*, entre otros.

Conozcamos a
Jesús Gabán

Jesús Gabán es el artista que da vida a los personajes y sus memorias en "El pintor de recuerdos". Para sus ilustraciones Gabán mezcla a veces fotografías con dibujos. Esta técnica se llama *collage* y con ella se consiguen efectos muy divertidos.

Jesús Gabán ha ilustrado numerosos cuentos, entre ellos están *El bosque de cristal*, *Los animales y la peste* y *Cascanueces y el rey de los ratones*.

El pintor de recuerdos

José Antonio del Cañizo
ilustraciones de Jesús Gabán

Gabriel era pintor de recuerdos. ¡Era el pintor más original del mundo! ¡No había ningún otro como él!

Hay pintores de muchas clases: pintores de retratos,
que reflejan en el cuadro la cara y el espíritu de quien posa
para ellos.

Pintores de paisajes, que plantan su caballete en plena naturaleza y plasman en sus lienzos toda la belleza del campo.

Pintores de bodegones, que a menudo tienen que consolarse dando vida con sus pinceles a todo aquello que jamás podrán masticar con sus dientes...

Pintores de corte, que a veces se cansan de tanto retratar reyes y reinas... y para distraerse un rato, se ponen a pintar a unos cuantos servidores del palacio. ¿E incluso a un perro que pasaba por allí? Pero, al final, los reyes acaban colocándose en el fondo del cuadro. ¡No faltaría más!

Y hay también pintores abstractos, que llenan sus lienzos de sueños fantásticos, luces que estallan, manchas encendidas y figuras misteriosas.

Sí, hay muchas clases de pintores. Muchas.

Pero, a lo largo de toda la historia, jamás había existido un pintor de recuerdos. Hasta que Gabriel pensó: "¿Qué es lo que más le gusta a la gente? ¡Sus recuerdos! ¿Qué hace felices a muchos? Recordar, recordar y recordar los mejores momentos de su vida... ¡Me haré pintor de recuerdos! ¿Puede haber mejor manera de hacer felices a las personas que pintarles sus más agradables recuerdos? Así podrán colgarlos en la pared y tenerlos siempre ante sus ojos."

Y clavó en su puerta un letrero que decía:

GABRIEL
PINTOR DE RECUERDOS
(De 9 a 2 y de 5 a 7)

Nada más colocar el cartel, pasó por allí una viejecita de aspecto muy simpático. Se quedó mirándolo largo rato. Suspiró recordando algo. Se fue a casa andando lentamente, pensativa. Le dio vueltas a la idea toda la noche. A la mañana siguiente, vació su cartilla de ahorros y llamó a la puerta de Gabriel.

Quería que le pintase su más bello recuerdo. Había sido, casi, el único momento hermoso de su vida. Ella era entonces muy joven. Había ido a un baile. Estrenaba un vestido precioso. Un joven la sacó a bailar. Bailaron valses y valses, como flotando en una nube. De madrugada, él partió hacia el frente. Y nunca volvió...

Gabriel lo fue pintando todo tal como la anciana se lo describió. Con todo detalle. Cada cinta de su vestido. Cada destello de las arañas de luz del gran salón. El brillo de los espejos. Los instrumentos de la orquesta. Y, sobre todo, el bigote. El bigote del joven.

—Lo más importante del cuadro —recalcó la anciana—, es el bigote. De lo que mejor me acuerdo, de lo que no me olvidaré mientras viva, es de su bigote. A ver si me lo pinta muy bien.

Como la anciana tenía poco dinero, Gabriel le cobró muy poco. En cambio, al día siguiente apareció un gran hombre de negocios. Un multimillonario. Hizo que le pintase su mejor recuerdo: el día en que ganó su primer millón. Gabriel lo pintó todo tal cual, y le cobró lo que correspondía más lo que le había dejado de cobrar a la anciana del día anterior.

Luego vino una pareja. Deseaban que inmortalizase en lienzo aquel momento tan romántico: cuando se conocieron en las barcas del parque.

Y un anciano reumático, asmático, encorvado, renqueante y achacoso le pidió que le pintase aquel día tan lejano en que ganó la carrera de cien metros vallas.

El próximo cliente fue un señor con una cara la mar de tristona. Su mujer y sus hijos habían muerto en un accidente de automóvil del cual sólo había sobrevivido él.

Quería que le pintase el mejor rato que habían pasado todos juntos.

—¿Y cuál fue? ¿Cuál es su mejor recuerdo? —le preguntó Gabriel.

Esperaba oír el relato de una fiesta familiar, un fin de curso con muchos sobresalientes, un viaje inolvidable al extranjero u otro acontecimiento importante.

Pero el señor tristón le contó lo siguiente: —Un día fuimos de excursión al bosque. No había nadie más. Sólo los árboles, las flores, nosotros y un arroyo. ¡Y un pájaro que empezó a cantar! Y luego otro. Y otro. Jugamos a ir contando cuántos pájaros distintos oíamos cantar alrededor. Al principio no nos habíamos fijado casi en sus cantos. Luego, poco a poco, fuimos descubriendo más y más. Inmóviles, callados, íbamos señalando con el dedo el lugar de donde venía el canto de cada nuevo pájaro. Oímos veintisiete cantos distintos. Aquella excursión es mi mejor recuerdo.

Gabriel pintó el bosque y copió los personajes de unas fotos que el señor sacó de su cartera.

Otro día vino un político. Le mandó pintar el acto solemne de cuando tomó posesión de un alto cargo. Un cargo tan alto, tan alto, que Gabriel tuvo que hacer el cuadro así:

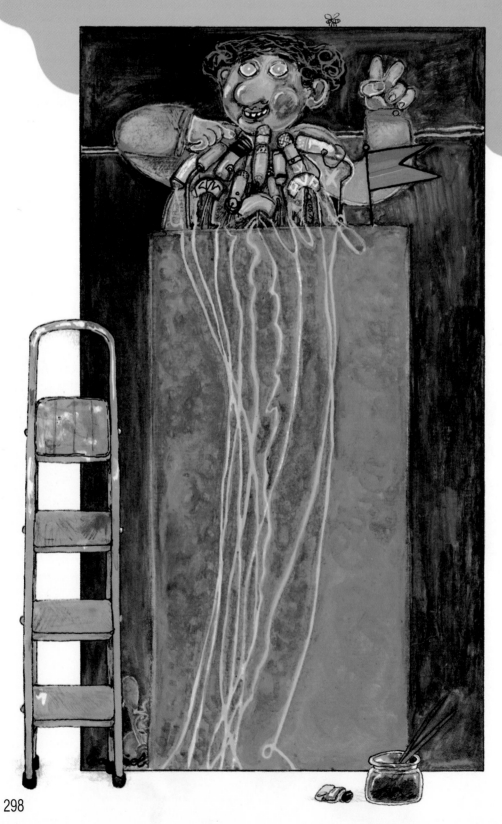

Y también vinieron los padres de una chica que se había marchado de casa y no volvía. Le encargaron un cuadro en que aparecieran los tres, precisamente el día en que ella aprendió a dar sus primeros pasos.

Y así el pintor de recuerdos fue llenando de ilusión a muchas personas.

Hasta que, un día, se llevó una sorpresa.

¡Aquello sí que no lo esperaba!

Llamaron al timbre y abrió. Era un niño pequeño. Tenía el pelo revuelto, los cordones de los zapatos desabrochados y el pantalón vaquero más sucio de toda la ciudad.

Gabriel preguntó extrañado: —¿Qué quieres?

El niño alzó la mano y le dio una moneda. La única que tenía. Y dijo: —¡Hola! Quiero que me pintes un recuerdo. Toma.

Gabriel, por seguirle la corriente, cogió la moneda y se echó a reír: —¿Un recuerdo? ¡Pero si tú no has tenido tiempo ni de tener recuerdos!

—Sí. Tengo uno. Uno solo.

—Aunque tengas uno, será tan reciente que no hará falta que yo te lo pinte —contestó Gabriel, que se estaba divirtiendo, pero al mismo tiempo estaba muy intrigado.

—Es que ya no lo tengo, explicó el niño.

—¿Cómo? —exclamó Gabriel desconcertado—. Anda, dime, ¿qué recuerdo es ése?

—Pinto —contestó el niño.

—¿Cómo que pintas? Aquí el que pinta soy yo.

Y le revolvió el pelo cariñosamente.

—No. Digo que mi recuerdo se llama Pinto. Mi perro. Pinto. Se me perdió. Era mi mejor amigo y se me perdió.

Gabriel comprendió. Sonriendo, cogió un lienzo y le preguntó: —¿Tú crees que Pinto cabrá aquí?

—Sí. Era pequeño.

Y Gabriel comenzó a pintar al perro tal como el niño lo iba describiendo.

Tenía ya el cuadro abocetado cuando el niño le dijo:

—Y aquí, en el lomo, tiene unas pintas negras. Por eso lo llamé Pinto.

Gabriel dejó caer la paleta y se llevó las manos a la cabeza. Los pinceles salieron volando. Soltó una exclamación de asombro y echó a correr. Abrió la puerta del estudio. Se metió dos dedos en la boca y lanzó un silbido.

—¡Trompo, ven acá! —gritó.

Un perrillo muy juguetón entró dando brincos. Al ver al niño se abalanzó sobre él ladrando alegremente y empezó a darle lametones. El niño lo abrazó fuerte.

Gabriel los miraba. Suspiró resignado. Su cara se nubló de tristeza. Sintió un nudo en la garganta cuando el niño se marchó corriendo, sin dejar de abrazar a su perro.

Pasaron los días.

Gabriel pintó cuadros y cuadros con los recuerdos que la gente quería tener ante los ojos.

Se encontraba muy solo.

Un día en que se sentía especialmente melancólico buscó por los rincones aquel cuadro a medio hacer. Lo desempolvó. Lo puso en el caballete. Y acabó de pintar el retrato de aquel perrillo que había encontrado en la calle y con el que se había encariñado tanto.

Cogió un martillo y una alcayata y lo colgó de la pared. Así, de cuando en cuando, podría contemplar uno de sus mejores recuerdos.

¿Adivinas lo que son estas cosas? Obsérvalas atentamente y pon la hoja al revés. Es posible que tengas alguno de estos objetos, aunque más moderno, en tu casa.

LO PRIMERO
ES
LO PRIMERO

¿Puedes creer que las motocicletas funcionaban con ruedas de madera? A finales del siglo XIX, esta extraña máquina a motor maravillaba a todo el mundo. ◀

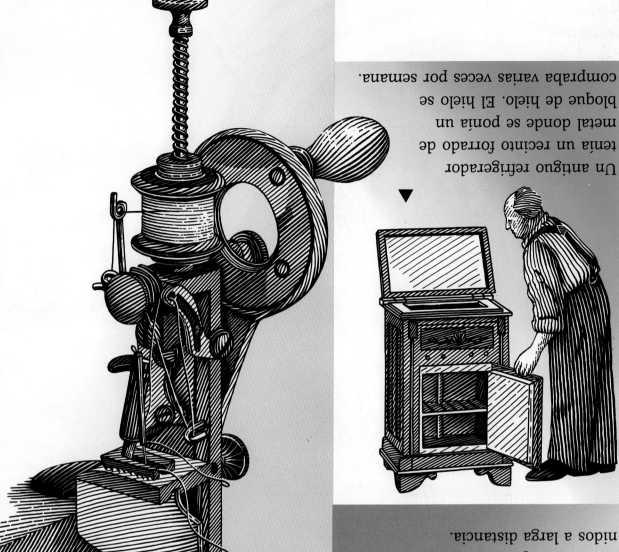

La máquina de coser de bolsillo se inventó en Alemania en 1885; medía tan sólo 8 pulgadas (20 centímetros) de alto. Para usarla, se debía sujetar a una mesa y se operaba manualmente.

▲

Un antiguo refrigerador tenía un recinto forrado de metal donde se ponía un bloque de hielo. El hielo se compraba varias veces por semana.

▼

Alexander Graham Bell utilizó resortes de reloj e imanes para su invento: el teléfono. Este fue el primer instrumento que usaba electricidad para transmitir sonidos a larga distancia.

▼

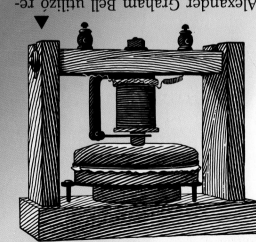

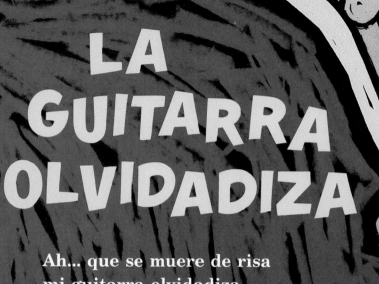

LA GUITARRA OLVIDADIZA

Ah... que se muere de risa
mi guitarra olvidadiza...
¡Ya no la soporto más!
Confunde cada compás.
En mitad de alguna ronda
la olvida y me sale —oronda—
tocando una chacarera,
una milonga campera,
algún rock desaforado
o un tango desafinado...
Total, ella ya aprendió:
¡la culpa la cargo yo!
y sigue olvidando todo...
No consigo hallar el modo
de que acompañe mi canto...
¡Su memoria falla tanto!
(o la ha perdido... Quién sabe...)
¿Existirá algún jarabe
que pueda tomar —de prisa—
mi guitarra olvidadiza?

Elsa Bornemann

La creación de una tribu de California

Los relatos de los indios maidus que contaba el abuelo

A lo lejos, Travis podía ver a su abuelo apoyado contra un enorme roble que crecía frente a su casa. El abuelo era un hombre delgado pero fuerte, de estatura mediana, que aparentaba ser más joven de los sesenta años que realmente tenía. Su pelo negro todavía no tenía canas. El abuelo era un indio maidu muy respetado por su pueblo. Era el historiador de la tribu y, por lo tanto, el guardián de las tradiciones. También enseñaba sobre el pasado de la tribu maidu aquí en California. Sabía todos los cuentos maidus, y con frecuencia los contaba a sus hijos y nietos.

Lee Ann Smith-Trafzer y Clifford E. Trafzer

El cielo era de un azul intenso, a excepción de unas nubes muy blancas y algodonosas que comenzaban a formarse alrededor de las montañas de Sierra Nevada. Era un bello día de otoño, pero el viento ya anunciaba la llegada del invierno. Travis se arrebujó en la chaqueta mientras caminaba pensativo hacia la casa del abuelo.

Cuando llegó a su lado, ya sabía exactamente lo que quería decirle.

—¡Hola, abuelo! —gritó al llegar a la cerca.

El abuelo levantó la mano para saludarlo.

—Hola, Travis —contestó con su ligero acento—. ¿Cómo te fue hoy en la escuela?

El abuelo siempre se interesaba por las tareas escolares de sus nietos, así que su pregunta nunca sorprendía a Travis. Pero hoy el muchacho se alegró al escuchar esta pregunta tan familiar. Le explicó a su abuelo que la Srta. Smith, su maestra de cuarto grado en la escuela primaria Newcastle, había asignado a la clase una tarea de historia. Los alumnos tenían que escribir una composición sobre la historia de California, y Travis quería que su abuelo lo ayudara.

—Abuelo —dijo Travis—, la mayoría de los niños piensa que la historia comenzó con la llegada de los españoles y de las misiones.

El abuelo asintió con la cabeza para mostrar que comprendía.

—¡Pero eso no es verdad! Usted siempre nos habla de nuestra historia, la historia del pueblo maidu. Yo quiero que mi composición sea distinta. Quiero escribir sobre la época en que nadie más que los indios y los animales vivía en California.

El abuelo sonrió abiertamente.

—¿Cómo te puedo ayudar, Travis? —le preguntó.

—Quiero poner en mi informe lo que usted me ha contado sobre el pueblo maidu —explicó Travis—. Ya he escrito un borrador. Usé un cuento que me contó sobre la creación del territorio donde vivían los maidus. ¿Se lo puedo leer?

El abuelo asintió y el muchacho, emocionado, sacó su papel rayado y comenzó a leer en voz alta.

Muchos pueblos de la Tierra tienen historias que explican la creación del mundo. También los indios maidus tienen sus historias sobre la creación que los padres y abuelos relatan a sus hijos y a sus nietos. Aún hoy, los indios maidus recuerdan estos relatos y los cuentan.

Los maidus dicen que, hace mucho tiempo, el mundo
estaba cubierto de agua. El agua azul y el cielo azul se
confundían hasta tal punto que resultaba imposible decir
dónde terminaba uno y comenzaba el otro. Creador de la
Tierra y Coyote flotaban sin ver nada más que cielo y agua,
hasta que Creador de la Tierra se cansó de flotar y quiso
encontrar un lugar para establecer su propio hogar. Esta idea
impresionó a Coyote.

Mientras Creador de la Tierra y Coyote viajaban por el
agua, se turnaban para cantar una canción mágica:

—Pequeño mundo, ¿dónde estás?
Pequeño mundo, ¿dónde estás?

Cantaron esta canción una y otra vez. Después de un
tiempo, se dieron cuenta de que no les estaba dando
resultado. Así que Creador de la Tierra y Coyote cambiaron
su canción. Ahora se turnaban cantando:

—Mi mundo de grandes montañas, ¿dónde estás?
Mis montañas nubladas, ¿dónde están?

Coyote se cansó y dejó de cantar.

—Tú puedes seguir con esas canciones mágicas —le dijo
a Creador de la Tierra—, pero yo ya no voy a seguir cantando.

Sin embargo, Creador de la Tierra estaba convencido de
que algún día encontrarían una tierra donde poder vivir.
Cuando así fuera, ¡harían maravillas con ella! Mientras tanto,
continuaban flotando sobre las extensas aguas.

Un día, los viajeros se encontraron con un objeto flotante
que parecía un nido de pájaros. Aunque éste era muy pequeño, Creador de la Tierra estaba convencido de que lo podría
transformar en un lugar donde crear su propia tierra. Se
necesitaría estirar y ensanchar el nido para poder convertirlo

en mundo. Creador de la Tierra pensó en esto durante largo tiempo. Entonces, tuvo una idea.

—Tomaré esta fuerte soga —le dijo Creador de la Tierra a Coyote—, y la extenderé hacia el oeste, el norte y el noroeste.

Creador de la Tierra se puso a trabajar. Extendió las sogas hacia el oeste, el norte y el noroeste, tal como le había dicho a Coyote. Más tarde, le pidió a Petirrojo que amontonara barro alrededor del nido. Petirrojo lo hizo con mucha alegría, entonando una bonita canción de creación mientras trabajaba. Le llevó muchos días completar su trabajo, pero continuó cantando hasta que, finalmente, la tierra estuvo hecha. Si se escucha con atención, todavía hoy se puede oír a Petirrojo cantando esa maravillosa canción.

Creador de la Tierra le pidió entonces a Coyote que cantara su canción de creación. Con su voz poderosa, Coyote cantó una canción mágica que hablaba de la tierra que quería crear:

—Mi mundo, donde uno viajará por el borde del valle, por grandes montañas, por caminos zigzagueantes atravesando cordilleras. Yo canto a la tierra por la cual viajaré. Por este mundo vagaré.

La canción era tan bella que Creador de la Tierra se unió a Coyote para cantarla. Lentamente, el mundo maidu fue tomando forma. Sólo había un problema: era un mundo muy pequeño.

Creador de la Tierra decidió agrandarlo; con su poderoso pie estiró la tierra hacia el norte, el sur, el este y el oeste. La tierra se extendió en todas las direcciones. El movimiento y la fuerza de los estirones hizo que se formaran las montañas y los valles. Aunque el mundo maidu se estaba agrandando, no era estable, porque la tierra descansaba únicamente sobre las sogas.

—Cuando las sogas se muevan de un lado a otro, esta tierra se sacudirá y temblará —dijo Creador de la Tierra. Así advertía que, en el futuro, los terremotos sacudirían la tierra de vez en cuando.

Creador de la Tierra estaba satisfecho con su mundo, pero era un mundo solitario porque no tenía vida. Por eso, él y Coyote crearon a los seres vivos. Formaron animales, plantas y seres humanos, y los pusieron sobre la tierra. Coyote decidió pintar el mundo de color rojo, porque la sangre es la fuente de la vida humana y animal. Aún hoy, las rocas y la tierra del territorio maidu son un poco rojizas.

Creador de la Tierra y Coyote dieron a los seres humanos sus distintos territorios, idiomas y rasgos físicos. Creador de la Tierra viajó en todas las direcciones, colocando a la gente blanca en un lugar, a la gente negra en otro, a los asiáticos en otro lugar, y así con todos. Por último, regresó a su hogar en el centro de la Tierra. Allí es donde colocó al pueblo maidu.

Cuando Creador de la Tierra hizo a los seres humanos, les dio inteligencia, sabiduría y medios para la supervivencia. Pero lo más importante para los indios maidus fue que les enseñó a ser bondadosos los unos con los otros y a ser hospitalarios con los desconocidos.

Todos los pueblos del mundo tienen sus propios relatos sobre los comienzos de este planeta. También los tienen las tribus indias de América. Este cuento maidu sobre la creación es sólo un ejemplo de la rica variedad de estos relatos. En realidad hay muchas otras partes en el cuento, pero ésta es la historia principal sobre los orígenes de una tribu de indios de California, los maidus.

Cuando Travis acabó de leer su composición, esperó a que el anciano le hablara. La gente maidu enseña a sus hijos a respetar a los mayores y a tener paciencia. El abuelo dirigió la mirada hacia las montañas. Sus pensamientos parecían vagar muy lejos de allí. Por fin, dirigió su atención a Travis.

—Nieto —dijo—, has hecho un buen trabajo.

Travis sonrió, contento y aliviado. Estaba satisfecho de haber recordado fielmente el relato sobre la creación.

—Has puesto por escrito mucho de lo que hemos transmitido de generación en generación por medio de la palabra hablada —la cara del abuelo parecía iluminarse con su sonrisa—. Travis, has recordado bien el cuento de la

creación —continuó, mientras rodeaba con el brazo los hombros del muchacho—. Espero que puedas contárselo a los otros niños de tu clase.

Aunque el abuelo no siguió hablando, Travis sabía lo que había querido decir. El abuelo estaba satisfecho de la manera en que su nieto había escrito el cuento, pero pensaba que la transmisión oral de los cuentos maidus tenía una importancia especial. Relatar los cuentos, discutirlos y repetirlos una y otra vez era la forma tradicional de transmitir y mantener viva la historia tribal.

El abuelo y Travis anduvieron juntos por el camino que bordeaba el gran roble y entraron a la casa. La aprobación del abuelo fue una gran satisfacción para Travis. Estaba deseando que llegara el próximo día de clases. Quizá hasta le sería posible contar a sus compañeros la historia maidu sobre la creación. Normalmente, Travis hubiera sentido miedo de hablar a la clase. Pero el orgullo de ser indio maidu que el abuelo manifestaba hacía que Travis se sintiera orgulloso también. ¡Qué bonito sería relatar las tradiciones maidus a sus amigos de la escuela!

Travis no había pensado mucho en su composición sobre el cuento maidu de la creación desde que la dejara encima del escritorio de la maestra. Casi una semana después de haberla entregado, la Srta. Smith anunció que había terminado de leer todas las composiciones.

—En general, estoy muy satisfecha —dijo con una sonrisa—. Algunas de las composiciones son verdaderamente sobresalientes. Voy a leerles algunas de ellas ahora.

Al escuchar a la Srta. Smith, Travis volvió a sentir interés por el proyecto. A pesar de la recomendación de su abuelo, Travis no le había preguntado a la Srta. Smith si podía leer su relato a la clase. Travis estaba avergonzado de no haber seguido la sugerencia del abuelo. Ahora esperaba con ansiedad que la suya fuera una de las composiciones que la Srta. Smith iba a leer. Sobre todo, quería poderle decir al abuelo que los niños de la clase habían oído el cuento maidu sobre la creación.

Primero, la Srta. Smith leyó la composición de Emily Martínez sobre la Fiebre del Oro. Luego, leyó el informe de

Steve Foley sobre los montañeses actuales de California. Ambas composiciones fueron interesantes, llenas de datos históricos y de pequeñas anécdotas graciosas. Mientras Travis escuchaba a la Srta. Smith leer las composiciones, se iba hundiendo tristemente en su silla. ¡Quizá no había comprendido bien la tarea! Su composición no trataba para nada de ese tipo de historia. Travis comenzó a pensar que iba a recibir una mala nota en ese proyecto.

Entonces la Srta. Smith empezó a hablar sobre él.

—Travis Molma ha escrito un tipo distinto de composición histórica —dijo—. Él decidió relatar parte de su historia y la de los indios maidus. Es un informe excelente.

Travis sintió todos los ojos clavados sobre él; no estaba acostumbrado a recibir este tipo de atención en la escuela.

—Los indios maidus vivieron aquí mucho antes que nadie —continuó la Srta. Smith—. Travis ha escrito una historia de tradición oral. Los indios no escribían sus relatos, sino que los conservaban transmitiéndolos de padres y abuelos a hijos y nietos.

En la primera fila de asientos, alguien levantó la mano.

—Pero, ¡si los niños hubieran olvidado los relatos de sus padres, éstos se habrían perdido para siempre!

—Bueno, los mayores no contaban los relatos una vez. Los repetían a menudo, a lo largo de mucho tiempo. Luego, cuando los niños crecían, ellos relataban los cuentos a los mayores. Si se equivocaban en algún detalle, se les corregía. Más tarde, volvían a relatar el cuento. ¿No es así, Travis?

Travis asintió débilmente con la cabeza.

—Es una manera muy buena de enseñar. Nosotros hacemos lo mismo aquí en la escuela. Hablamos sobre las tareas en la clase, para que piensen sobre ellas y las recuerden.

La Srta. Smith debió de observar que varios de los alumnos estaban perdiendo el interés, porque comenzó a leer el cuento maidu sobre la creación que Travis había escrito.

"Al abuelo le agradaría esto" pensó Travis. Los alumnos escuchaban el cuento con mucha atención, y parecían disfrutar. La mayoría de los niños nunca había oído un cuento creado por un pueblo indio para explicar su pasado. Cuando la Srta. Smith acabó de leer la composición de Travis, muchos alumnos levantaron la mano para hacer preguntas.

—¿Por qué los indios maidus tenían este cuento? —preguntó Melissa.

La Srta. Smith pensó antes de responder.

—Esa pregunta no es fácil de contestar —dijo—. Supongo que todos, incluida la gente india, buscamos maneras de explicar cómo se formó el mundo. Este cuento es la explicación de los maidus.

La Srta. Smith hizo una pausa, y luego miró a Travis.

—¿Qué dirías tú, Travis?

Apoyándose en el respaldo de la silla, Travis se paró y se volvió hacia la clase.

—Mi abuelo nos ha contado muchos relatos maidus a mis hermanos, a mis primos y a mí. Mi abuelo dice que estos relatos son la historia del pueblo maidu. Los relatos también son nuestra literatura. Nos ayudan a conocernos a nosotros mismos, y nos enseñan a pensar y a vivir.

Travis se sorprendió al descubrir qué fácil le resultaba hablarle a la clase sobre las tradiciones de los indios maidus. Explicó que el abuelo había dicho que los relatos de los maidus enseñaban a distinguir entre el bien y el mal. En muchos de los cuentos, Creador de la Tierra muestra al pueblo maidu qué es lo bueno, pero Coyote hace lo contrario. Con frecuencia se porta mal, y a la gente se le enseña a no portarse como Coyote.

En ese momento, Caitlin Riley dijo: —Pero yo pensaba que la historia tiene que venir de algo escrito. ¿Quién escribió los cuentos maidus?

—Mucha gente piensa que los indios no tuvieron historia hasta que comenzaron a escribirla —contestó Travis—. Pero, como dijo la Srta. Smith, nuestra forma de enseñar los relatos también es confiable.

Esta vez era Michael, el amigo de Travis, quien tenía una pregunta: —No sé si he entendido cómo vivían los indios maidus. ¿Sabes qué comían y cómo eran sus casas?

El abuelo le había explicado a Travis cómo habían vivido los indios maidus.

—Los maidus comían frutas, verduras y carne, como nosotros hoy —dijo—. Las mujeres recogían fresas silvestres, zarzamoras y grosellas. Los maidus comían estas frutas frescas, pero también las secaban al sol para poderlas comer en el invierno. Todo lo que había que hacer era añadirles un poco de agua. Los maidus también comían lechugas silvestres y zanahorias y recogían raíces de tule y camas, que se parecen a las papas y que tienen mucha vitamina C.

—¿Y no cazaban los maidus? —preguntó uno de los niños.

—Claro que sí —contestó Travis—. Cazaban venados, osos, codornices, conejos, mapaches, ardillas, gansos y puercoespines. Pero los indios no aprovechaban solamente la carne de los animales. Por ejemplo, usaban las pieles para hacer mantas y ropas. Las espinas del puercoespín se usaban como agujas, y también para hacer joyas.

Uno de los estudiantes preguntó si los maidus vivían en tipis como los indios que había visto en la televisión.

—No —dijo Travis, negando con la cabeza—. Vivían en distintos tipos de casas. Cuando los maidus viajaban de un lugar a otro para cazar o recoger alimentos, construían casas provisionales de troncos y de esteras. Para sus casas de invierno, usaban los mismos materiales, pero las construían más grandes y abrigadas. Mi abuelo me dijo que, en el invierno, la gente pasaba mucho tiempo dentro de sus casas, donde contaban cuentos.

De hecho, durante los meses de invierno, fríos y lluviosos, los abuelos y los padres del abuelo de Travis le habían contado las historias de los indios maidus. Después de oírlas una y otra vez, el abuelo pudo aprender muy bien sus lecciones.

La Srta. Smith se levantó de su escritorio.

—¿Sabes, Travis? —le dijo—. Pienso que tú también has aprendido bien tus lecciones. Gracias por enseñarnos tanto sobre los indios maidus.

Ante la sorpresa de Travis, la Srta. Smith comenzó a aplaudir, y el resto de la clase aplaudió también. ¡Cuánto deseaba Travis que llegara el momento de decirle a su abuelo lo mucho que los otros niños habían disfrutado escuchando el relato maidu sobre la creación!

Cuando sonó el timbre que anunciaba el final del día escolar, la Srta. Smith se acercó a hablar con Travis.

—Por favor, dale esta nota a tu abuelo —le dijo—. Quiero que sepa cuánto hemos disfrutado con la historia de los maidus. Quizá le gustaría visitar nuestra clase y contarnos sus relatos.

Más tarde, el abuelo dijo que estaba muy orgulloso de su nieto por haber hablado en la clase. Pero todo lo que Travis había contado venía de su abuelo. "Algún día" pensó Travis, "yo les contaré los mismos relatos a mis hijos".

Conozcamos a
Lee Ann Smith-Trafzer
y Clifford E. Trafzer

El consejo que Clifford E. Trafzer da a los jóvenes que quieren escribir es: "Escribe sobre lo que conoces, y escribe". Él ha seguido su propio consejo. Trafzer, que es en parte indio wyandot, estudia y enseña la cultura de los indios norteamericanos, y junto con su esposa, Lee Ann Smith-Trafzer, también escribe sobre ellos.

Basándose en la tradición oral, escriben antiguas historias que los indios norteamericanos se han transmitido de generación en generación.

"Queremos difundir las historias que nos contaron nuestros padres y conservarlas para nuestros hijos y para todos los niños", dice Lee Ann Smith-Trafzer, que ha trabajado con su esposo en "La creación de una tribu de California: los relatos de los indios maidus que contaba el abuelo".

Estas historias pueden ser cómicas, tristes o estar llenas de aventuras, pero casi siempre son de una gran profundidad. Por medio de ellas podemos valorar la herencia cultural del pueblo indio norteamericano.

Muchos lectores se sorprenderán al descubrir la cantidad de cosas que tienen en común con los personajes de estos relatos. Hablando de "La creación de una tribu de California", Clifford E. Trafzer nos dice que "Travis es como cualquier joven que quiere conocer la historia de su pueblo".

La señorita Amelia
María de la Luz Uribe
ilustraciones
de Fernando Krahn
Destino, 1983

El recuerdo de una viejecita
dulce y divertida siempre
estuvo en la memoria de los
personajes de este cuento.
Ellos sabian que si no la
olvidaban, algun dia la
volverian a encontrar.

María de la Luz Uribe

La Señorita Amelia

Ilustraciones: Fernando Krahn

Premio Apeles Mestres 1982

Ediciones Destino

Michelle Nikly
El
ciruelo
Altea benjamin

El ciruelo
texto e ilustraciones
de Michelle Nikly
libro en español
de Juan Ramon Azaola
Altea, 1985

El Emperador del Japon se
vale de la escritura y la
pintura para mantener viva
la historia de un ciruelo, un
ruiseñor y un niño.

¡CÓMO TE ECHAMOS DE MENOS!

Gracias, Tejón
texto e ilustraciones
de Susan Varley,
libro en español
de Juan Ramón Azaola
Altea, 1985

Siempre debemos recordar las
cosas buenas que aprendemos
de nuestros amigos, aunque
ya no estén con nosotros.
Cuando Tejón murió, sus
amigos recordaron todo lo
bueno que él les enseñó.

GRACIAS, TEJON
Susan Varley

Francisco Jiménez

La infancia de Francisco Jiménez estuvo llena de traslados. El primero ocurrió en 1947 cuando sólo tenía cuatro años. Su familia se mudó a California desde San Pedro Tlaquepaque, México. En California trabajaba como bracero y esto lo obligaba a trasladarse de un lugar a otro buscando empleo en las cosechas.

Pero a pesar de tantos obstáculos, Francisco Jiménez se aficionó al estudio. Consiguió graduarse por la Universidad de Santa Clara en California, y en 1972 se doctoró por la Universidad de Columbia.

Ahora Jiménez es editor, escritor y además, es profesor en la Universidad de Santa Clara.

Cajas de cartón

Francisco Jiménez

ra a fines de agosto. Ito, el contratista, ya no sonreía. Era natural. La cosecha de fresas terminaba, y los trabajadores, casi todos braceros, no recogían tantas cajas de fresas como en los meses de junio y julio.

Cada día el número de braceros disminuía. El domingo sólo uno —el mejor pizcador— vino a trabajar. A mí me caía bien. A veces hablábamos durante nuestra media hora de almuerzo. Así es como aprendí que era de Jalisco, de mi tierra natal. Ese domingo fue la última vez que lo vi.

Cuando el sol se escondió detrás de las montañas, Ito nos señaló que era hora de ir a casa.

—Ya hes horra —gritó en su español mocho.

Ésas eran las palabras que yo ansiosamente esperaba doce horas al día, todos los días, siete días a la semana, semana tras semana, y el pensar que no las volvería a oír me entristeció.

Por el camino rumbo a casa, papá no dijo una palabra. Con las dos manos en el volante miraba fijamente hacia el camino. Roberto, mi hermano mayor, también estaba callado. Echó para atrás la cabeza y cerró los ojos. El polvo que entraba de fuera lo hacía toser repetidamente.

Era a fines de agosto. Al abrir la puerta de nuestra chocita me detuve. Vi que todo lo que nos pertenecía estaba empacado en cajas de cartón. De repente sentí aún más el peso de las horas, los días, las semanas, los meses de trabajo. Me senté sobre una caja, y se me llenaron los ojos de lágrimas al pensar que teníamos que mudarnos a Fresno.

sa noche no pude dormir, y un poco antes de las cinco de la madrugada, papá, que a la cuenta tampoco había pegado los ojos en toda la noche, nos levantó. A pocos minutos los gritos alegres de mis hermanitos, para quienes la mudanza era una gran aventura, rompieron el silencio del amanecer. Los ladridos de los perros pronto los acompañaron.

Mientras empacábamos la loza del desayuno, papá salió para encender la "Carcanchita". Ése era el nombre que papá le dio a su viejo *Plymouth* negro del año 38. Lo compró en una agencia de carros usados en Santa Rosa en el invierno de 1949. Papá estaba muy orgulloso de su carro. "Mi Carcanchita", lo llamaba cariñosamente. Tenía derecho a sentirse así. Antes de comprarlo, pasó mucho tiempo mirando otros carros. Cuando al fin escogió la "Carcanchita", la examinó palmo a palmo. Escuchó el motor, inclinando la cabeza de lado a lado como un perico, tratando de detectar cualquier ruido que pudiera indicar problemas mecánicos. Después de quedar satisfecho con la apariencia y los sonidos del carro, papá insistió en saber quién había sido el dueño. Nunca lo supo, pero compró el carro de todas maneras. Papá pensó que el dueño debió haber sido alguien importante porque en el asiento de atrás encontró una corbata azul.

Papá estacionó el carro enfrente de la choza y dejó andando el motor.

—¡Listo! —gritó.

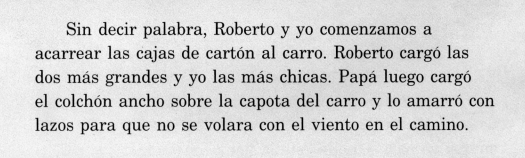

Sin decir palabra, Roberto y yo comenzamos a
acarrear las cajas de cartón al carro. Roberto cargó las
dos más grandes y yo las más chicas. Papá luego cargó
el colchón ancho sobre la capota del carro y lo amarró con
lazos para que no se volara con el viento en el camino.

odo estaba empacado menos la olla de mamá. Era una olla vieja y galvanizada que había comprado en una tienda de segunda en Santa María el año en que yo nací. La olla estaba llena de abolladuras y mellas, y mientras más abollada estaba, más le gustaba a mamá. "Mi olla", la llamaba orgullosamente.

Sujeté abierta la puerta de la chocita mientras mamá sacaba cuidadosamente su olla, agarrándola por las dos asas para no derramar los frijoles cocidos. Cuando llegó al carro, papá tendió las manos para ayudarla con ella. Roberto abrió la puerta posterior del carro y papá puso la olla con mucho cuidado en el piso detrás del asiento. Todos subimos a la "Carcanchita". Papá suspiró, se limpió el sudor de la frente con las mangas de la camisa, y dijo con cansancio: —Es todo.

Mientras nos alejábamos, se me hizo un nudo en la garganta. Me volví y miré nuestra chocita por última vez.

Al ponerse el sol llegamos a un campo de trabajo cerca de Fresno. Ya que papá no hablaba inglés, mamá le preguntó al capataz si necesitaba más trabajadores.

—No necesitamos a nadie —dijo él, rascándose la cabeza—, pregúntele a Sullivan. Mire, siga este mismo camino hasta que llegue a una casa grande y blanca con una cerca alrededor. Allí vive él.

Cuando llegamos allí, mamá se dirigió a la casa. Pasó por la cerca, por entre filas de rosales, hasta llegar a la puerta. Tocó el timbre. Las luces del portal se encendieron y un hombre alto y fornido salió. Hablaron brevemente.

Cuando el hombre entró en la casa, mamá se apresuró hacia el carro y exclamó: —¡Tenemos trabajo! El señor nos permite quedarnos allí toda la temporada —dijo un poco sofocada de gusto y apuntando hacia un garaje viejo que estaba cerca de los establos.

El garaje estaba gastado por los años. Roídas por comejenes, las paredes apenas sostenían el techo agujereado. No tenía ventanas y el piso de tierra suelta ensabanaba todo de polvo.

sa noche, a la luz de una lámpara de petróleo, desempacamos las cosas y empezamos a preparar la habitación para vivir. Roberto enérgicamente se puso a barrer el suelo; papá llenó los agujeros de las paredes con periódicos viejos y con hojas de lata. Mamá les dio de comer a mis hermanitos. Papá y Roberto entonces trajeron el colchón y lo pusieron en una de las esquinas del garaje.

—Viejita —dijo papá, dirigiéndose a mamá—, tú y los niños duerman en el colchón; Roberto, Panchito y yo dormiremos bajo los árboles.

Muy tempranito por la mañana al día siguiente, el señor Sullivan nos enseñó dónde estaba su cosecha y, después del desayuno, papá, Roberto y yo nos fuimos a la viña a pizcar.

A eso de las nueve, la temperatura había subido hasta cerca de cien grados. Yo estaba empapado de sudor y mi boca estaba tan seca que parecía como

si hubiera estado masticando un pañuelo. Fui
al final del surco, cogí la jarra de agua que
habíamos llevado y comencé a beber.

—No tomes mucho, te vas a enfermar
—me gritó Roberto.

No había acabado de advertirme cuando sentí
un gran dolor de estómago. Me caí de rodillas y la
jarra se me deslizó de las manos.

Solamente podía oír el zumbido de los insectos. Poco
a poco me empecé a recuperar. Me eché agua en la cara
y en el cuello y miré el lodo negro correr por los brazos
y caer a la tierra que parecía hervir.

Todavía me sentía mareado a la hora del almuerzo. Eran las dos de la tarde y nos sentamos bajo un gran nogal que estaba al lado del camino. Papá apuntó el número de cajas que habíamos pizcado. Roberto trazaba diseños en la tierra con un palito. De pronto, vi palidecer a papá que miraba hacia el camino. Susurró alarmado:

—Allá viene el camión de la escuela.

Instintivamente, Roberto y yo corrimos a escondernos entre las viñas. El camión amarillo se paró frente a la casa del señor Sullivan. Dos niños muy limpiecitos y bien vestidos se apearon. Llevaban libros bajo el brazo. Cruzaron la calle y el camión se alejó. Roberto y yo salimos de nuestro escondite y regresamos adonde estaba papá.

—Tienen que tener cuidado —nos advirtió.

Después del almuerzo volvimos a trabajar. El calor oliente y pesado, el zumbido de los insectos, el sudor y el polvo hicieron que la tarde pareciera una eternidad. Al fin las montañas que rodeaban el valle se tragaron el sol. Una hora después estaba demasiado oscuro para seguir trabajando. Las parras tapaban las uvas y era muy difícil ver los racimos.

—Vámonos —dijo papá señalándonos que era hora de irnos.

Entonces, tomó un lápiz y comenzó a figurar cuánto habíamos ganado ese primer día. Apuntó números, borró algunos, escribió más. Alzó la cabeza sin decir nada. Sus tristes ojos sumidos estaban humedecidos.

Cuando regresamos del trabajo, nos bañamos afuera con el agua fría, bajo una manguera. Luego nos sentamos a la mesa hecha de cajones de madera y comimos con hambre la sopa de fideos, las papas y las tortillas de harina blanca recién hechas. Después de cenar nos acostamos a dormir, listos para empezar a trabajar a la salida del sol.

Al día siguiente, cuando me desperté, me sentía magullado, me dolía todo el cuerpo. Apenas podía mover los brazos y las piernas. Todas las mañanas cuando me levantaba me pasaba lo mismo, hasta que mis músculos se acostumbraron a ese trabajo.

Era lunes, la primera semana de noviembre. La temporada de uvas se había terminado y ya podía ir a la escuela. Me desperté temprano esa mañana y me quedé acostado mirando las estrellas y saboreando el pensamiento de no ir a trabajar y de empezar el sexto grado. Como no podía dormir, decidí levantarme y desayunar con papá y Roberto. Me senté cabizbajo frente a mi hermano. No quería mirarlo porque sabía que él estaba triste. Él no asistiría a la escuela hoy, ni mañana, ni la próxima semana. No iría hasta que se acabara la temporada de algodón, y eso sería en febrero. Me froté las manos y miré la piel seca y manchada de ácido enrollarse y caer al suelo.

Cuando papá y Roberto se fueron a trabajar, sentí un gran alivio. Fui a la cima de una pendiente cerca de la choza y contemplé a la "Carcanchita" en su camino hasta que desapareció en una nube de polvo.

Dos horas más tarde, a eso de las ocho, esperaba el camión de la escuela. Por fin llegó. Subí y me senté en un asiento desocupado. Todos los niños se entretenían hablando o gritando.

Estaba nerviosísimo cuando el camión se paró delante de la escuela. Miré por la ventana y vi una muchedumbre de niños. Algunos llevaban libros, otros juguetes. Me bajé del camión, metí las manos en los bolsillos, y fui a la oficina del director. Cuando entré, oí la voz de una mujer diciéndome: *"May I help you?"* Me sobresalté. Nadie me había hablado inglés desde hacía meses. Por varios segundos me quedé sin poder contestar. Al fin, después de mucho esfuerzo, conseguí decirle en inglés que me quería

matricular en el sexto grado. La
señora entonces me hizo una serie
de preguntas que me parecieron
impertinentes. Luego me llevó al
salón de clases.

El señor Lema, el maestro
de sexto grado, me saludó
cordialmente, me asignó
un pupitre, y me presentó
a la clase. Estaba tan
nervioso y asustado en
ese momento, cuando
todos me miraban, que
deseé estar con papá y Roberto
pizcando algodón. Después de pasar
la lista, el señor Lema le dio a la clase la asignatura de
la primera hora.

—Lo primero que haremos esta mañana es terminar
de leer el cuento que comenzamos ayer —dijo con entusiasmo.

Se acercó a mí, me dio su libro y me pidió que leyera.

—Estamos en la página 125 —me dijo.

Cuando lo oí sentí que toda la sangre me subía a la
cabeza; me sentí mareado.

—¿Quisieras leer? —me preguntó en un tono indeciso.

Abrí el libro en la página 125. Mi boca estaba seca.
Los ojos se me comenzaron a aguar. No podía empezar. El
señor Lema entonces le pidió a otro niño que leyera.

Durante el resto de la hora me empecé a enojar más y
más conmigo mismo. "Debí haber leído", pensaba yo.

urante el recreo me llevé el libro al baño y lo abrí en la página 125. Empecé a leer en voz baja, imaginándome que estaba en clase. Había muchas palabras que no sabía. Cerré el libro y volví al salón.

El señor Lema estaba sentado en su escritorio. Cuando entré, me miró sonriéndose. Me sentí mucho mejor. Me acerqué a él y le pregunté si me podía ayudar con las palabras desconocidas.

—Con mucho gusto —me contestó.

El resto del mes pasé mis horas de almuerzo estudiando inglés con la ayuda del buen señor Lema.

Un viernes, durante la hora del almuerzo, el señor Lema me invitó a que lo acompañara a la sala de música.

—¿Te gusta la música? —me preguntó.

—Sí, muchísimo —le contesté entusiasmado—. Me gustan los corridos mexicanos.

Él cogió una trompeta, la tocó un poco y luego me la entregó. El sonido me hizo estremecer. Me encantaba ese sonido.

—¿Te gustaría aprender a tocar este instrumento? —me preguntó.

Debió haber comprendido la expresión de mi cara porque antes de que yo le respondiera, añadió: —Te voy a enseñar a tocar esta trompeta durante las horas de almuerzo.

Ese día casi no podía esperar el momento de llegar a casa y contarles las nuevas a mi familia. Al bajar del camión, me encontré con mis hermanitos que gritaban y brincaban de alegría. Pensé que era porque yo había llegado, pero al abrir la puerta de la chocita vi que todo estaba empacado en cajas de cartón...

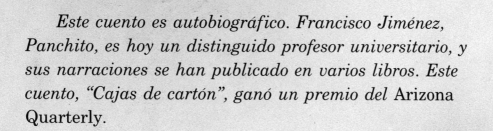

Este cuento es autobiográfico. Francisco Jiménez, Panchito, es hoy un distinguido profesor universitario, y sus narraciones se han publicado en varios libros. Este cuento, "Cajas de cartón", ganó un premio del Arizona Quarterly.

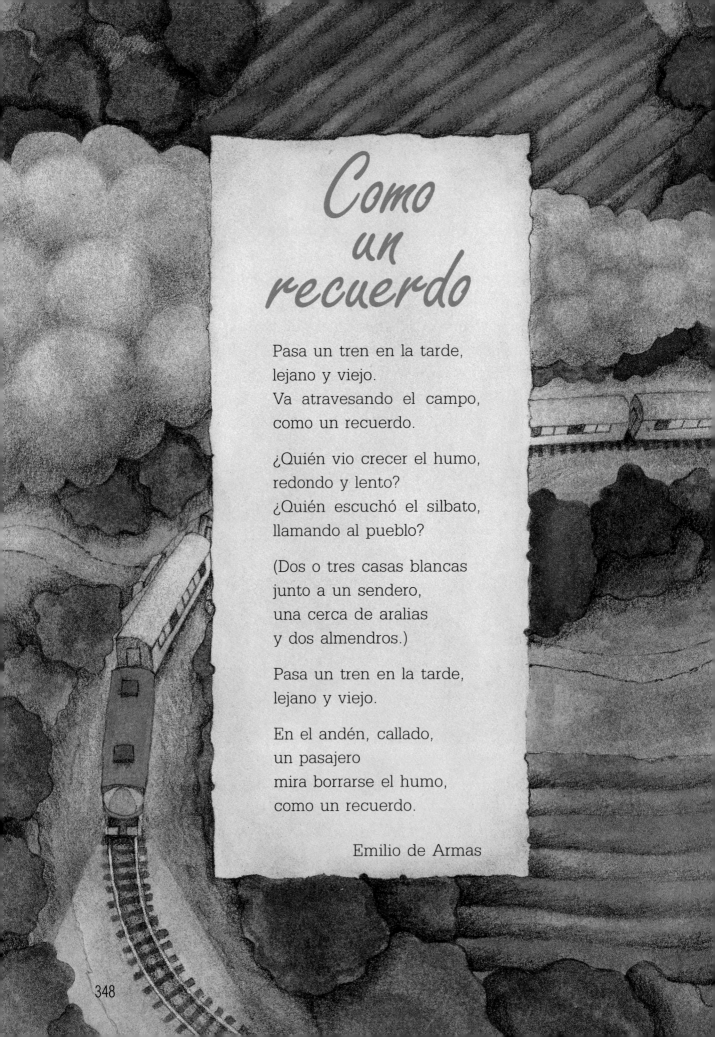

Como un recuerdo

Pasa un tren en la tarde,
lejano y viejo.
Va atravesando el campo,
como un recuerdo.

¿Quién vio crecer el humo,
redondo y lento?
¿Quién escuchó el silbato,
llamando al pueblo?

(Dos o tres casas blancas
junto a un sendero,
una cerca de aralias
y dos almendros.)

Pasa un tren en la tarde,
lejano y viejo.

En el andén, callado,
un pasajero
mira borrarse el humo,
como un recuerdo.

Emilio de Armas

CONTENIDO

Diego Velázquez
LAS MENINAS (1656)
Museo del Prado

Érase otra vez

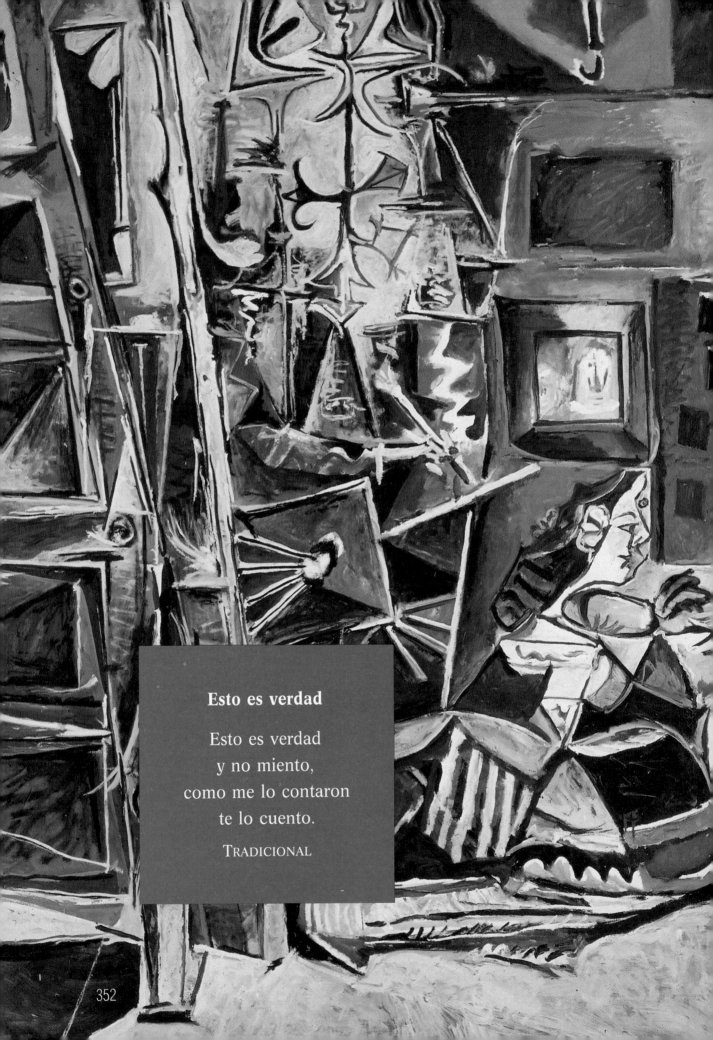

Esto es verdad

Esto es verdad
y no miento,
como me lo contaron
te lo cuento.

Tradicional

Pablo Picasso
LAS MENINAS (1957)
Colección Marina Picasso

Yeh-Shen,
la Cenicienta de la China

Este relato es más antiguo
que el cuento de la Cenicienta tal y
como lo conocemos. Precede en al
menos 800 años a cualquiera
de las versiones europeas de la historia.

versión de Ai-Ling Louie
ilustraciones de
Ed Young

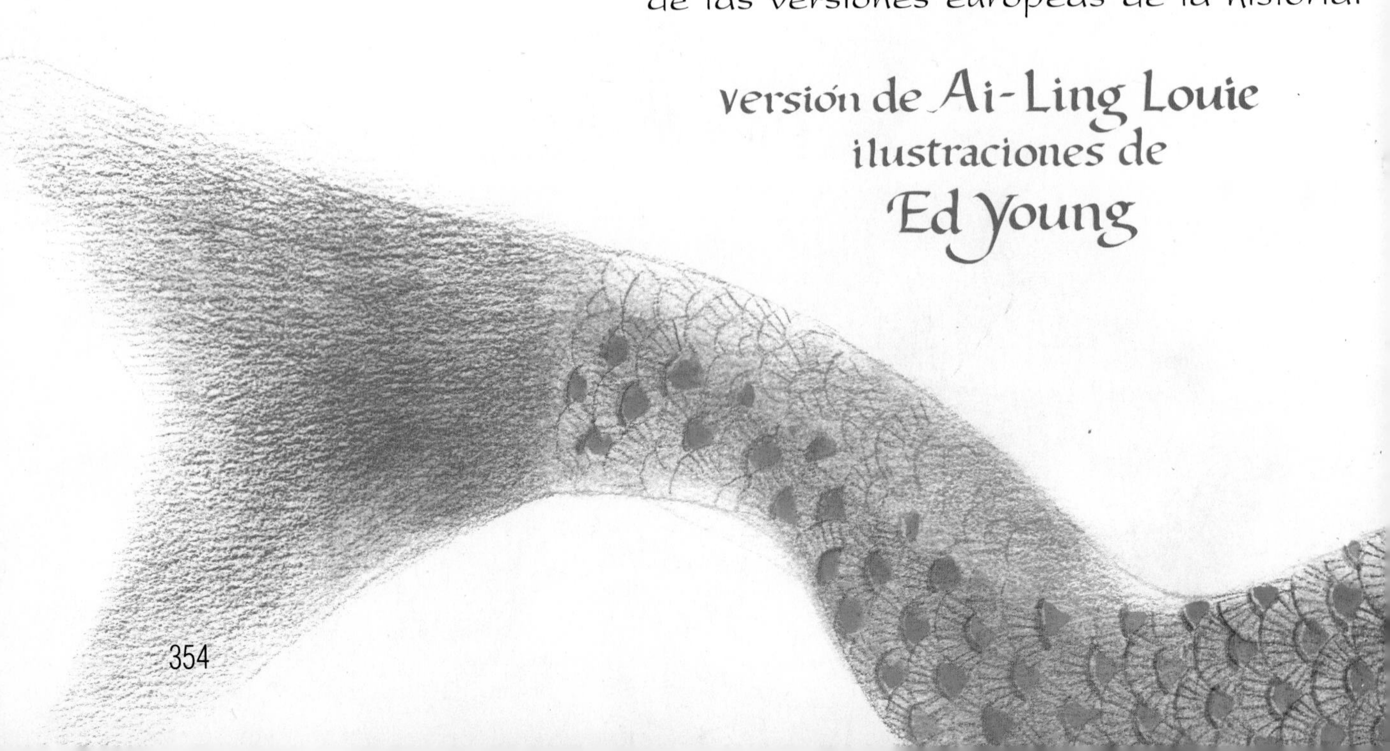

En el borroso pasado, antes incluso de las dinastías Ch'in y Han, cuentan que en las cuevas del sur de China vivió un jefe que llevaba por nombre Wu. Como era costumbre en esos días, el jefe Wu tenía dos esposas. Por su parte, cada esposa le había dado a Wu una hija. Pero una de las esposas enfermó y murió y, no muchos días después de eso, el mismo jefe Wu se puso enfermo y murió también.

Yeh-Shen, la pequeña huérfana, creció en la casa de su madrastra. Era una niña inteligente y bonita, de piel suave como el marfil y con dos negras lagunas por ojos. Su madrastra estaba celosa de toda esta belleza y bondad, ya que su propia hija no era nada bonita. Disgustada por eso, le daba a la pobre Yeh-Shen los quehaceres más pesados y desagradables.

El único amigo que Yeh-Shen tenía era un pez que ella había atrapado y criado. Era un pez hermoso de ojos dorados, y todos los días salía del agua y descansaba su cabeza en la orilla del estanque esperando a que Yeh-Shen lo alimentara. La madrastra le daba poco de comer a Yeh-Shen, pero la huerfanita siempre

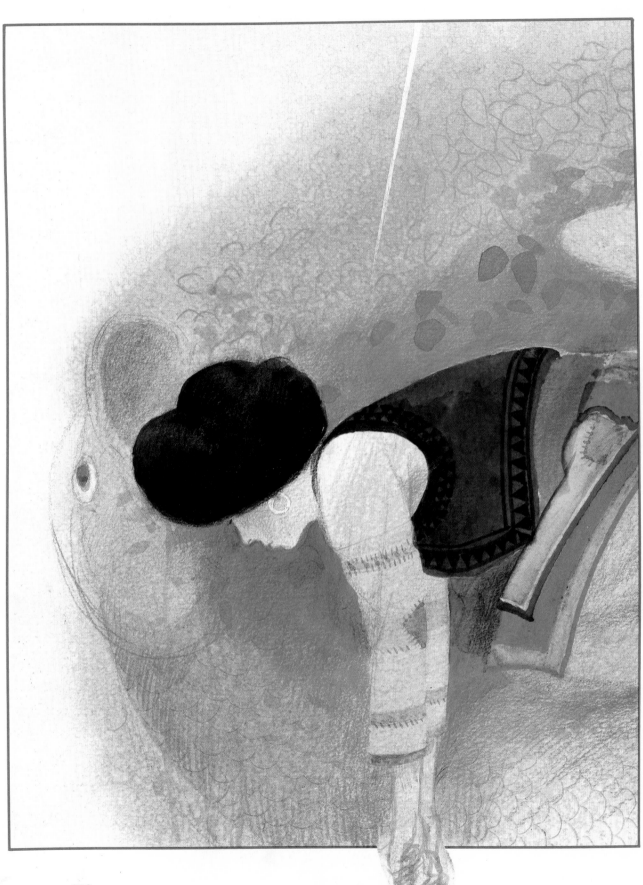

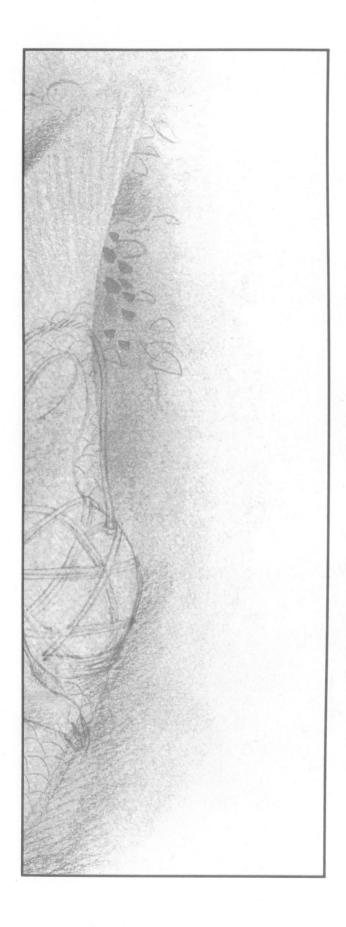

encontraba algo para compartir con su pez, que creció hasta hacerse enorme.

Esto llegó a oídos de la madrastra, que se enfadó terriblemente al descubrir que Yeh-Shen le había ocultado un secreto. Bajó corriendo al estanque pero no pudo ver al pez, ya que la mascota de Yeh-Shen prudentemente se escondió. La madrastra, que era muy astuta, pensó en un plan inmediatamente. Regresó a la casa y gritó:

—Yeh-Shen, ve a buscar leña. Pero, ¡espera! Los vecinos te pueden ver. ¡Deja tu asqueroso abrigo aquí!

En cuanto la niña salió, la madrastra se puso el abrigo y bajó otra vez al estanque. Esta vez el pez reconoció el abrigo de Yeh-Shen y se lanzó a la orilla contando con que lo iban a alimentar. Pero la madrastra, que se había escondido un puñal en la manga, apuñaló al pez, lo envolvió dentro de su ropa y se lo llevó a la casa para cocinarlo para la cena.

Cuando Yeh-Shen fue al estanque al atardecer, vio que su amigo había desaparecido. Abrumada por la tristeza, la niña se desplomó en el suelo y derramó sus lágrimas en las quietas aguas del estanque.

—Ah, ¡pobre criatura! —dijo una voz.

Yeh-Shen miró hacia arriba y se encontró con un hombre muy viejo que la miraba. Llevaba una ropa muy basta y el pelo le llegaba hasta los hombros.

—Buen anciano, ¿quién es usted? —preguntó Yeh-Shen.

—Eso no es importante, mi niña. Lo único que debes saber es que he sido enviado para informarte de los prodigiosos poderes de tu pez.

—¿Mi pez? Pero señor... —los ojos de la niña se llenaron de lágrimas, y no pudo continuar.

El anciano suspiró y dijo:

—Sí, mi niña, tu pez ya no está vivo y debo decirte que tu madrastra es una vez más la causa de tu tristeza.

Yeh-Shen jadeó con horror, pero el anciano siguió hablando.

—Vamos a no pensar más en las cosas del pasado —dijo—, ya que te he traído un regalo. Ahora, tienes que escuchar cuidadosamente lo que te digo. En las espinas de tu pez habita un espíritu muy poderoso. Cada vez que tengas una necesidad grave, debes arrodillarte frente a ellas y decirles lo que tu corazón desea. Pero no desperdicies sus dones.

Yeh-Shen quería hacerle al viejo sabio muchas preguntas más, pero él se elevó hacia el cielo antes de que ella pudiera decir nada. Con gran congoja, Yeh-Shen recogió los restos de su amigo.

El tiempo pasó, y Yeh-Shen, que casi siempre estaba sola, se consolaba hablándole a las espinas de su pez. Cuando tenía hambre, lo que ocurría con mucha frecuencia, Yeh-Shen le pedía a las espinas que le

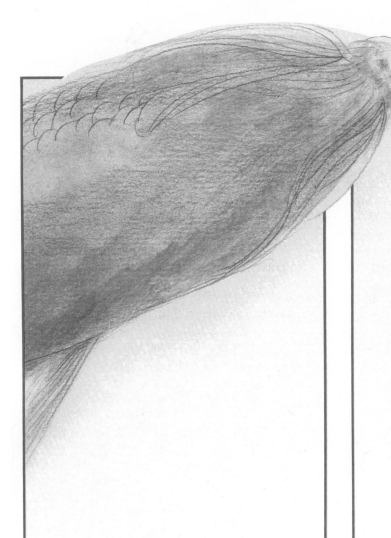

porcionaran comida. De este modo, Yeh-Shen se las arregló para vivir día a día, aunque con el temor de que su madrastra descubriera su secreto y hasta eso le quitara.

Y así llegó la primavera. Se aproximaba la época del festival. Eran los días más atareados del año. Como tenía que cocinar y limpiar y coser, Yeh-Shen apenas tenía un momento de descanso. En el festival de primavera, los jóvenes del pueblo esperaban elegir a la persona con quien se iban a casar. ¡Cómo anhelaba Yeh-Shen ir a ese festival! Pero su madrastra tenía otros planes. Ella esperaba encontrar un esposo para su propia hija y no quería que ningún hombre viera primero a la hermosa Yeh-Shen. Cuando por fin llegó el día de la fiesta, la madrastra y su hija se vistieron con sus mejores trajes y llenaron sus cestas con dulces.

—Tienes que quedarte en casa y vigilar para que nadie se

robe la fruta de nuestros árboles —le dijo la madrastra a Yeh-Shen, y partió después hacia el banquete con su hija.

Tan pronto estuvo sola, Yeh-Shen fue a hablarle a las espinas de su pez.

—Oh, querido amigo —dijo arrodillada frente a las preciosas espinas—, deseo ir al festival, pero no puedo aparecer con estos trapos. ¿Hay alguna ropa apropiada para la fiesta que pueda tomar prestada?

Al instante se encontró vestida con un traje de noche azul celeste y envuelta en una capa de plumas de alción. Lo mejor de todo era que sus minúsculos pies calzaban las zapatillas más

bonitas que había visto en su vida. Estaban tejidas de hilo dorado, con un diseño parecido al de las escamas de un pez, y las resplandecientes suelas estaban hechas de oro puro. Había algo mágico en esos zapatos, ya que debían ser muy pesados y, sin embargo, cuando Yeh-Shen comenzó a andar, sus pies se

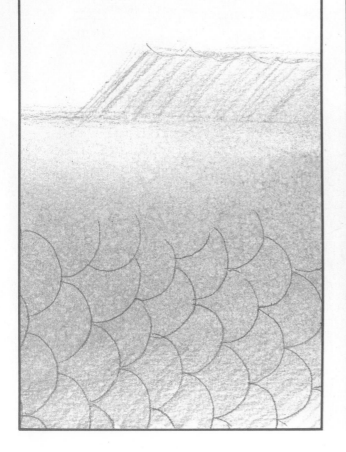

sentían tan ligeros como el aire.

—Cuídate de no perder tus zapatillas doradas —le dijo el espíritu de las espinas.

Yeh-Shen le prometió que tendría mucho cuidado. Encantada con su transformación, se despidió cariñosamente de las espinas de su pez y se marchó hacia la fiesta.

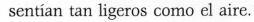

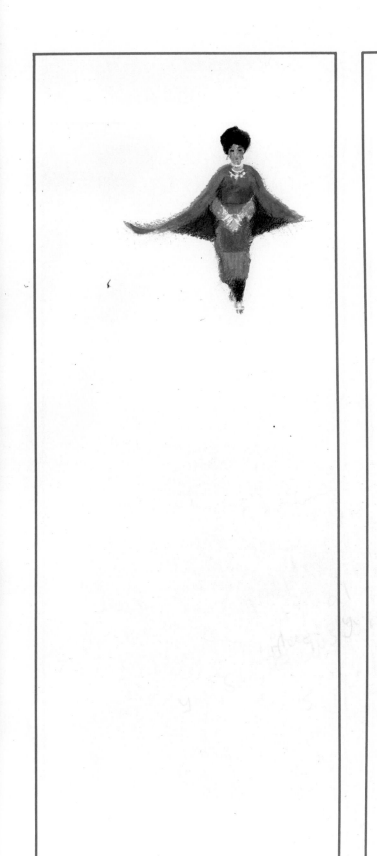

Ese día muchas cabezas se voltearon en la fiesta para mirar a Yeh-Shen. Por todas partes la gente murmuraba: —¡Mira a esa hermosa muchacha! ¿Quién será?

Pero, por encima de las otras voces, se oyó a la hermanastra diciendo: —Mamá, ¿no se parece esa muchacha a nuestra Yeh-Shen?

Al oír esto, Yeh-Shen dio un brinco y empezó a correr antes de que su hermanastra se le acercara. Bajó por la ladera de la montaña y en el camino perdió una de las zapatillas. En cuanto el zapato se le cayó del pie, sus finísimas vestimentas se volvieron a convertir en harapos. Solamente

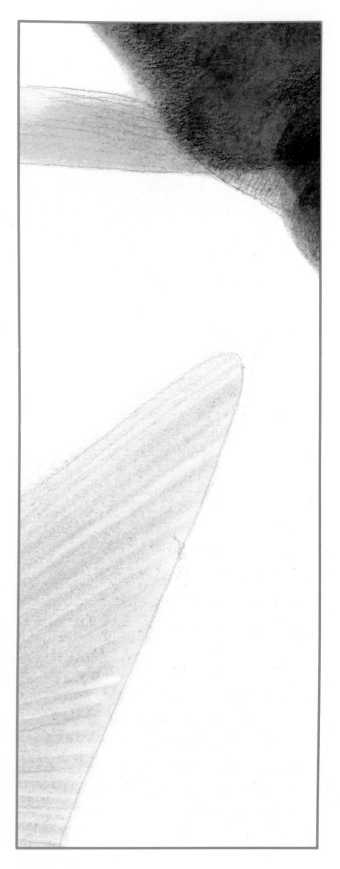

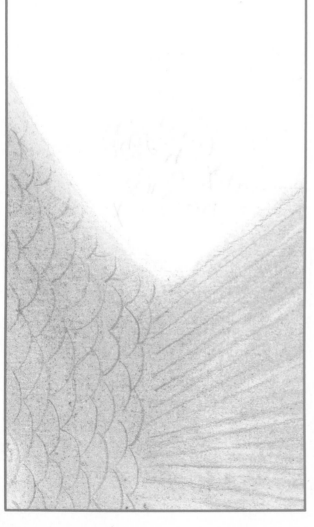

una cosa quedaba: una minúscula
zapatilla dorada. Yeh-Shen se apuró
para llegar junto a las espinas de
su pez, devolvió la zapatilla y prometió encontrar su pareja. Pero
ahora las espinas permanecieron
en silencio. Yeh-Shen comprobó
con tristeza que había perdido a
su único amigo. Escondió la zapatilla en su cama de paja y salió
a llorar. Recostada en un árbol
frutal, lloró y sollozó hasta que
se quedó dormida.

La madrastra volvió a casa para ver si Yeh-Shen aún estaba allí, y se encontró a la niña profundamente dormida rodeando con sus brazos un árbol frutal. Así que, sin pensar más en ella, regresó a la fiesta. Mientras tanto, un aldeano había encontrado la zapatilla. Dándose cuenta de su valor, se la vendió a un comerciante que, a su vez, se la obsequió al rey de la isla de T'o Han.

El rey estaba más que contento de aceptar la zapatilla como regalo. Estaba encantado con esa cosa tan diminuta, hecha de los metales más preciosos y que, sin embargo, no hacía ruido alguno al tocar el suelo. Cuanto más admiraba su belleza, más se empeñaba en encontrar a la mujer a quien pertenecía.

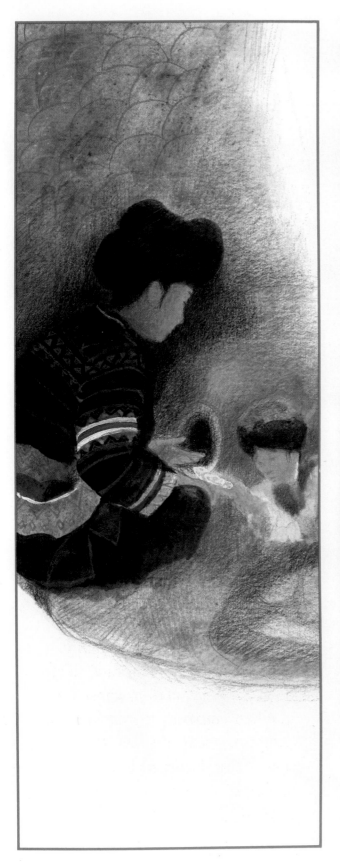
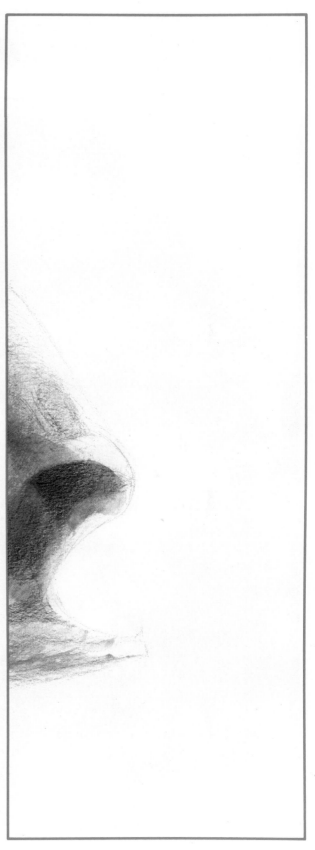

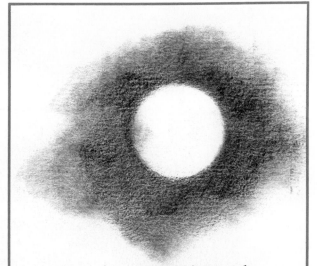

Comenzó una búsqueda entre las damas de su propio reino, pero todas las que se probaban la zapatilla la encontraban increíblemente pequeña. Sin desalentarse, el rey ordenó ampliar la búsqueda para incluir a las mujeres de la zona de cuevas donde la zapatilla había sido encontrada. Como se dio cuenta de que tomaría muchos años para que todas las mujeres vinieran a su isla y se probaran la zapatilla, al rey se le ocurrió una manera de hacer que apareciese la mujer que buscaba. Ordenó que la sandalia se exhibiera en un pabellón a un lado del camino, cerca de donde la habían encontrado, y

su mensajero anunció que el zapato iba a ser devuelto a su dueña. Entonces, escondidos en un lugar cercano, el rey y sus hombres se acomodaron para vigilar y esperar a que la mujer con el pie diminuto viniera a reclamar su zapatilla.

Todo ese día el pabellón estuvo lleno de mujeres que habían venido a probarse el zapato. La madrastra y la hermanastra de Yeh-Shen se encontraban entre ellas, pero no Yeh-Shen, a quien ordenaron que se quedara en casa. Al final del día, aunque muchas mujeres se habían probado la zapatilla ansiosamente, todavía ninguna había conseguido ponérsela. Cansado, el rey continuó su vigilia hasta entrada la noche.

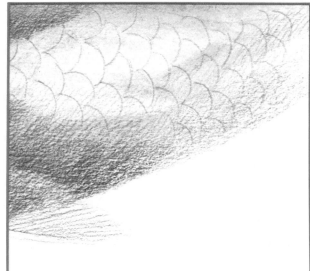

Yeh-Shen no se atrevió a mostrar su cara en el pabellón hasta que llegó la hora más oscura de la noche, mientras la luna se escondía detrás de una nube. Vestida con harapos, la niña caminó tímidamente de puntillas, se arrodilló y examinó el diminuto zapato.

Sólo cuando estuvo segura de que ésta era la zapatilla dorada que le faltaba se atrevió a tomarla en sus manos. Por fin podía

devolver el par de zapatillas a las espinas del pez. Seguro que entonces su adorado espíritu le volvería a dirigir la palabra.

El primer impulso del rey, al ver a Yeh-Shen tomar la preciosa zapatilla, fue el de meterla en la cárcel por ladrona. Pero cuando ella se volteó para irse, el rey vislumbró su rostro. Al instante, quedó conmovido por la dulce armonía de sus rasgos, tan diferentes del aspecto harapiento de sus ropas. Entonces fue cuando el rey, al mirar más atentamente, se dio cuenta de que la muchacha caminaba con los pies más diminutos que él jamás había visto.

Con un ademán, el rey ordenó que a esta criatura andrajosa se le permitiera irse con la zapatilla dorada. Sin hacer ruido, los hombres del rey la siguieron sigilosamente hasta su casa.

Mientras tanto, Yeh-Shen no se había dado cuenta de la conmoción que había causado. Al llegar a su casa, estaba a punto de esconder ambas zapatillas entre la paja de su cama, cuando oyó que tocaban a la puerta. Yeh-Shen fue a ver quién era y se encontró con un rey en el umbral. Al principio se asustó mucho, pero el rey le habló con voz amable y le pidió que se probara las zapatillas. La doncella así lo hizo y, al pararse con sus zapatillas doradas, sus harapos se transformaron otra vez en la emplumada capa y el traje azul celeste.

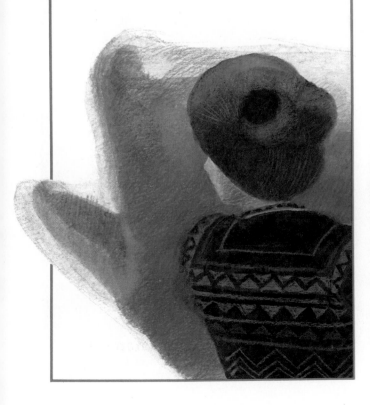

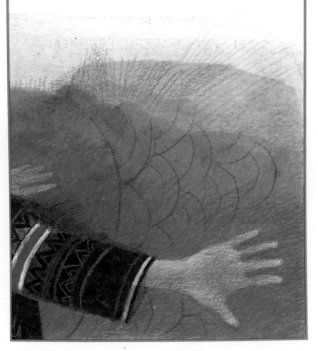

Su hermosura le hacía parecer
un ser celestial y el rey comprendió
al instante que había encontrado
el amor de su vida.

Al poco tiempo de esto,
Yeh-Shen se casó con el rey. Pero
el destino no fue tan gentil con
su madrastra y su hermanastra.
Como ellas habían sido tan crueles
con su amada, el rey no permitió
que Yeh-Shen las llevara al palacio.
Se quedaron en la casa-cueva,
donde dicen que un día una lluvia
de piedras las aplastó.

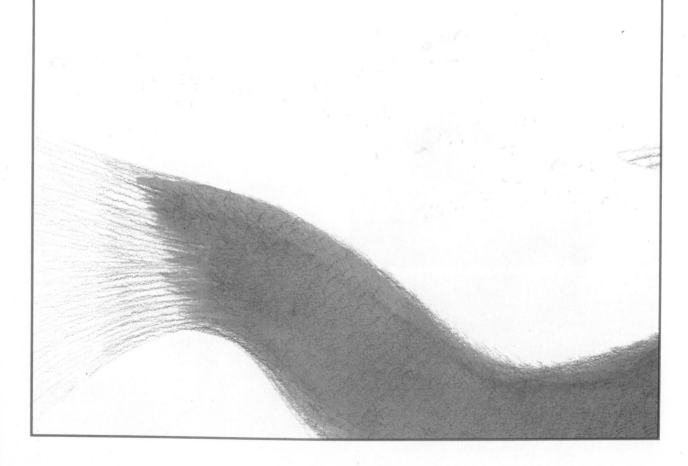

Conozcamos a

Ed Young

A Ed Young le ha gustado contar cuentos y dibujar desde muy joven. En Shangai, China, donde creció, su padre solía entretener a la familia contando infinidad de historias. Young todavía recuerda las escenas que imaginaba mientras escuchaba a su padre. "Dibujaba todo lo que cruzaba mi mente: aviones, gente, un barco enorme... Siempre he sido muy feliz dedicándome a lo mío", dice el ilustrador.

Para "Yeh-Shen", Young realizó sus ilustraciones en paneles de colores como los de los biombos chinos. Además, escondió algunas figuras en los dibujos. Si observas con atención las ilustraciones de "Yeh-Shen", encontrarás el pez de la historia hábilmente camuflado.

Conozcamos a

Ai-Ling Louie

Los libros siempre han formado parte de la vida de Ai-Ling Louie. "Cuando era niña", nos dice la autora, "siempre estaba leyendo un libro. Me recuerdo caminando por los ruidosos corredores de la escuela sin apartar los ojos de mi libro. Podía subir tres pisos por las escaleras sin perderme una sola palabra".

Su carrera de maestra despertó en ella el interés por la escritura. "Me gustaba escribir cuentos para narrárselos a los niños", dice Louie.

Louie escribió "Yeh-Shen, la Cenicienta de la China" para una de sus clases. Su madre le había contado esta historia cuando era niña, y ella, a su vez, la había escuchado en China durante su infancia.

Entrevista con el narrador
WON-LDY PAYE

realizada por
Margaret H. Lippert

En un salón de clases lleno de niños curiosos, Won-Ldy Paye relata la historia del pícaro Anansi. Paye se convierte en Anansi, moviéndose como lo hace Anansi, bailando como baila Anansi. Muy pronto, todos los asistentes están siguiendo el ritmo y bailando en sus asientos. Tras la función, la señora Lippert, que es vecina de Paye en Washington, se acerca a entrevistarlo.

Lippert: Usted es un maestro del arte de la narración y un excelente percusionista. ¿Cómo desarrolló estos talentos?

Paye: Crecí en una zona rural de Liberia, en la costa oeste de África. Pertenezco a la tribu *dan,* conocida por sus habilidades artísticas, en particular por sus máscaras y sus bailes tradicionales. Además de músico, soy actor. Narrar un cuento es para mí como una pieza de teatro para un solo actor.

Lippert: ¿Cómo aprendió a narrar cuentos?

Paye: Vengo de una familia de *griots* o narradores. Nos gusta contar cuentos mientras trabajamos en los campos de arroz, a la hora de acostarnos, o en las reuniones infantiles. Mi abuela nos contaba cuentos todas las noches. A veces, antes de empezar su cuento, decía: "Won-Ldy, ahora te toca a ti". Mientras yo contaba el cuento, mi abuela y los otros niños me corregían. Cuando había aprendido los cuentos de memoria, comencé a darles mi propio estilo añadiendo movimientos y ciertos toques de humor. En séptimo grado ya contaba cuentos ante una multitud de espectadores. La gente decía: "Ese niño es un buen narrador".

Lippert: ¿Qué se necesita para ser un buen narrador?

Paye: Lo esencial es hacer que el público escuche. El hecho de que te pidan que cuentes un cuento no significa que te vayan a escuchar toda la noche. Contar cuentos es una profesión, es algo que se estudia y se aprende, que requiere mucho tiempo y grandes maestros de los que aprender. Yo aprendí a contar cuentos escuchando a otras personas. Para mí es muy importante contar mis cuentos, así que si alguien quiere escuchar mi historia, se la puedo contar.

CUENTO
DE LA
luna niña

La luna
llegó a mi patio
con sandalias
de oro y plata.
Bailó con el limonero
a los compases
del agua.

¡Ay que ha perdido
la luna esta noche
una sandalia,
cuando huía
por el cielo
frío de la madrugada!

El pitirre
vocinglero
dirá hoy
en su ventana:
—¿Qué niña perdió
esta noche
en el patio
una sandalia?
¡El príncipe
limonero
quiere al alba
desposarla!

La niña-luna
en el cielo,
con un traje
de esperanza,
le sonreirá
al limonero
que le ofrece
la sandalia.
¡Ay cuento
de luna-niña!
¡Ay sueño
de limón y agua!

Ester Feliciano Mendoza

Conozcamos a John Steptoe

John Steptoe deseaba escribir un libro sobre sus antepasados africanos inspirado en la historia de *La Cenicienta*. Para preparar su libro, Steptoe leyó sobre África y conversó con africanos, encontrando muchas razones para sentirse orgulloso de sus antepasados. Descubrió que la gente de hace mil años se comportaba de manera muy similar a la gente de hoy. "Creo que mis antepasados se parecían en muchas cosas a mi propia familia", dijo. "Escribir la historia me resultó fácil una vez que supe cómo serían mis personajes."

En "Las bellas hijas de Mufaro", Steptoe ofrece su versión africana de *La Cenicienta*. Miembros de su familia le sirvieron de modelos para algunos personajes.

El autor espera que sus libros inspiren a los niños, sobre todo a los afroamericanos, "para realizar los sueños que yo sé que llevan en el corazón".

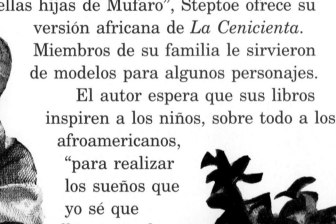

Las bellas hijas de Mufaro

cuento africano
John Steptoe

"*Las bellas hijas de Mufaro*" está basado en un cuento tradicional recopilado por G.M. Theal y publicado en 1895 en su libro Kaffir Folktales (Los cuentos populares de Kaffir). *Las ilustraciones están inspiradas en las ruinas de una antigua ciudad de Zimbabwe, así como en la flora y la fauna de la región. Los nombres de los personajes están en idioma shona. Mufaro significa "hombre feliz", Nyasha quiere decir "piedad", Manyara significa "avergonzada" y Nyoka quiere decir "serpiente".*

HABÍA UNA VEZ, en un lugar de África, una pequeña aldea al otro lado de un río y a medio día de viaje de una ciudad donde vivía un gran rey. En esta aldea vivía un hombre llamado Mufaro con sus dos hijas, Manyara y Nyasha. Todos coincidían en pensar que Manyara y Nyasha eran muy bellas.

Manyara casi siempre estaba de mal humor. Importunaba a su hermana a espaldas de su padre, y se le había oído decir: —Algún día, Nyasha, yo seré reina y tú serás mi sirvienta.

—Si eso sucediera —respondía Nyasha—, con mucho gusto te serviría. Pero, ¿por qué dices esas cosas? Eres inteligente, fuerte y bella. ¿Por qué eres tan infeliz?

—Porque todos hablan de lo amable que eres *tú*, y alaban todo lo que haces —respondió Manyara—. Estoy segura de que tú eres la preferida de nuestro padre. Pero cuando yo sea reina, todos sabrán que tu tonta amabilidad es tan sólo una prueba de tu debilidad.

A Nyasha la entristecía que Manyara se sintiera así, pero no hacía mucho caso de las palabras de su hermana y se dedicaba a sus quehaceres. Nyasha tenía un pequeño huerto en el que cultivaba mijo, girasoles, camotes y verduras. Trabajaba siempre cantando, y había quien decía que su canto era lo que hacía que sus cosechas fueran tan abundantes.

Un día, Nyasha vio una pequeña serpiente de jardín que reposaba debajo de una planta de camotes.

—Buenos días, pequeña Nyoka —la saludó—. Puedes quedarte aquí. Ahuyentarás a cualquier animal que pueda dañar mis verduras.

Nyasha se inclinó, acarició la cabeza de la serpiente y volvió a sus labores.

A partir de ese día, Nyoka estaba siempre al lado de Nyasha cuando cuidaba el jardín. Se decía que su canto era aún más dulce cuando la serpiente estaba con ella.

*M*ufaro no sabía que Manyara trataba mal a Nyasha. Nyasha no se quejaba nunca para no disgustar a su padre y Manyara siempre tenía mucho cuidado de portarse bien delante de Mufaro.

Una mañana muy temprano, llegó un mensajero de la ciudad. El Gran Rey buscaba esposa.

—Se invita a las doncellas más virtuosas y bellas del reino a que se presenten ante el rey, para que él escoja a la que será reina —proclamó el mensajero.

Mufaro hizo venir a Manyara y Nyasha y les dijo: —Sería un gran honor que una de ustedes fuera la escogida. Prepárense para ir a la ciudad. Voy a reunir a todos nuestros amigos para que vayamos en cortejo. Saldremos mañana al amanecer.

Manyara respondió con dulzura: —Padre, nos dolería mucho dejarte, incluso para ser la esposa del rey. Sé que Nyasha moriría de tristeza si tuviera que separarse de ti. Yo soy fuerte. Envíame a mí a la ciudad y deja que la pobre Nyasha se quede aquí feliz contigo.

Mufaro, rebosante de orgullo, dijo: —No, Manyara, no puedo enviarte a ti sola. El rey ha pedido a la más virtuosa y bella. Sólo un rey puede elegir entre dos hijas tan virtuosas. Deberán ir las dos.

$\mathcal{E}$sa noche, cuando todos dormían, Manyara salió sigilosamente de la aldea. Nunca antes había estado en el bosque de noche y tenía miedo, pero su avidez por ser la primera en presentarse ante el rey la impulsó a seguir su camino. Con la prisa, estuvo a punto de tropezar con un niño que apareció de pronto en mitad del sendero.

—Por favor —dijo el niño—, tengo hambre. ¿Me puedes dar algo de comer?

—Apenas tengo suficiente para mí misma —respondió Manyara.

—Te lo ruego —dijo el niño—. ¡Tengo *tanta* hambre!

—¡Quítate de enmedio, niño! Mañana seré tu reina. ¿Cómo te atreves a cruzarte en mi camino?

$\mathcal{T}$ras recorrer lo que le pareció una gran distancia, Manyara llegó a un pequeño claro del bosque. Allí, como si estuviera dibujada contra la luz de la luna, vio la silueta de una anciana sentada sobre una gran roca.

La anciana habló: —Te voy a dar un consejo, Manyara. A poco de que pases el lugar donde se cruzan dos senderos, verás un grupo de árboles que se reirán de ti. Por ningún motivo te rías de ellos. Después te encontrarás con un hombre que lleva su propia cabeza bajo el brazo. Deberás ser muy cortés con él.

—¿Cómo sabes mi nombre? ¿Cómo te atreves a darle consejos a tu futura reina? ¡Hazte a un lado, vieja fea! —gruñó Manyara, y siguió de prisa su camino sin mirar atrás.

Tal como le había advertido la anciana, Manyara llegó
hasta un grupo de árboles que en verdad parecían reírse de
ella. "Debo mantener la calma", pensó Manyara. "No me
asustaré." Miró hacia los árboles y lanzó una carcajada.

—¡Me río de ustedes, árboles! —gritó, y se fue muy
de prisa.

Aún no amanecía cuando Manyara oyó el rumor de
una corriente de agua. "Ése debe ser el río", pensó. "La
gran ciudad está en la otra orilla."

En una pendiente de terreno Manyara vio a un hombre
que llevaba su propia cabeza bajo el brazo. Manyara pasó
corriendo a su lado sin dirigirle la palabra. "Una reina sólo
se digna hablar con quien le place", se dijo a sí misma.

—Seré reina, seré reina —canturreó, y apretó el paso
hacia la ciudad.

Nyasha se despertó con la primera luz del día.
Mientras se vestía con sus mejores galas, pensaba que tal
vez su vida cambiaría para siempre a partir de ese día.
"Yo preferiría vivir aquí", se dijo a sí misma. "No me
gustaría irme de la aldea y no volver a ver a mi padre
ni a cantarle a la pequeña Nyoka."

Sus pensamientos fueron interrumpidos por los gritos
del cortejo reunido para emprender la jornada. ¡Manyara
había desaparecido! Todos se afanaron buscándola y lla-
mándola. Cuando descubrieron sus huellas en el sendero
que conducía a la ciudad, decidieron seguir con sus planes.

El cortejo echó a andar por el bosque; aves de brillante plumaje atravesaban como relámpagos la verde y
fresca sombra de los árboles. Aunque estaba preocupada
por su hermana, Nyasha pronto se dejó ganar por la
excitación de todo lo que la aguardaba.

Ya bien adentrados en el bosque, Nyasha vio a un niño parado a la vera del camino.

—Debes estar hambriento —le dijo. Y le dio un camote que había traído para su almuerzo. El niño sonrió y desapareció tan silenciosamente como había venido.

Más tarde, cuando llegaron cerca del cruce de los caminos, apareció la anciana, que en silencio les señaló el camino a la ciudad. Nyasha le dio las gracias y le obsequió una bolsita llena de semillas de girasol.

El sol estaba ya alto en el cielo cuando el cortejo llegó adonde estaba el grupo de imponentes árboles, cuyas ramas más altas parecían inclinarse al paso de Nyasha.

Por fin, alguien anunció que estaban acercándose a su destino.

Nyasha corrió y llegó a la cima de la pendiente antes de que los demás pudieran alcanzarla. Al ver la ciudad, se quedó muda de asombro.

—¡Oh, padre! —exclamó—. Un gran espíritu debe guardar estos parajes. Mira lo que se ofrece a nuestros ojos. Nunca en mi vida soñé que pudiera existir algo tan hermoso.

*T*omados del brazo, Nyasha y su padre descendieron la colina, cruzaron el río y se acercaron a la entrada de la ciudad. En el momento en que pasaban por las grandes puertas, oyeron unos gritos desgarradores y vieron a Manyara salir despavorida de una habitación situada en el centro del recinto. Al ver a Nyasha, se lanzó a sus brazos sollozando.

—No te presentes ante el rey, hermana mía. Padre, te lo suplico, ¡no la dejes ir! —exclamó llorando histéricamente—. Ahí dentro hay un monstruo horrible, una serpiente de cinco cabezas. Me dijo que conocía todos mis defectos y que yo le había hecho enojar. Me habría devorado viva si no hubiera salido huyendo. ¡Oh, hermana mía, no entres en ese lugar!

Nyasha se asustó de ver a su hermana tan trastornada, pero, dejando que su padre la consolara, valientemente avanzó hacia la habitación y abrió la puerta.

Sobre el asiento del gran jefe estaba posada la pequeña serpiente de jardín. Nyasha rió de alivio y alegría.

—Mi pequeña amiga —le dijo—, ¡qué placer me causa verte! Pero, ¿qué estás haciendo tú aquí?

—Soy el rey —respondió Nyoka.

Y en ese instante, la serpiente de jardín se transformó ante los ojos de Nyasha.

—Soy el rey. Soy también el niño hambriento con quien compartiste tu almuerzo en el bosque y la vieja a quien obsequiaste las semillas de girasol. Pero tú me conoces mejor como Nyoka. Porque he tomado todas esas formas, sé que tú eres la más bella y virtuosa doncella del reino. Me harías muy dichoso si aceptaras ser mi esposa.

Y así sucedió que, hace mucho tiempo, Nyasha aceptó desposarse. La madre y las hermanas del rey llevaron a Nyasha a su casa y comenzaron los preparativos de la boda. Los mejores tejedores del país trajeron las telas más finas para su traje de boda. Los aldeanos de los alrededores fueron invitados a los festejos y hubo una gran celebración. Nyasha preparó el pan para los esponsales con mijo traído de su aldea.

Mufaro proclamó a todo el que quisiera escucharlo que era el padre más feliz de la tierra por haber sido bendecido con dos bellas y virtuosas hijas: Nyasha, la reina, y Manyara, sirvienta en la corte de la reina.

PREGÓN

¡Acérquense por aquí!
¡Cambio y compro
compro y vendo
un cuento por otro cuento!

En mi costal de remiendos
traigo cuentos, cuenticuentos,
leyendas, coplas, en fin,
cosas de los tiempos idos
—para volverse a vivir—
y cosas de los tiempos nuevos.

¿Quién me cambia?... ¡Cambio y vendo
un cuento por otro cuento!

En mi costal de hilos viejos
traigo cuentos de conejos.

En mi costal de hilo parches
traigo cuentos de tlacuaches.

En mi costal con tirantes
traigo cuentos de elefantes.

En mi costal de hilo y pluma
traigo cuentos de la luna.

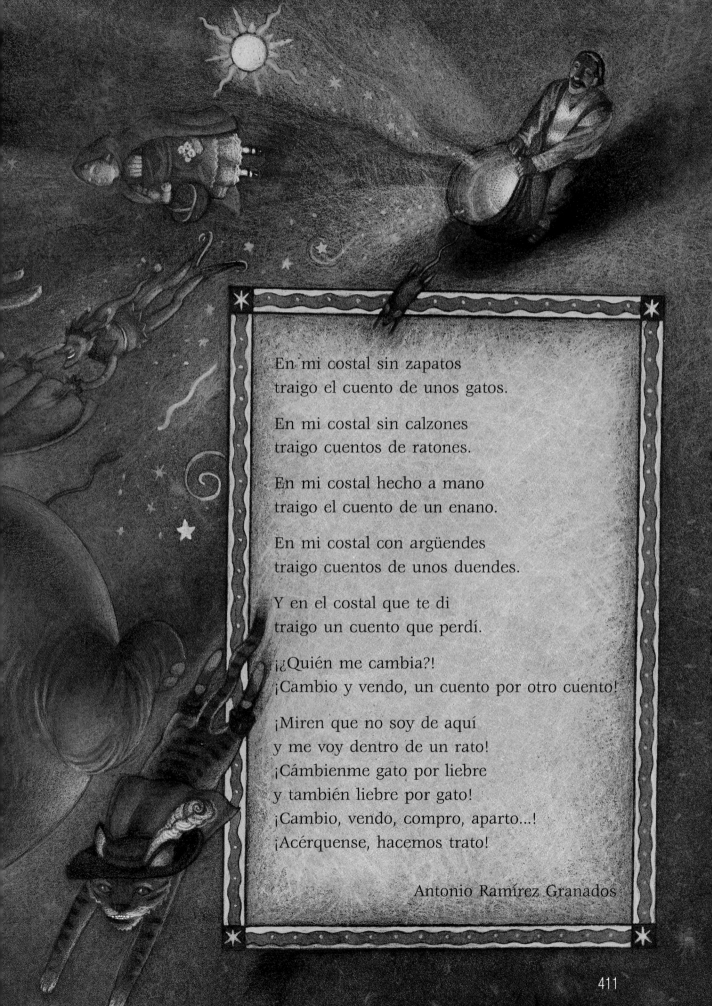

En mi costal sin zapatos
traigo el cuento de unos gatos.

En mi costal sin calzones
traigo cuentos de ratones.

En mi costal hecho a mano
traigo el cuento de un enano.

En mi costal con argüendes
traigo cuentos de unos duendes.

Y en el costal que te di
traigo un cuento que perdí.

¡¿Quién me cambia?!
¡Cambio y vendo, un cuento por otro cuento!

¡Miren que no soy de aquí
y me voy dentro de un rato!
¡Cámbienme gato por liebre
y también liebre por gato!
¡Cambio, vendo, compro, aparto...!
¡Acérquense, hacemos trato!

Antonio Ramírez Granados

¿Te lo cuento otra vez?

¡La verdadera historia de los tres cerditos!
Jon Scieszka
ilustraciones de Lane Smith
Viking Penguin, 1991

El lobo feroz nos cuenta su versión de lo que realmente ocurrió con los tres cerditos. En realidad, según él, todo fue una trampa.

Los cuentos de Pueblo
Diane Hoyt-Goldsmith
fotografías de Lawrence Migdale
Macmillan/McGraw-Hill, 1993

April sólo tiene diez años, pero tiene muchas cosas que contar. En este libro April nos habla de las tradiciones y las costumbres de su gente, los indios pueblo, y nos cuenta las bellas historias que han pasado de generación en generación.

**Las tres manzanas
de naranja**
Ulalume González de León
ilustraciones
de Carlos Pellicer López
CIDCLI, S. C. 1988

¿Has oído hablar alguna vez de un rey que deseaba
casar a su hija, de una bella princesa que enfermó
de tristeza y de un valiente joven que hace lo
imposible por curarla? Seguro que sí, pero aunque
este cuento comienza como muchos otros, de seguro
te sorprenderá.

413

CONOZCAMOS A
Rafael Rivero Oramas

Rafael Rivero Oramas es uno de los escritores de literatura infantil más destacados de Latinoamérica.

Fundó varias revistas para niños y durante 30 años escribió y dirigió un programa de radio en el que narraba historias del folklore venezolano.

Bajo el nombre de Tío Nicolás, escribió maravillosas versiones de cuentos tradicionales reunidas en el libro *El mundo de Tío Conejo*. En estas divertidas aventuras casi siempre se aprende alguna lección. En "La piedra del zamuro", vemos que para superar dificultades la única magia es la inteligencia y el coraje.

CONOZCAMOS A
Susana López

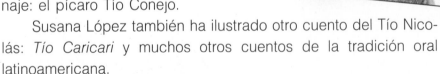

La ilustradora Susana López busca la inspiración para sus ilustraciones en las cosas que la rodean en la vida diaria. Por eso, cuando ilustró su primer libro, "La piedra del zamuro", decidió comprarse un conejo y familiarizarse con su personaje: el pícaro Tío Conejo.

Susana López también ha ilustrado otro cuento del Tío Nicolás: *Tío Caricari* y muchos otros cuentos de la tradición oral latinoamericana.

La piedra del zamuro

Rafael Rivero Oramas

ilustraciones
de Susana López

Una tarde Tío Zorro
estuvo a punto de atrapar
a Tío Conejo. Fue en el pozo,
mientras Tío Conejo bebía, tranquilo, sin saber
que Tío Zorro lo miraba agazapado entre las matas.
De repente, Tío Zorro dio un gran salto para caer justo
sobre él, pero Tío Conejo alcanzó a oírlo y escapó.

Corrió monte adentro con Tío Zorro pegado atrás.
Brincando de una mata a otra, logró despistarlo. Ya fatigado,
se tendió en una gramita húmeda a descansar. Miraba los hele-
chos y las grandes mariposas azules mientras el corazón
se le aquietaba. En eso, una ramita crujió. Tío Conejo
se enderezó atento. Ya iba a correr cuando vio
asomarse a Tío Morrocoy.

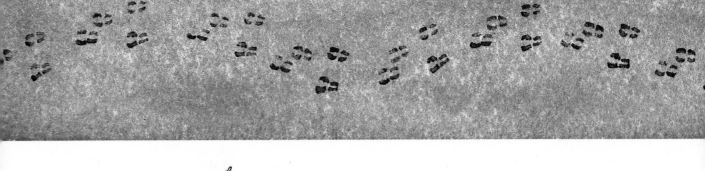

—Pero si es usted, Tío Morrocoy —dijo Tío Conejo—.
¡Qué susto me ha dado!

—¿Y de quién escapas hoy, Tío Conejo? —preguntó con
su voz seca Tío Morrocoy.

—Ahorita, de Tío Zorro; ayer, de Tío Tigre; antes de ayer,
de Tío León y la semana pasada de Tío Gavilán. ¿Qué le
parece?

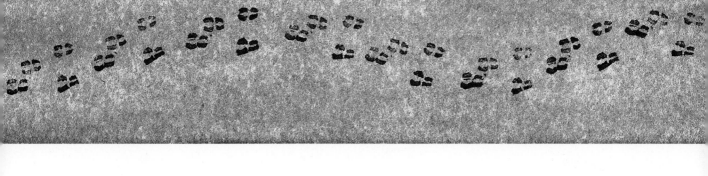

—Resígnate, Tío Conejo. Ésa es la suerte de nosotros, los pequeños —dijo tranquilo el morrocoy.

—Ah sí, para usted es fácil decirlo. Con ese tremendo carapacho que carga —dijo Tío Conejo—, nadie se atreve a meterle el diente. Ni tampoco al cachicamo ni al puercoespín. Todos tienen con qué defenderse: Tío Venado y Tío Toro tienen sus cuernos, y las aves tienen sus alas. Y, míreme a mí, yo no tengo nada.

—¿Y tus veloces piernas, Tío Conejo? ¿No crees que son tus mejores armas? —le preguntó Tío Morrocoy.

—Es verdad —dijo Tío Conejo—. Pero no me bastan mis piernas. Yo quisiera algo más. ¡Cómo me gustaría pelear con los animales más feroces y ganarles siempre!

—Para eso necesitarías la piedra del zamuro, Tío Conejo. Los animales de la selva dicen que es el mejor amuleto contra el peligro y que da poderes mágicos a quien la posee. Pero es muy difícil conseguirla. Sólo se encuentra en el nido del Rey Zamuro.

Desde ese día Tío Conejo sólo pensó en la piedra del zamuro. ¡Qué bueno sería ser invencible y poderoso! ¡Qué bueno sería!

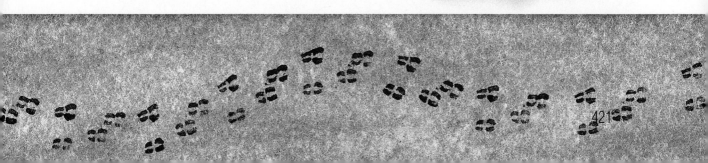

Pasó el tiempo, terminaron las lluvias y llegó el verano.

Una mañana, Tío Conejo vio volando muy alto en el cielo a un gran pájaro de amplias alas y hermosos colores. ¡Era el Rey Zamuro! Volaba sin esfuerzo hacia las montañas azules que se veían en el horizonte. "¡Seguro que allí está su nido!", pensó Tío Conejo y corrió veloz, siguiéndolo.

Corrió mucho, mucho, hasta que llegó, jadeando, al pie de las empinadas montañas. Desde allí vio cómo el Rey Zamuro se remontaba aún más para desaparecer por una grieta del picacho más alto, allá, casi entre las nubes.

Tío Conejo tomó aliento y comenzó a trepar. Por fin llegó junto al nido y sin pararse a descansar le contó al Rey Zamuro por qué quería la piedra mágica.

—La piedra está aquí, en mi nido —graznó el Rey Zamuro—. Pero no puedo dártela ahora. Primero tienes que cumplir cuatro pruebas.

Tío Conejo estaba feliz y dijo: —Mande usted, Tío Rey Zamuro. Yo haré lo que me diga.

—Pon atención —dijo el rey—. Te entregaré la piedra cuando me hayas traído lo siguiente: un colmillo de caimán, una culebra sabanera, un pelo de las barbas del león y algunas lágrimas de tigre.

Tío Conejo bajó de la montaña y esa noche durmió contento.

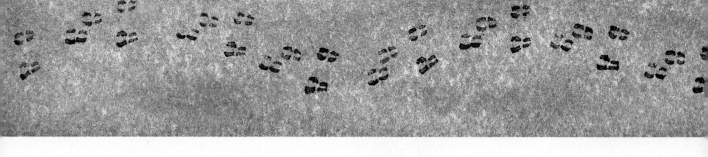

A la mañana siguiente cogió su cuatro y un garrote y se fue a la orilla del río. Allí se puso a cantar:

Un colmillo de caimán
busco de cualquier manera
y también una culebra
que llaman la sabanera.

Busco lágrimas de tigre
y, aunque haya complicación,
yo conseguiré un pelito
de las barbas de Tío León.

Tío Sapo dormitaba entre los juncos de la orilla y al escuchar el cuatro y la canción se despabiló. Dando salticos se acercó a Tío Conejo para hacer la segunda voz. Juntos cantaron y bailaron y luego, Tío Sapo cogió el cuatro para tocar unas coplas.

Apenas con la punta del hocico asomada sobre la superficie del río, Tío Caimán dormía. El ruido que hacían los músicos le hizo despertar de mal humor.

entamente se fue acercando a los cantores. Tío Conejo lo miraba con un ojo. Tío Caimán avanzaba. Traía la inmensa boca abierta. Cuando calculó que lo tenía a buena distancia, Tío Conejo le dio un solo golpe con el garrote. Un enorme colmillo saltó por el aire. Tío Conejo lo cogió al vuelo y con tres brincos se alejó.

Al otro día, Tío Conejo preparó un tapón bien ajustado para su tapara encabullada y salió a buscar a la culebra sabanera. La encontró tomando el sol junto a unos bejucos y la saludó: —Hola, Tía Culebra. Justamente de usted estaban hablando unos animales, allí cerca de la laguna.

—¿Y qué decían? —dijo la culebra desenrollándose.

—Pues... no eran cosas muy buenas.

—¿Cómo va a ser? —silbó la sabanera—. Dime qué decían esos chismosos —y miró a Tío Conejo con sus ojos amarillos.

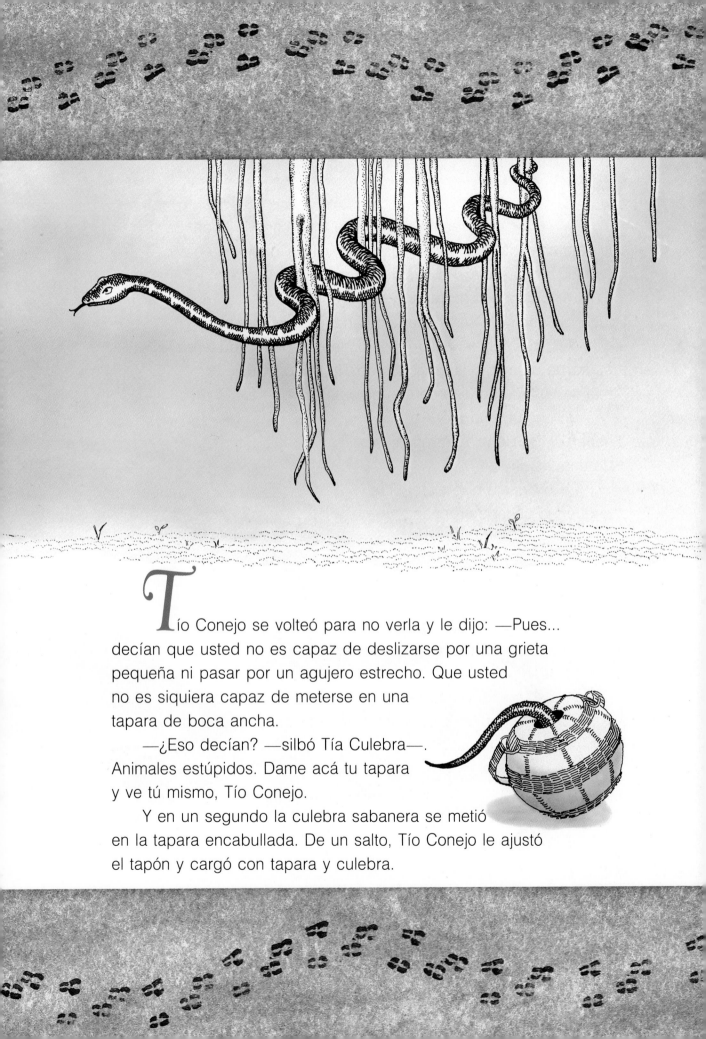

Tío Conejo se volteó para no verla y le dijo: —Pues...
decían que usted no es capaz de deslizarse por una grieta
pequeña ni pasar por un agujero estrecho. Que usted
no es siquiera capaz de meterse en una
tapara de boca ancha.

—¿Eso decían? —silbó Tía Culebra—.
Animales estúpidos. Dame acá tu tapara
y ve tú mismo, Tío Conejo.

Y en un segundo la culebra sabanera se metió
en la tapara encabullada. De un salto, Tío Conejo le ajustó
el tapón y cargó con tapara y culebra.

De regreso a su casa se topó con Tío León. Se le veía contento, con la barriga llena, y Tío Conejo se atrevió a saludarlo: —Hola, Tío León. Qué bien se le ve.

El león sonrió satisfecho y a Tío Conejo se le ocurrió una idea. Se acercó y se le quedó mirando fijamente.

—No puede ser —dijo—. No puede ser que usted tenga en su barba un pelo gris como los de Tío Burro. ¡Qué mal se ve todo un león con un pelo de burro!

Tío León gruñó: —¿Y a qué esperas, Tío Conejo? Arráncamelo de una vez.

Y Tío Conejo hizo enseguida lo que Tío León le ordenaba.

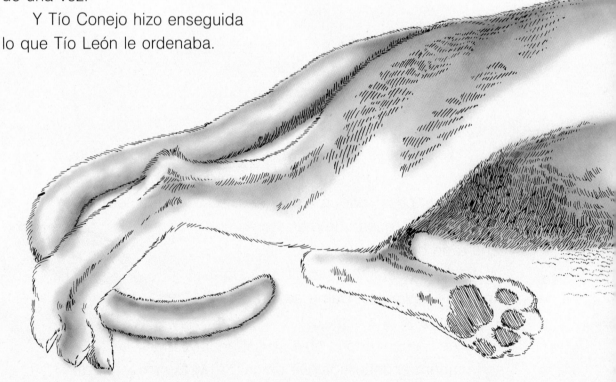

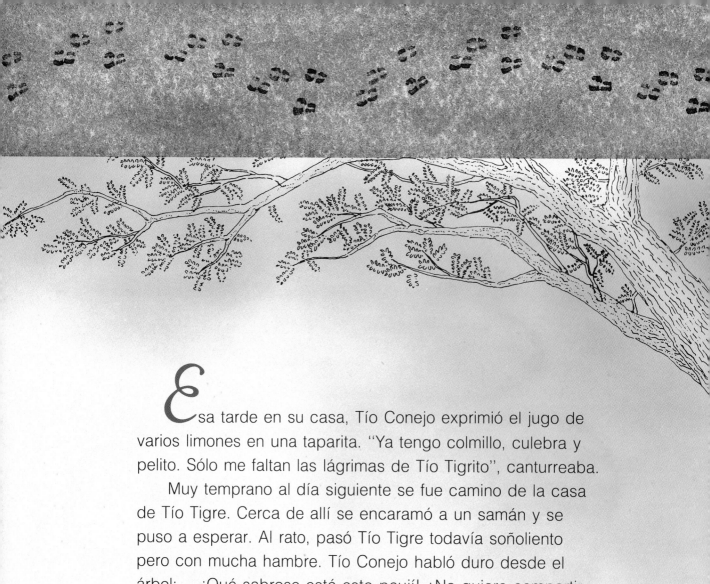

$\mathcal{E}$sa tarde en su casa, Tío Conejo exprimió el jugo de varios limones en una taparita. "Ya tengo colmillo, culebra y pelito. Sólo me faltan las lágrimas de Tío Tigrito", canturreaba.

Muy temprano al día siguiente se fue camino de la casa de Tío Tigre. Cerca de allí se encaramó a un samán y se puso a esperar. Al rato, pasó Tío Tigre todavía soñoliento pero con mucha hambre. Tío Conejo habló duro desde el árbol: —¡Qué sabroso está este paují! ¿No quiere compartir mi desayuno, Tío Tigre?

—¿Compartir? Nada de eso. Paují y conejo serán mi desayuno —rugió Tío Tigre y trepó al samán.

—Por aquí —gritó Tío Conejo desde arriba.

Tío Tigre miró las ramas altas del samán y en ese mismo instante, Tío Conejo le lanzó a los ojos el jugo de limón.

Tío Tigre rugió y lloró. Por su nariz rodaron unas enormes lagrimotas. Tío Conejo tuvo tiempo de ir a lavar la taparita al río y recoger de regreso diez lágrimas de tigre.

Al día siguiente, se presentó en el nido del Rey Zamuro.

—Aquí están los cuatro encargos que me hizo —dijo Tío Conejo.

El Rey Zamuro examinó con cuidado el colmillo del caimán, la culebra sabanera, el pelito del león y las lágrimas del tigre. Y se quedó pensativo.

—Ahora me puede dar la piedra del zamuro —dijo Tío Conejo orgulloso.

—Sí, ahora puedo dártela —dijo el Rey Zamuro, y con el pico le alargó una piedra redonda y blanca.

Tío Conejo la tocó. Era lisa y fría y parecía brillar con la luz. Tío Conejo estaba feliz.

—Pero hay algo que tengo que decirte, Tío Conejo —graznó el Rey Zamuro—. Ésa es una piedra de estas montañas que mis hijos y yo hemos alisado afilando en ella nuestros picos. Es una piedra cualquiera. No es una piedra mágica ni puede darte ningún poder.

Tío Conejo no podía creerlo. Se veía tan blanca y pulida. Tenía que haber un poder oculto en ese trozo de roca.

—El poder no está en la piedra —continuó el Rey Zamuro—, sino en ti mismo. Guárdala para que recuerdes que sin ella lograste cuatro cosas casi imposibles.

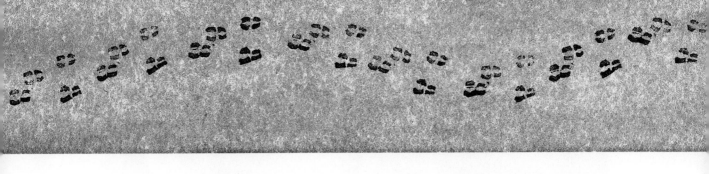

Tío Conejo bajó sin prisa de la montaña. Guardó la piedra del zamuro y cada vez que lo persigue Tío Tigre, toca su amuleto y se acuerda de sus cuatro hazañas. Entonces el mundo le parece más luminoso y sus piernas más veloces.

FINALES
de cuentos

...Y fueron felices,
y comieron perdices.

...Y colorín colorado,
este cuento se ha acabado.

...Y voy por un caminito,
y voy por otro,
y si este cuento les gustó
mañana les cuento otro.

Y aquí se rompió
una taza
y cada quien
para su casa.

Y entonces,
cataplán, cataplón
y cataplín, cataplín,
hemos llegado a su fin.

Tradicionales

439

Información Ilustrada

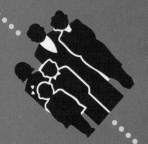

¡**G**uía para todo un mundo de información, con ejemplos relacionados con los temas que estás estudiando!

CONTENIDO

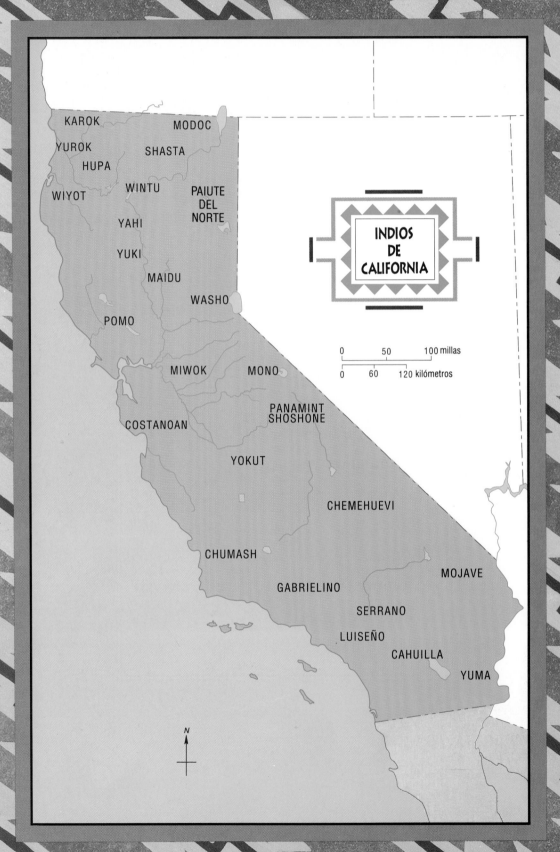

KAROK

MODOC

YUROK

SHASTA

HUPA

WIYOT

WINTU

YAHI

PAIUTE
DEL
NORTE

YUKI

MAIDU

WASHO

POMO

MIWOK

MONO

COSTANOAN

PANAMINT
SHOSHONE

YOKUT

CHEMEHUEVI

CHUMASH

MOJAVE

GABRIELINO

SERRANO

LUISEÑO

CAHUILLA

YUMA

INDIOS
DE
CALIFORNIA

0   50   100 millas

0   60   120 kilómetros

N

ATLAS

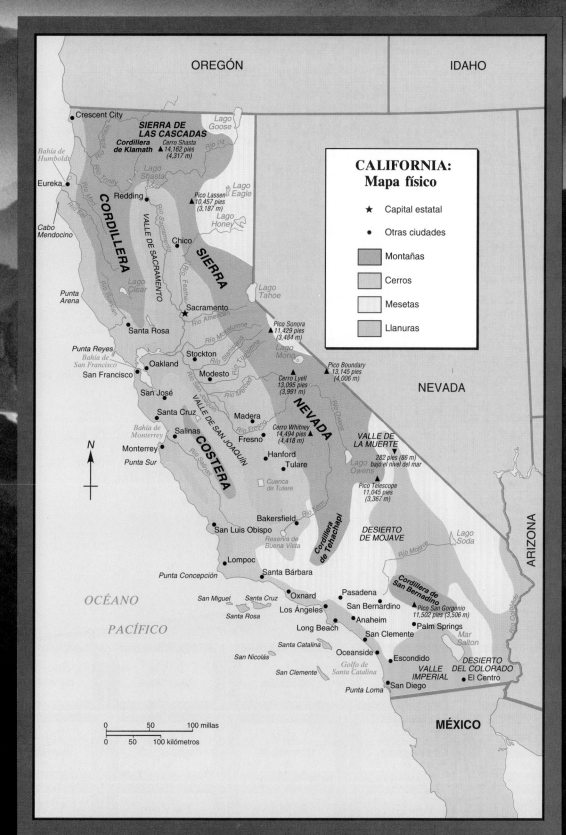

OREGÓN   IDAHO

Crescent City

SIERRA DE LAS CASCADAS

Cordillera de Klamath

Cerro Shasta ▲14,162 pies (4,317 m)

Bahía de Humboldt

Eureka

Redding

Pico Lassen ▲10,457 pies (3,187 m)

Cabo Mendocino

Chico

CORDILLERA

VALLE DE SACRAMENTO

SIERRA

Sacramento ★

Lago Clear

Punta Arena

Santa Rosa

Punta Reyes

Bahía de San Francisco

Oakland

San Francisco

Stockton

Modesto

San José

Santa Cruz

Bahía de Monterrey

Salinas

Monterrey

Punta Sur

Madera

Fresno

Hanford

Tulare

Cuenca de Tulare

VALLE DE SAN JOAQUIN

COSTERA

Bakersfield

San Luis Obispo

Reserva de Buena Vista

Cordillera de Tehachapi

Lompoc

Punta Concepción

Santa Bárbara

San Miguel   Santa Cruz

Santa Rosa

Oxnard

Los Ángeles

Long Beach

Santa Catalina

San Nicolás

San Clemente

Golfo de Santa Catalina

Punta Loma

Pasadena

San Bernardino

Anaheim

San Clemente

Oceanside

Escondido

San Diego

Pasadena

Cordillera de San Bernardino

▲Pico San Gorgonio 11,502 pies (3,506 m)

Palm Springs

Mar Salton

VALLE IMPERIAL

DESIERTO DEL COLORADO

El Centro

Lago Goose

Río Pit

Río Sacramento

Lago Shasta

Lago Eagle

Lago Honey

Río Feather

Lago Tahoe

Río American

Río Mokelumne

Río Stanislaus

Río San Joaquin

Río Tuolumne

Río Merced

Río Fresno

Río Salinas

Pico Sonora ▲11,429 pies (3,484 m)

Lago Mono

Pico Boundary ▲13,145 pies (4,006 m)

Cerro Lyell ▲13,095 pies (3,991 m)

NEVADA

Cerro Whitney ▲14,494 pies (4,418 m)

Río Kern

Río Owens

VALLE DE LA MUERTE

282 pies (86 m) bajo el nivel del mar

Lago Owens

Pico Telescope 11,045 pies (3,367 m)

DESIERTO DE MOJAVE

Río Mojave

Lago Soda

Río Colorado

NEVADA

ARIZONA

MÉXICO

OCÉANO PACÍFICO

CALIFORNIA: Mapa físico

★ Capital estatal

• Otras ciudades

☐ Montañas

☐ Cerros

☐ Mesetas

☐ Llanuras

N

0   50   100 millas

0   50   100 kilómetros

CATÁLOGO GENERAL

FICHA DE AUTOR

J 796.35 G

Golenbock, Peter

Compañeros de equipo: la biografía de Jackie
Robinson; diseño e ilustraciones de Paul Bacon. San
Diego, New York, London: Harcourt Brace
Jovanovich, Publishers, 1990.

32 págs. ilus.

FICHA DE TÍTULO

Compañeros de equipo

J 796.35 G

Golenbock, Peter
Compañeros de equipo: la biografía de Jackie
Robinson; diseño e ilustraciones de Paul Bacon. San
Diego, New York, London: Harcourt Brace
Jovanovich, Publishers, 1990.

32 págs. ilus.

A-Ay	Da-Eb	I-Jal	Ñ-Os	Sac-Tof
Az-Bos	Ec-Fer	Jam-K	Ot-Pr	Tog-U
Bot-Com	Fes-Gul	L-Mab	Ps-Rom	V-Wis
Con-Ch	Gum-H	Mac-N	Ron-Sab	Wit-Z

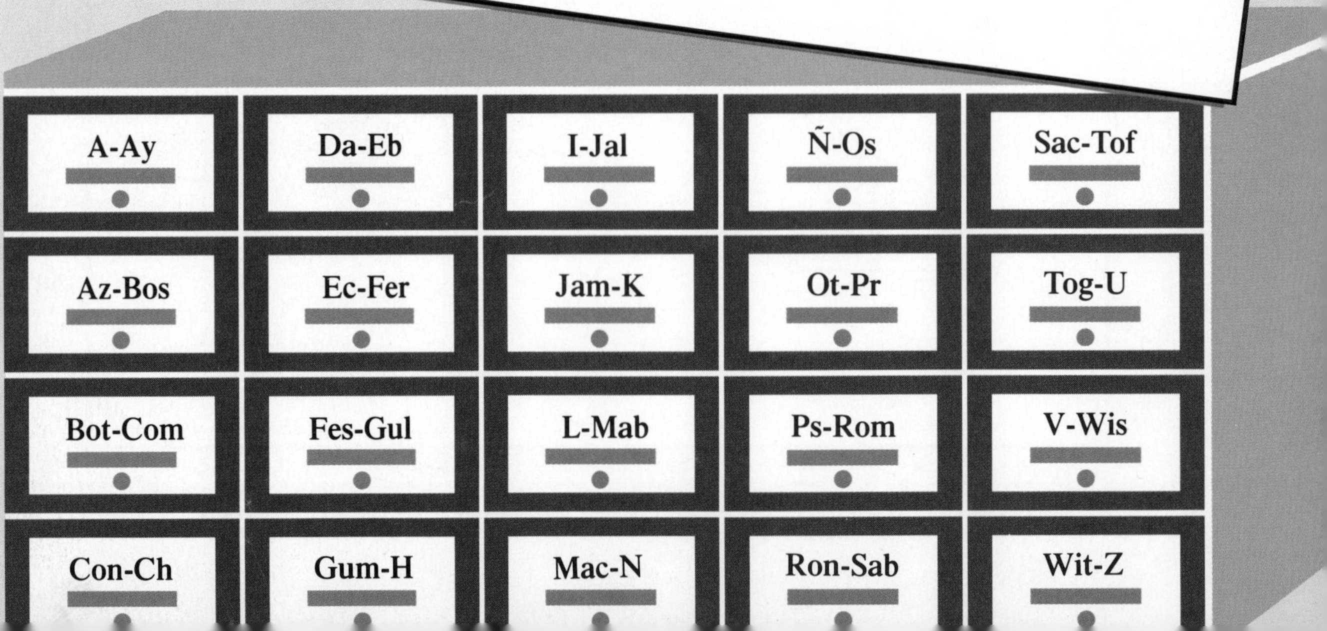

CATÁLOGO GENERAL

BIOGRAFÍA

J 796.35 G

Golenbock, Peter
Compañeros de equipo: la biografía de Jackie Robinson, diseño e ilustraciones de Paul Bacon. San Diego, New York, London: Harcourt Brace Jovanovich, Publishers, 1990.

32 págs. ilus.

1. Robinson, Jackie 1919-1972 2. Reese, Pee Wee 1919- 3. Jugadores de béisbol (EE.UU.), Biografías
4. Brooklyn Dodgers (equipo de béisbol)
I. Bacon, Paul, 1923 ilus. II. Título

FICHA DE TEMA

CATÁLOGO EN COMPUTADORA

CATÁLOGO EN LIBRO

NIVELES DE RUIDO

ORIGEN DEL RUIDO	DECIBELES*		EFECTO
Despegue de un avión de propulsión a chorro a poca distancia (250 pies o 75 metros)	150	160	Doloroso y posiblemente perjudicial para el oído
Música de rock a poca distancia	120		
Trabajo de construcción y uso de taladros	110+		
Metro	100	100	
Tráfico intenso	90+		
Tráfico de autopista	80		
Aspiradora	70		Molesto
Habla cotidiana	60		
Tráfico de calle residencial	50–60	60	
Sala de estar de una casa	30–60		
Susurros	10–20		Aceptable
Respiración	5–10		
	0		

*El decibel es la unidad que se usa para medir la intensidad de los sonidos.

CUADROS Y TABLAS

PARQUES NACIONALES DE LOS ESTADOS UNIDOS

NOMBRE	AÑO DE CREACIÓN	PRESUPUESTO ANUAL (dólares)	NÚMERO ANUAL DE VISITANTES	EXTENSIÓN (acres)
Montañas Guadalupe (Texas)	1966	1,200,000	200,000	76,293
Haleakala (Hawai)	1960	2,000,000	1,500,000	28,665
Hot Springs (Arkansas)	1921	1,500,000	2,500,000	4,787
Yellowstone (Wyoming, Montana, Idaho)	1872	17,000,000	3,000,000	2,221,773
Yosemite (California)	1890	14,000,000	3,500,000	761,170

BASURERO ECOLÓGICO

Los basureros no son la solución perfecta al problema del exceso de basura. Sin embargo, es posible construir basureros que no contaminen el ambiente en terrenos donde haya una gruesa capa de arcilla situada sobre una napa de agua subterránea. Sobre la capa de arcilla se colocan tubos perforados por arriba que van a un depósito recubierto de arcilla para impedir que el agua se escape. La basura se deposita sobre los tubos y, cuando llueve, el agua se filtra por la basura. Los tubos la conducen al depósito, donde es purificada. El agua purificada puede volver a la tierra o ir a un lago.

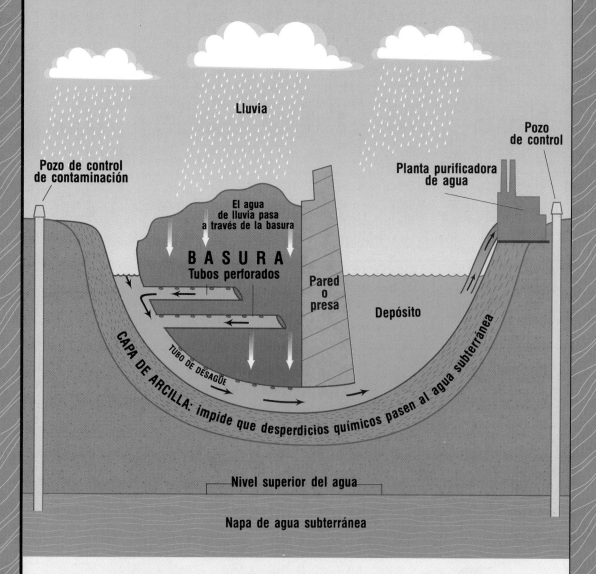

El agua de lluvia se filtra por la basura y entra en tubos que la conducen a un depósito, donde se purifica antes de volver a la tierra o ir a un lago.

DIAGRAMAS

UNA CADENA ALIMENTICIA

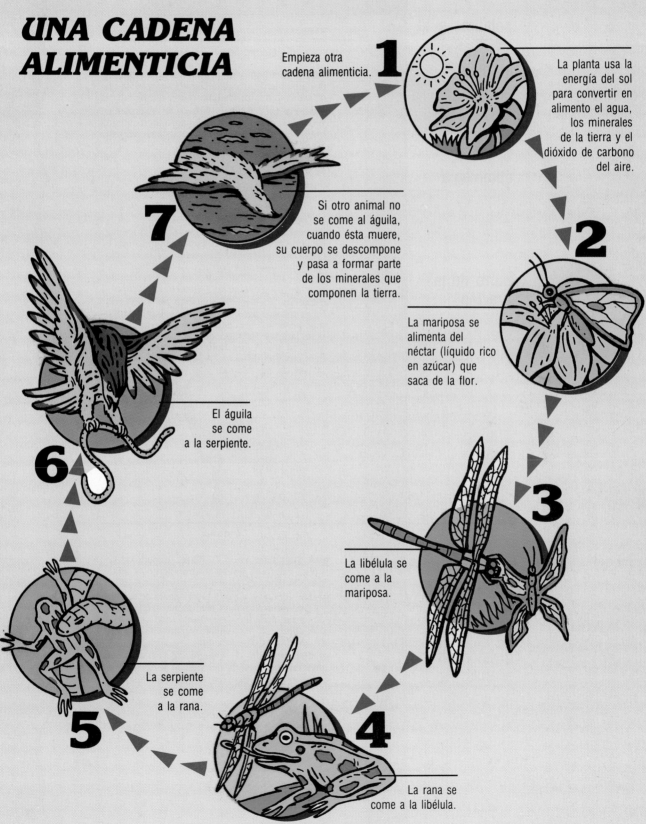

Empieza otra cadena alimenticia. **1**

1 La planta usa la energía del sol para convertir en alimento el agua, los minerales de la tierra y el dióxido de carbono del aire.

7 Si otro animal no se come al águila, cuando ésta muere, su cuerpo se descompone y pasa a formar parte de los minerales que componen la tierra.

2 La mariposa se alimenta del néctar (líquido rico en azúcar) que saca de la flor.

El águila se come a la serpiente.

6

3 La libélula se come a la mariposa.

La serpiente se come a la rana.

5

4 La rana se come a la libélula.

DICCIONARIO

palabras guía

viaje/vil

artículo

vi·a·je (del latín *vía*) *m*. **1.** Ida de un lugar a otro notablemente distante. *Luis se fue de viaje a Guatemala.* **2.** Camino por el que se hace.

ví·bo·ra (del latín *vipera*) *f.* Serpiente venenosa, de unos 50 cm de largo, con cabeza triangular y piel gris con manchas negras; áspid.

vi·bra·ción *m.* Movimiento rápido, que va de un lado a otro.

etimología

vi·ce·ver·sa (del latín *vice* y *versa*) *adv.* Al contrario, al revés, recíprocamente. *Todos los días el señor Julián va de Nueva York a Boston y viceversa, de Boston a Nueva York.*

vic·to·ria (del latín *victoria*) *f.* **1.** Superioridad o ventaja que se consigue en un torneo o disputa. *El equipo de básquetbol de tu escuela ha conseguido la victoria.* **2.** En sentido figurado, un resultado feliz. *El doctor, con su experimento, obtuvo una victoria científica.*

parte de la oración

vi·cu·ña (del quechua *vikuña*) *f.* **1.** Mamífero rumiante parecido a la llama, aunque algo más pequeño. Su cuerpo está cubierto por un pelo largo y finísimo que se usa para tejer. Vive en los Andes bolivianos, peruanos, argentinos y chilenos. **2.** Tejido fabricado con la lana de este animal.

ilustración

vicuña

vid (del latín *vitis*) *f.* Planta trepadora, de tronco retorcido y vástagos muy largos y flexibles. Su fruto es la uva.

vi·da (del latín *vita*) *f.* **1.** Espacio de tiempo que transcurre entre el nacimiento y la muerte de un ser. *Mi abuela ha pasado toda su vida en San Juan.* **2.** Actividad, movimiento. *Diego es un chico lleno de vida.*

vi·den·te *adj.* **1.** Que ve. **2.** Persona que pretende ver hechos del pasado y del futuro.

división en sílabas

vi·de·o·ca·se·te (del inglés *videocassette*) *m.* Cinta magnética en la que se registran imágenes y sonidos. *Grabaré en un videocasete el concierto que pasarán por la televisión.*

vi·drio (del latín *vitrum*) *m.* Material transparente, duro y frágil; cristal.

Diccionario

vie·jo (del latín *veclus*) *adj.* **1.** Se dice de la persona o animal de mucha edad. *Mi abuelo es más viejo que mi abuela.* **2.** Que es antiguo, del tiempo pasado. *En el viejo castillo hicieron un museo.* **3.** Algo que no es nuevo, o que está estropeado por el uso. *Los columpios en el parque están muy viejos.*

Vie·na *n.p.* Ciudad de Austria ubicada a orillas del río Danubio.

vien·to (del latín *ventus*) *m.* **1.** Corriente de aire que se mueve en una dirección determinada. *El huracán es un viento muy fuerte.* **2.** En sentido figurado, vanidad, jactancia. **a los cuatro vientos** *loc.* En todas las direcciones, por todas partes. **contra viento y marea** *loc.* Resistiendo dificultades sin acobardarse. **viento en popa** *loc.* Con buena suerte, dicha o prosperidad.

vien·tre (del latín *venter*) *m.* Cavidad del cuerpo en donde están el estómago y los intestinos.

vier·nes (del latín *veneris dies* o día de Venus) *m.* Sexto día de la semana.

vi·ga *f.* Pieza larga y gruesa de madera o hierro, que sirve para formar los techos en los edificios y sostener y asegurar una construcción.

vi·gí·a **1.** *m y f.* Persona que vigila los alrededores y da aviso de lo que sucede; vigilante. *Ahora es tu turno de hacer de vigía.* **2.** *f.* Torre en alto, o puesto de observación; atalaya. *Han construido cuatro nuevas vigías en la cárcel del condado.*

vi·gi·lar (del latín *vigilare*) *v.* Cuidar una persona o cosa, atenderla con cuidado; velar. *Vigila tu vocabulario, trata de hablar correctamente.*

vi·gi·lia *f.* **1.** Acción de estar en vela o despierto. *He pasado la noche en vigilia.* **2.** El día anterior a una fecha determinada. *Podemos vernos en la vigilia de tu cumpleaños.*

vi·gor (del latín *vigor*) *m.* **1.** Fuerza del cuerpo o del espíritu. *Tito ha lanzado la pelota con gran vigor.* **2.** Viveza en las acciones. *Está enfermo pero aún tiene el vigor para seguir trabajando.* **3.** Fuerza que obliga al cumplimiento de las leyes, o duración de las costumbres. *La regla de ''no estacionarse'' está en vigor todos los días de las 9:00 a.m. a las 4:00 p.m.*

vi·hue·la *f.* Instrumento de cuerda parecido al laúd, que se usó antiguamente en España.

vi·kin·go (del escandinavo *viking*) *m.* Pueblo de navegantes escandinavos que antiguamente viajaban por las islas del Atlántico y las costas de Europa Occidental.

vil (del latín *vilis*) *adj.* Bajo, despreciable; indigno.

definición

locuciones

sinónimo

ejemplo

Cómo plantar una semilla

1

Llena las macetas de tierra
casi por completo. Aprieta
un poco la tierra
a medida que la
vas poniendo.

MATERIALES:

- macetas pequeñas con
  agujeros por debajo
  (macetas para semillas)
- tierra fértil
- semillas
- varillas
- una regadera o un
  rociador de plantas

2

Pon una o dos semillas
en cada maceta. (Algunas
semillas no germinan. Si
las dos lo hacen, puedes
quitar una más tarde.)

5

Pon las
macetas en un
recipiente plano lleno
de agua tibia. Déjalas allí
hasta que el agua suba
y se empape la tierra.

3

Cubre las
semillas con una
fina capa de tierra
y apriétala un poco.

4

Escribe el nombre de la
planta en una varilla y ponla
en la tierra cerca del
borde de la maceta.

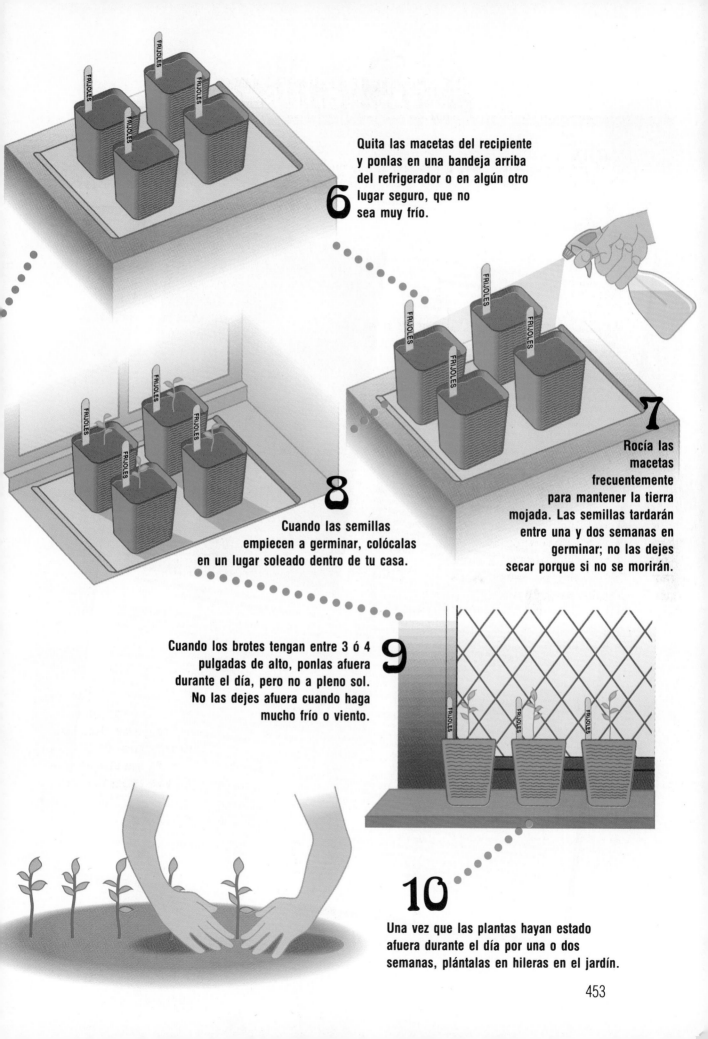

6 Quita las macetas del recipiente y ponlas en una bandeja arriba del refrigerador o en algún otro lugar seguro, que no sea muy frío.

7 Rocía las macetas frecuentemente para mantener la tierra mojada. Las semillas tardarán entre una y dos semanas en germinar; no las dejes secar porque si no se morirán.

8 Cuando las semillas empiecen a germinar, colócalas en un lugar soleado dentro de tu casa.

9 Cuando los brotes tengan entre 3 ó 4 pulgadas de alto, ponlas afuera durante el día, pero no a pleno sol. No las dejes afuera cuando haga mucho frío o viento.

10 Una vez que las plantas hayan estado afuera durante el día por una o dos semanas, plántalas en hileras en el jardín.

453

1300 NIDO

NIDO Varias especies animales construyen nidos para proteger sus huevos y cuidar a sus crías. Aves, insectos, tortugas, reptiles, y hasta algunos peces buscan un lugar especial donde poder tener y criar a sus pequeños hasta que éstos pueden valerse por sí mismos. Los nidos pueden estar hechos con materiales muy diferentes, y cada especie tiene sus propias preferencias sobre el tipo de lugar apropiado para construirlos. Así, por ejemplo, algunos peces hacen agujeros en el lodo o en la arena con la cola, y allí depositan sus huevos. De todos los animales, quizás sean los pájaros los más conocidos constructores de nidos.

Los nidos de los pájaros pueden ser de tamaños, formas y estructuras muy diferentes: los hay muy pequeños como el del colibrí, inmensos como los del águila, hechos de ramas y trozos de madera; los hay que cuelgan de una rama, como los de la oropéndola, y hay golondrinas que fijan los suyos a las escarpadas paredes de los acantilados. También los materiales varían: hay nidos muy elaborados, hechos de barro, hojas y hierbas, como el del petirrojo, mientras que el del cuco es una simple plataforma de ramitas amontonadas. Y hay vencejos en la China que construyen sólo con saliva endurecida.

Las águilas pueden usar el mismo nido durante muchos años, añadiendo más material cada año. Una vez se descubrió un nido de águila calva que medía 2.5 metros de ancho y 6 metros de profundidad. Los pájaros carpinteros agujerean con su pico el tronco de un árbol y depositan sus huevos en un lecho de trocitos de madera. En zonas desérticas, hay carpinteros que hacen sus agujeros en un cacto gigante. Los nidos vacíos de un pájaro carpintero son con frecuencia usados por lechuzas, reyezuelos, estorninos y otras aves. El gorrión común y el ruiseñor azul oriental, a veces anidan en los buzones de las zonas rurales.

Sin embargo, hay algunas aves que no construyen ningún nido. El halcón peregrino simplemente pone sus huevos en el suelo o en los tejados de los edificios; y muchas aves marinas los depositan asimismo en el suelo o en el saliente de una roca.

Andrew J. Berger

Los polluelos recién nacidos son muy débiles. No tienen apenas plumas y sus ojos están cerrados.

NIEBLA La niebla es una nube de pequeñas gotas de agua que está muy cerca de la superficie de la tierra. La niebla se diferencia de la nube en que se forma en las capas más bajas de la atmósfera. La niebla se distingue de la neblina por el grado de visibilidad: en la neblina las gotas de agua son más pequeñas, y por eso se puede ver mejor que a través de la niebla. De acuerdo con la definición internacionalmente reconocida, la niebla reduce la visibilidad a menos de 1 kilómetro. Cuando la niebla se mezcla con humo, la combinación se denomina "smog".

La niebla se produce por condensación del vapor de agua en el aire. Cuando una corriente de aire frío atraviesa una zona muy húmeda, el vapor de agua que humedece el aire llega a una cierta temperatura (el llamado punto de condensación), y la humedad se transforma en pequeñas gotas.

Jerome Spar

NIEVE Está compuesta de cristales que se forman a partir del vapor de agua que hay en la atmósfera. Los cristales se combinan para formar los copos de nieve, que pueden tener diferente tamaño, forma y contenido de agua, según la temperatura y las condiciones de humedad que haya en los niveles atmosféricos por los que pasen los cristales al caer.

La atmósfera siempre contiene vapor de agua en cantidades variables. A temperaturas por debajo de los 0° grados centígrados, el vapor puede condensarse en un agua "superfría"; si hay polvo o pequeños cristales de hielo en el aire, estas partículas se convierten en puntos alrededor de los cuales el agua se congela formando cristales de nieve.

También puede ocurrir que, a temperaturas por debajo de los −40° centígrados, el vapor se convierta directamente en hielo, sin necesidad de condensarse primero en agua. Este proceso se llama sublimación.

Un aire extremadamente frío puede contener menos vapor de agua que un aire más cálido. Si no hay suficiente humedad en el aire, los copos de nieve no pueden llegar a cristalizar. Por eso es raro que nieve cuando las temperaturas bajan excesivamente: en el Ártico, por ejemplo, hay pocas nevadas.

Los cristales de nieve tienen las siguientes formas básicas: placa de seis lados, estrella de seis puntas, columna hexagonal y aguja. Sin embargo, estas formas varían tanto con pequeños cambios de temperatura, que se dice con razón que no hay dos cristales de nieve idénticos. Por ejemplo, basta que la temperatura cambie sólo un grado para que un cristal que estaba creciendo con forma de columna pase a tener forma de placa.

Para medir una nevada es necesario derretir la nieve para determinar su contenido de agua, puesto que diferentes tipos de nieve pueden contener diferentes volúmenes de agua. Por eso, es más difícil medir una nevada que una lluvia. En EE.UU., las mayores nevadas que se registraron son: 1,930 milímetros de nieve en 24 horas en Silver Lake, en Colorado, y 25,000 milímetros de nieve en un invierno en el Parque Nacional Mount Rainier, en Washington.

Jerome Spar

OSO Animal mamífero carnívoro, de cuerpo grande y robusto, patas cortas y fuertes, pelaje espeso, cabeza grande, ojos y orejas pequeñas y cola corta. Los osos habitan en América del Norte, América del Sur, Europa y Asia. Actualmente, no hay osos en África, a pesar que durante el periodo pleistoceno vivían en Sudáfrica algunas especies de osos que ya no existen, y una clase de oso pardo (*Ursus arctos crowtheri*) que vivía en la Cordillera Atlas del extremo noroeste de África hasta principios de 1800, cuando fue exterminado. No hay osos originarios de Australia.

A los osos jóvenes se les llama oseznos. Los osos adultos tienen 42 dientes, excepto el oso bezudo (*Melursus ursinus*), que tiene 40. Los osos son plantígrados, es decir que caminan apoyando en el suelo toda la planta de los pies.

La familia de los osos se considera compuesta por cuatro géneros y siete especies (vivos actualmente), excluyendo el panda gigante. En esta clasificación al panda gigante se considera miembro de la familia de los mapaches, o formando su propia familia. No todos los zoólogos siguen esta clasificación. Por ejemplo, otra clasificación muy difundida nombra tres géneros y ocho especies, incluido el panda gigante.

Tamaño El oso malayo, o de las junglas, es el oso más pequeño. Tiene el tamaño de un perro grande y no pesa más de 65 kg. Alcanza 1.4 metros de largo de cuerpo y cabeza; y unos 68 centímetros de altura hasta los hombros (cuando tiene las cuatro patas apoyadas en el suelo).

Los osos más grandes son el oso pardo de Alaska (*Ursus arctos middendorffi*) y el oso polar (*Ursus maritimus*). Ambos tienen la reputación de alcanzar o exceder los 800 kg de peso. El oso pardo de Alaska normalmente llega a los 2.25 metros de largo de cabeza y cuerpo, y más o menos 1 metro de altura hasta los hombros. Pero se han registrado casos donde alcanzan 2.8 metros de largo y 1.3 metros de altura hasta los hombros. El oso polar normalmente alcanza 2.20 metros de largo de cuerpo y cabeza, y unos 0.9 metros de altura hasta los hombros, pero puede llegar a 2.5 metros de largo y 1.6 metros de altura.

Alimentación Los osos son por lo general omnívoros, comen vegetales, insectos, peces, pájaros, mamíferos pequeños y grandes, y carroña. El oso polar es carnívoro, se alimenta de focas y peces. El oso de anteojos y el panda gigante son herbívoros. El perezoso, por su parte, se alimenta principalmente de hormigas y otros insectos.

Locomoción Los osos, por lo general, caminan lentamente, pero en distancias cortas pueden correr a una velocidad de más de 40 km/h. Para movilizarse más rápido que en una caminata, los osos trotan; es decir, se mueven adelantando las dos patas del mismo lado del cuerpo y luego las dos patas del otro lado. Los osos son también buenos nadadores, y al oso polar, que nada a unos 10 km/h, se lo ha divisado a más de 64 km de la costa del mar.

Sueño de invierno Los osos que viven en regiones de inviernos fríos, por lo general, pasan la parte más fría del año durmiendo profundamente en sus refugios o madrigueras. Y en este sitio protegido es donde las osas preñadas tienen sus cachorros. Pero los machos y las hembras que no están preñadas pueden pasar muy poco o nada del invierno en sueño profundo o sueño de invierno.

El sueño de invierno de los osos no se considera, por lo general, una verdadera hibernación pues, a pesar de que el ritmo cardíaco se reduce a la mitad, los otros cambios de las funciones del cuerpo no son importantes. Así, por ejemplo, la temperatura del cuerpo de la ardilla terrera del Ártico (*Spermophilus undulatus*) baja un 70 por ciento durante la hibernación. En contraste, durante el letargo de invierno la temperatura del oso negro americano (*Ursus americanus*), solo baja un 10 por ciento. Por otra parte, los osos se despiertan fácilmente de su letargo. En una verdadera hibernación el sueño es tan profundo que es muy difícil despertarse.

El oso negro americano se alimenta principalmente de vegetales.

Desarrollo Las osas suelen aparearse cada dos años, y por lo general, lo hacen a fines de la primavera o principios del verano. El periodo de gestación va de 6 a 9 meses, según la especie. La mayoría de los cachorros nace a mediados del invierno (enero y febrero en el hemisferio norte), y la camada varía de una a cinco crías. Un solo cachorro es más común en la primera camada de una hembra, y mellizos es lo más común en las camadas siguientes. Comparados con el tamaño de un adulto, los cachorros son muy pequeños, con menos de 500 gramos de peso. Nacen ciegos (tardan cuatro semanas en abrir los ojos), sin dientes y con poco pelo. Los cachorros se quedan con su madre durante aproximadamente un año y medio, hasta que ella se aparea otra vez. Los cachorros se adulta de los 2 años y medio a los 4 ó 6 años de edad. Alcanzan la edad tienen una vida relativamente larga: un oso pardo (*Ursus arctos*) vivió 47 años en cautiverio, pero en la naturaleza, a un oso de 20 años se lo considera muy viejo.

Características de algunas especies

Oso de anteojos (*Tremarctos ornatus*) El oso de anteojos, también llamado oso andino, es el único oso originario de América del Sur. Vive principalmente en las laderas selváticas occidentales de la Cordillera de los Andes, desde el oeste de Venezuela hasta el oeste de Bolivia. Su pelaje largo y espeso, negro o pardo oscuro, tiene casi siempre manchas blancuzcas o amarillentas en el hocico, un anillo claro alrededor de los ojos (los "anteojos") y un círculo en el pecho. El oso de anteojos llega a medir 1.8 metros de largo de cuerpo y cabeza, más 70 centímetros de cola; su altura puede ser de 76 centímetros hasta los hombros, y pesa unos 140 kg. Se alimenta principalmente de frutas y otros vegetales.

Oso malayo (*Helarctos malayanus*) El oso malayo se llama también oso de las junglas. Habita en las colinas y montañas selváticas cálidas desde el noreste de la India bajando hasta Sumatra y Borneo en Indonesia. Su pelaje es corto, liso, brillante y negro, cambiando a pardo en las patas y a amarillo anaranjado en el hocico y el pecho. La mancha en el pecho dicen que se parece a un sol naciente. Es el oso más pequeño (Ver "Tamaño"). Se alimenta de animales pequeños, frutas y tiene una especial predilección por la miel.

Oso negro americano (*Ursus americanus*) El oso negro americano habita en gran parte de los bosques de América del Norte. Habitualmente tiene un pelaje negro y brillante, el hocico pardo y una pequeña mancha blanca en el pecho, pero también hay otras variedades. A la variedad rojiza se le llama oso canela. Cachorros negros y pardos, pueden nacer en la

Si disfrutó leyendo los **Cuentos populares de los Estados Unidos,** le interesará leer el resto de los libros de la serie CUENTOS POPULARES DEL MUNDO de la EDITORIAL MUNDIAL.

Utilice el siguiente formulario para enviarnos su pedido.

------------------------- (CORTAR POR LA LÍNEA PUNTEADA) -------------------------

PEDIDO

Cuentos populares de la China	#1002 $4.95	**Cuentos populares de Inglaterra**	#1007 $4.95
Cuentos populares de África	#1003 $4.95	**Cuentos populares de Australia**	#1008 $4.95
Cuentos populares de México	#1004 $4.95	**Cuentos populares de Canadá**	#1009 $4.95
Cuentos populares de Sudamérica	#1005 $4.95	**Cuentos populares de Grecia**	#1010 $4.95
Cuentos populares de Francia	#1006 $4.95	**Cuentos populares del Pacífico**	#1011 $4.95

(UTILIZAR LETRA DE MOLDE)

NOMBRE: _Douglas Montero_

DIRECCIÓN: _732 West Alameda_

CIUDAD: _Amarillo_   ESTADO: _Texas_   CÓDIGO POSTAL: _00000_

TELÉFONO: (_000_) _555-2731_

ARTÍCULO	CANTIDAD	TÍTULO	PRECIO DEL ARTÍCULO	TOTAL	GASTOS DE ENVÍO ($.50 por artículo)	TOTAL POR ARTÍCULO
1004	2	Cuentos populares de México	4.95	9.90	1.00	$10.90
1007	1	Cuentos populares de Inglaterra	4.95	4.95	.50	5.45
1008	1	Cuentos populares de Australia	4.95	4.95	.50	5.45
1010	1	Cuentos populares de Grecia	4.95	4.95	.50	5.45
				TOTAL (envío incluido)		$27.25
				Envío especial ($.50 por artículo)		
				Impuesto: 5% para residentes de Iowa		
				TOTAL		$27.25

FORMA DE PAGO (marcar uno):
☑ CHEQUE
☐ ORDEN DE PAGO
(NO SE ACEPTAN TARJETAS DE CRÉDITO)

ENVIAR A: EDITORIAL MUNDIAL
Cuentos populares del mundo
2200 North Mississippi
Chanticlere, Iowa 00000

RECIBIRÁ SU PEDIDO EN 3 Ó 4 SEMANAS

FORMULARIOS Y SOLICITUDES

BIBLIOTECA DEL LAGO
SOLICITUD DE UNA TARJETA DE BIBLIOTECA

UTILIZAR LETRA DE MOLDE

NOMBRE Y APELLIDO _Ignacio Alanis_

DIRECCIÓN _439 Coolidge_

número y calle   apartamento

TELÉFONO (CASA) _555-7019_

DIRECCIÓN POSTAL

(únicamente si difiere de la anterior)   número y calle

Privet Point   _Michigan_   _00000_

ciudad   estado   código postal

NOMBRE DEL PADRE, MADRE O TUTOR _Dolores González_

ESCUELA _Escuela Primaria Garrison_

EMPRESA DONDE TRABAJA

número y calle

ciudad   estado   código postal

TELÉFONO (TRABAJO) _____ EXT. _____

ME COMPROMETO A RESPETAR TODAS LAS REGLAS DE LA BIBLIOTECA, Y A HACERME RESPONSABLE DEL MATERIAL QUE TOME PRESTADO CON ESTA TARJETA.

X _Ignacio Alanis_

firma del interesado

X _Dolores González_

firma del padre, madre o tutor de los menores de 18 años

La biblioteca solicita su cooperación VOLUNTARIA para proveer la siguiente información que se utilizará en la selección del material para la biblioteca, planeación de programas y servicios, y solicitud de subvenciones. Esta información es confidencial. **POR FAVOR MARQUE LA LETRA QUE CORRESPONDE A SU RESPUESTA:**

NACIDO ENTRE:

A. ANTES DE 1900   D. 1921-1930   G. 1951-1960   (J.) 1981-2000
B. 1901-1910   E. 1931-1940   H. 1961-1970
C. 1911-1920   F. 1941-1950   I. 1971-1980

IDIOMA EN QUE LEE:

A. Alemán   (E.) Español   I. Japonés   M. Tagalo
B. Árabe   F. Francés   J. Maltés   N. Tongan
C. Chino   (G.) Inglés   K. Portugués   O. Vietnamita
D. Coreano   H. Italiano   L. Ruso   P. Otro_____

GRACIAS POR SU COOPERACIÓN

USO EXCLUSIVO DEL PERSONAL

FECHA:_____

INIC.:_____

CÓDIGO#:_____

OTRO ID.:_____

CÓDIGO POSTAL:_____

1   2   3

EDAD:_____

IDIOMA:_____

FECHA:

INIC.:_____

GRÁFICAS

PRODUCCIÓN MUNDIAL DE PETRÓLEO CRUDO EN 1989

Países de la OPEP	
Canadá	
China	
México	
Reino Unido	
Estados Unidos	
U.R.S.S.	
Todos los demás países	

 = 1 millón de barriles por día

 = 2 millones de barriles por día

PICTOGRAMA

458

GRÁFICAS

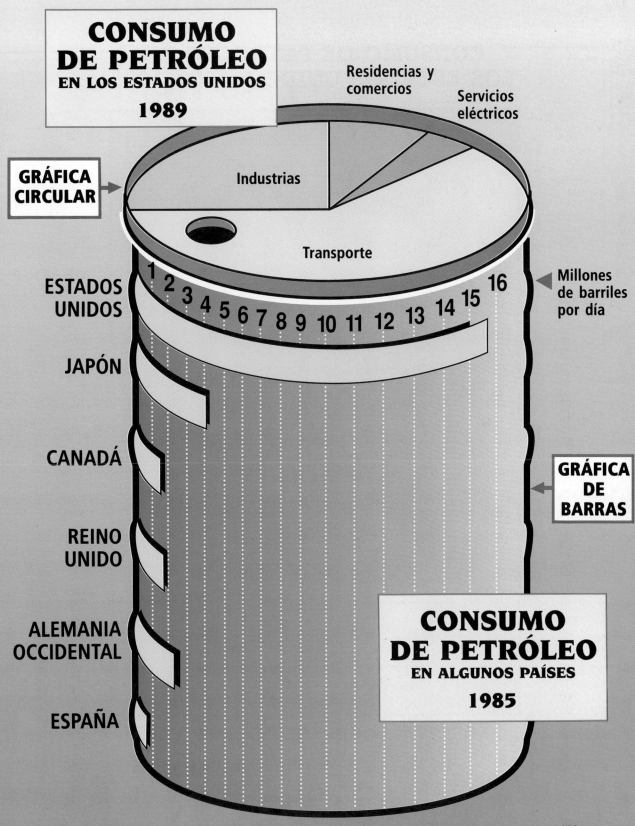

CONSUMO DE PETRÓLEO EN LOS ESTADOS UNIDOS 1989

GRÁFICA CIRCULAR

Residencias y comercios

Servicios eléctricos

Industrias

Transporte

Millones de barriles por día

ESTADOS UNIDOS

JAPÓN

CANADÁ

REINO UNIDO

ALEMANIA OCCIDENTAL

ESPAÑA

1 2 3 4 5 6 7 8 9 10 11 12 13 14 15 16

GRÁFICA DE BARRAS

CONSUMO DE PETRÓLEO EN ALGUNOS PAÍSES 1985

GRÁFICAS

CONSUMO DE PETRÓLEO EN LOS ESTADOS UNIDOS: 1960–1985

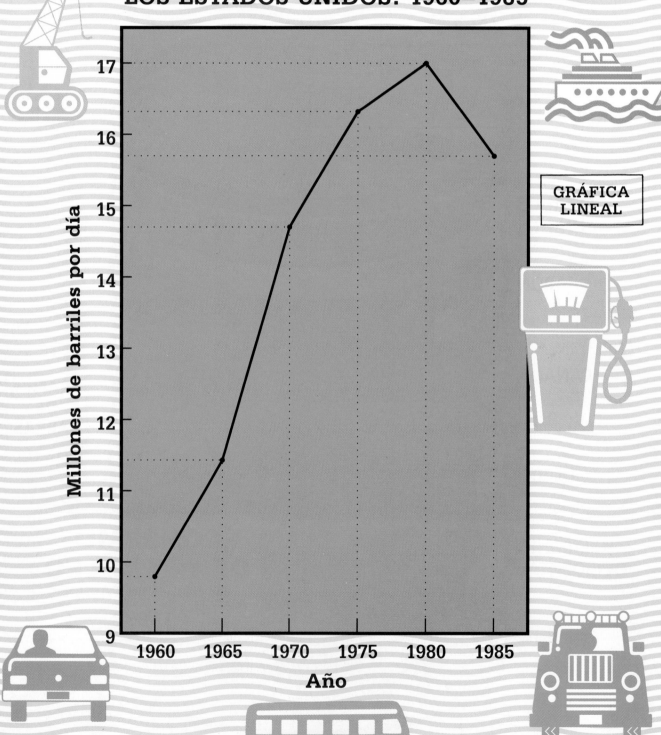

GRÁFICA LINEAL

ÍNDICE

115

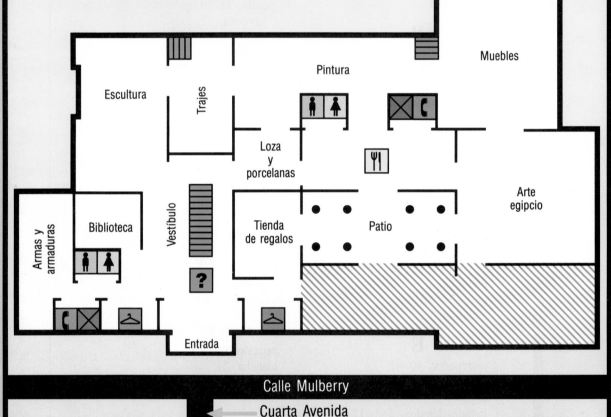

MUSEO MUNICIPAL
PLANO DEL MUSEO – PLANTA BAJA

Muebles

Pintura

Escultura

Trajes

Loza y porcelanas

Arte egipcio

Vestíbulo

Armas y armaduras

Biblioteca

?

Tienda de regalos

Patio

Entrada

Calle Mulberry

Cuarta Avenida

CLAVE

- ⊠ Ascensor
- ▤ Escalera
- 🚹 Caballeros
- ? Información
- Guardarropa
- 🚺 Damas
- 🍴 Restaurante
- ℂ Teléfono
- ▨ Exposiciones especiales

MAPAS

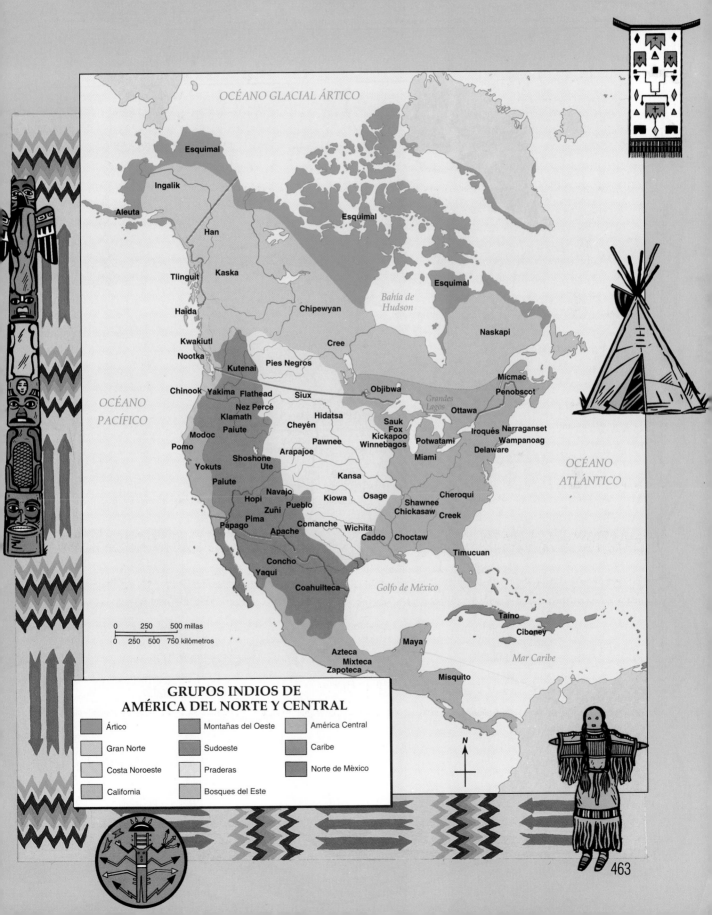

OCÉANO GLACIAL ÁRTICO

Esquimal

Ingalik

Aleuta

Han

Kaska

Tlinguit

Haida

Kwakiutl

Nootka

Kutenai

Chinook Yakima Flathead

Nez Percé

Klamath

Modoc Paiute

Pomo

Yokuts Shoshone

Paiute Ute

Navajo

Hopi Pueblo

Zuñi

Pima

Pápago

Apache

Concho

Yaqui

Coahuilteca

Azteca
Mixteca
Zapoteca

Esquimal

Bahía de
Hudson

Esquimal

Chipewyan

Cree

Pies Negros

Siux

Cheyén

Hidatsa

Arapajoe Pawnee

Kansa

Kiowa Osage

Comanche

Wichita

Caddo

Naskapi

Objibwa

Grandes
Lagos

Ottawa

Sauk
Fox
Kickapoo
Winnebagos Potwatami

Miami

Cheroqui

Shawnee
Chickasaw Creek

Choctaw

Micmac
Penobscot

Iroqués Narraganset
Wampanoag
Delaware

Timucuan

Golfo de México

Taíno

Ciboney

Mar Caribe

Maya

Misquito

OCÉANO
PACÍFICO

OCÉANO
ATLÁNTICO

0   250   500 millas
0 250 500 750 kilómetros

GRUPOS INDIOS DE
AMÉRICA DEL NORTE Y CENTRAL

- Ártico
- Gran Norte
- Costa Noroeste
- California
- Montañas del Oeste
- Sudoeste
- Praderas
- Bosques del Este
- América Central
- Caribe
- Norte de México

N

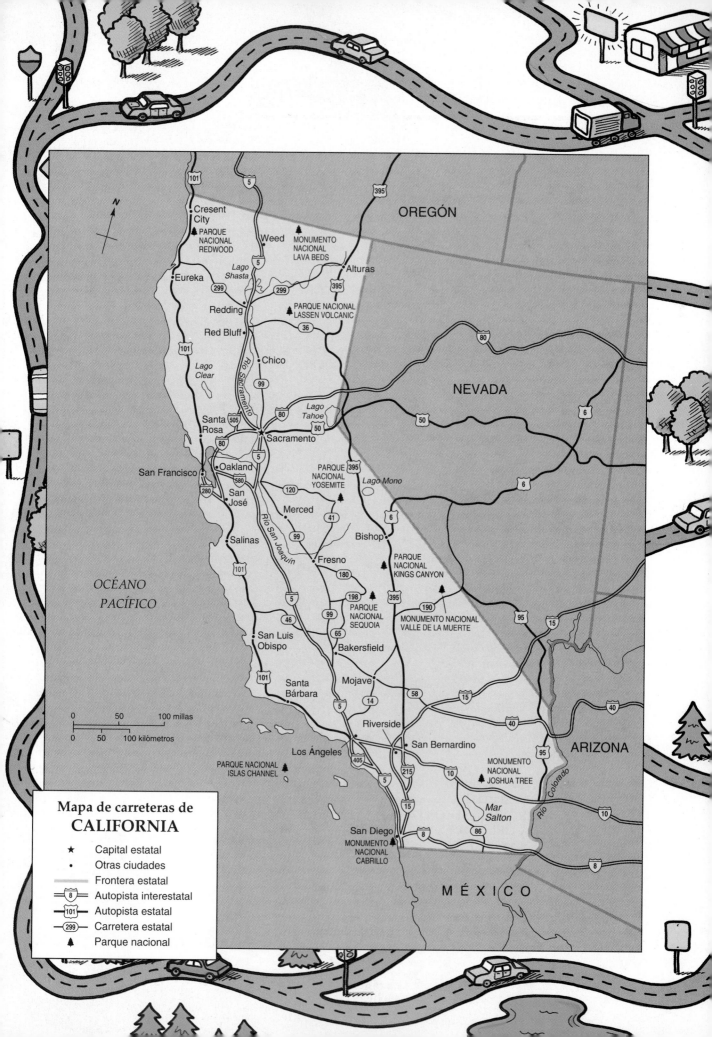

Mapa de carreteras de
CALIFORNIA

★ Capital estatal
• Otras ciudades
— Frontera estatal
8 Autopista interestatal
101 Autopista estatal
299 Carretera estatal
▲ Parque nacional

OREGÓN

NEVADA

ARIZONA

MÉXICO

OCÉANO
PACÍFICO

Cresent
City
PARQUE
NACIONAL
REDWOOD
Weed
MONUMENTO
NACIONAL
LAVA BEDS
Lago
Shasta
Alturas
Eureka
Redding
PARQUE NACIONAL
LASSEN VOLCANIC
Red Bluff
Chico
Lago
Clear
Santa
Rosa
Sacramento
Lago
Tahoe
Oakland
San Francisco
San
José
PARQUE
NACIONAL
YOSEMITE
Lago Mono
Merced
Salinas
Fresno
Bishop
PARQUE
NACIONAL
KINGS CANYON
San Luis
Obispo
Bakersfield
PARQUE
NACIONAL
SEQUOIA
MONUMENTO NACIONAL
VALLE DE LA MUERTE
Santa
Bárbara
Mojave
Riverside
San Bernardino
Los Ángeles
PARQUE NACIONAL
ISLAS CHANNEL
MONUMENTO
NACIONAL
JOSHUA TREE
Mar
Salton
San Diego
MONUMENTO
NACIONAL
CABRILLO

Río Sacramento
Río San Joaquín
Río Colorado

0   50   100 millas
0   50   100 kilómetros

MAPAS

FRESNO Y SUS ALREDEDORES

CLAVE

Fresno (límites del término municipal)

⬭168 Carretera estatal

Calle

✈ Aeropuerto

Parque

■ Lugares de interés
1. Estadio Bulldog
2. Universidad Estatal de California (Fresno)
3. Centro de Artes de Fresno
4. Centro Discovery
5. Zoológico
6. Museo Metropolitano de Arte, Historia y Ciencia

CALIFORNIA

Fresno

*H*ORARIOS

HORARIO DE CLASES DE 4.° GRADO

HORA / DÍA	LUNES	MARTES	MIÉRCOLES	JUEVES	VIERNES
8:00–8:10	Saludo a la bandera, anuncios	Saludo a la bandera, anuncios	Saludo a la bandera, anuncios	Saludo a la bandera, anuncios	Saludo a la bandera, anuncios
8:10–9:50	Artes del lenguaje	Artes del lenguaje	Artes del lenguaje	Artes del lenguaje	Artes del lenguaje
9:50–10:10	Educación física	Educación física	Educación física	Educación física	Educación física
10:10–11:10	Arte	Música	Arte	Música	Arte
11:10–11:50	Almuerzo	Almuerzo	Almuerzo	Almuerzo	Almuerzo
11:50–12:15	Lectura individual	Lectura individual	Lectura individual	Lectura individual	Lectura individual
12:15–1:00	Matemáticas	Matemáticas	Matemáticas	Matemáticas	Matemáticas
1:00–1:30	Salud	Salud	Salud	Salud	Salud
1:30–1:45	Recreo	Recreo	Recreo	Recreo	Recreo
1:45–2:20	Ciencias	Ciencias	Ciencias	Ciencias	Ciencias
2:20–2:45	Estudios sociales	Estudios sociales	Estudios sociales	Estudios sociales	Estudios sociales
2:45	H O R A D E S A L I D A				

CALTRAiN — Domingos/Feriados*

DE SAN FRANCISCO A SAN JOSÉ

MILLAS	/ ZONA /	ESTACIÓN	N° DE TREN—a.m. 92	40	N° DE TREN—p.m. 44	48	94	98	76	78	80
0.0		Sale de San Francisco Calles 4 y Townsend	8:00	10:00	12:00	2:00	4:00	6:00	7:15	8:00	10:00
1.9	SF	Sale de Calle 22	8:05	10:05	12:05	2:05	4:05	6:05	7:20	8:05	10:05
4.1		Sale de Avenida Paul	8:09	—	—	—	4:09	6:09	—	—	—
5.2		Sale de Bayshore	8:12	10:10	12:10	2:10	4:12	6:12	7:25	8:10	10:10
9.3		Sale de San Francisco Sur	8:17	10:15	12:15	2:15	4:17	6:17	7:30	8:15	10:15
11.6	1	Sale de San Bruno	8:21	10:19	12:19	2:19	4:21	6:21	7:34	8:19	10:19
13.7		Sale de Millbrae	8:25	10:23	12:23	2:23	4:25	6:25	7:38	8:23	10:23
15.2		Sale de Broadway	8:28	10:26	12:26	2:26	4:28	6:28	7:41	8:26	10:26
16.3		Sale de Burlingame	8:31	10:28	12:28	2:28	4:30	6:30	7:44	8:28	10:28
17.9	2	Sale de San Mateo	8:34	10:31	12:31	2:31	4:33	6:33	7:47	8:31	10:31
18.9		Sale de Hayward Park	8:36	10:34	12:34	2:34	4:36	6:36	7:50	8:34	10:34
20.0		Sale de Bay Meadows ●	—	—	—	—	—	—	—	—	—
20.3		Sale de Hillsdale	8:39	10:37	12:37	2:37	4:39	6:39	7:53	8:37	10:37
21.9		Sale de Belmont	8:42	10:40	12:40	2:40	4:42	6:42	7:56	8:40	10:40
23.2	3	Sale de San Carlos	8:45	10:43	12:43	2:43	4:45	6:45	7:59	8:43	10:43
25.4		Sale de Redwood City	8:49	10:47	12:47	2:47	4:49	6:49	8:03	8:47	10:47
27.8		Sale de Atherton	8:53	10:51	12:51	2:51	4:53	6:53	8:07	8:51	10:51
28.9		Sale de Menlo Park	8:56	10:53	12:53	2:53	4:55	6:55	8:10	8:53	10:53
30.1		Sale de Palo Alto	8:59	10:56	12:56	2:56	4:58	6:58	8:13	8:56	10:56
31.8	4	Sale de Stanford Stadium ●	—	—	—	—	—	—	—	—	—
34.8		Sale de Avenida California	9:02	10:59	12:59	2:59	5:01	7:01	8:16	8:59	10:59
36.1		Sale de Mountain View	9:08	11:05	1:05	3:05	5:07	7:07	8:22	9:05	11:05
38.8		Sale de Sunnyvale	9:12	11:09	1:09	3:09	5:11	7:11	8:26	9:09	11:09
40.8	5	Sale de Lawrence	9:16	11:12	1:12	3:12	5:15	7:15	8:30	9:12	11:12
44.3		Sale de Santa Clara	9:20	11:17	1:17	3:17	5:19	7:19	8:35	9:17	11:17
46.9		Llega a San José	9:28	11:25	1:25	3:25	5:28	7:28	8:43	9:25	11:25
	🚌	Llega a Santa Cruz	10:30	12:30	2:30	4:30	6:40	8:30		10:30	

🚌 Autobús de enlace a Santa Cruz.

* Año Nuevo, Memorial Day, Día de la Independencia, Día del Trabajo, Día de Acción de Gracias y Navidad. (CalTrain reduce su servicio en vísperas de feriados y el día después de Acción de Gracias.) Llame al servicio de información de CalTrain para obtener más detalles.

● Servicio especial de trenes durante la temporada de carreras de caballos, fúbol y béisbol.

Emergencias 1

Números de emergencia

Blairtown

Bomberos	555-2323
Policía (número alternativo 555-2616)	555-2452
Alguacil (noche 555-2412)	555-2501
Ambulancias	555-2104

Grenfell

Bomberos	911
Policía	911
Alguacil	555-6180 ó 555-3822
Ambulancias	911

San Ruiz

Bomberos	555-2123
Policía	555-3031
Alguacil (noche 555-2412)	555-2501 ó 555-2940
Ambulancias	555-2104

Otros números de emergencia

Asistencia médica	1 + 800-555-6633
Policía de carreteras	1 + 555-2562
FBI	1 + 555-555-8181
si no contesta, llamar al	1 + 555-555-6100

Para otros números importantes véase la página 37

*G*UÍA TELEFÓNICA

Kreel Floyd 519 S Burr 555-1665
Kreen Mae 418 W 1 555-2644
Kruger Al 215 N Spencer 555-2936
Kruger Burt Rt 1 555-3428
Kruger John 202 Lebow. 555-3952

L

L & S Hardware 101 Webster. 555-3400
Lamb Otto 560 Benton. 555-2857
LARSON GRAIN CO Hwy 44 555-4000
Lee K T 110 N Burr 555-2242
Leery Jacob 811 E 10 555-2901
Lemon Alice 555-2865

Lucas Ben 220 S Adams 555-9778
Lucero Tomas Rt 1 555-2705
Lunez Martin 502 N Spencer 555-2345
Lyman C E 519 Lebow 555-3143
Lymann Carl 820 Webster 555-6167
Lynch Pat & Lisa 231 Main. 555-6095
Lyon Margaret 113 S Spencer 555-7881
Lyons Ed 220 Benton. 555-5274
Lyons Frances 531 E 2 555-5201
Lyons Korine 725 W 4 555-9001
Lyons Juanita 1555 N Adams 555-2667
Lyons Max 117 Benton 555-3778
Lyra Erica 110 Fulton 555-5564
. . . . . 200 E 15. 555-3008

PÁGINAS BLANCAS

---

120   RELOJES–RESORTES

Relojes–Tiendas

LUGANO RELOJES Inc.
   419 Haigh Flus. 555-5500
Seiko Tiempo Co. 245 Avda. A. . . . 555-6666

Remolques–Automóviles

AA y B Co. 171 W 10 555-4646
Casino Auto Servicio
   1207 Lebow 555-6700
Delta Auto Inc. W Hwy 417 555-7990

Restaurantes

**RESTAURANTE
CENTENARIO**

COCINA INTERNACIONAL

Especialidad en mariscos
Abierto 7 días
Desayuno–Almuerzo–Cena

555-7000

Basta Pasta Ristorante Italiano
   565 Jackson San Ruiz 555-6652
Chung Ki-We Restaurante
   4646 N Burr San Ruiz 555-7755

Ropa y artículos para caballeros–Tiendas

____AMIGO MEN'S Inc.____
Trajes, camisas de vestir
y ropa deportiva
201 W 20 esquina Lebow . . . **555-8779**

Boss Clothes
   890 Jackson St Francis 555-2771
Corona Men 211 E 15 555-3663

Ropa y artículos para damas–Tiendas

Alberta Moda Inc.
   133 E 17 Goodland 555-9182
Charade Boutique
   58 Calle Grand 555-9730
Classy Fashions
   . . . . . in San 555-2187

PÁGINAS AMARILLAS

GLOS

En este glosario puedes encontrar el significado de muchas de las palabras más difíciles del libro. Las palabras están en orden alfabético y divididas en sílabas. En la parte superior de cada página verás dos palabras: son la primera y la última de esa página. Te ayudarán a encontrar la palabra que busques.

Los adjetivos aparecen en masculino singular. Los sustantivos aparecen en singular. Los verbos aparecen en infinitivo.

En este glosario se utilizan las siguientes abreviaturas:

ario

adj.	adjetivo
adv.	adverbio
f.	sustantivo femenino
fr.	frase
m.	sustantivo masculino
m. y f.	sustantivo masculino y femenino
n.p.	nombre propio
v.	verbo
s.	sustantivo masculino o femenino

A

a·ba·ti·do *adj.* **1.** Que fue derribado; tumbado. *Los leñadores dejaron un árbol abatido.* **2.** Que está triste; apenado, desanimado. *La despedida lo dejó abatido.*

a·be·to *m.* Árbol parecido al pino que crece en zonas de clima frío.

abeto

a·bo·ce·ta·do *adj.* Que está hecho con los trazos o rasgos principales, sin precisión ni detalles; bosquejado, esbozado.

a·bo·len·go *m.* Conjunto de los antepasados de una persona. Se usa especialmente cuando éstos son nobles, ilustres o famosos.

a·bru·ma·do *adj.* Se dice de quien sufre una situación difícil o soporta una carga penosa; agobiado, preocupado. *Estaba abrumado por el examen de matemáticas.*

abs·trac·to *adj.* **1.** Se dice de las cosas que no se pueden ver o tocar porque son ideas o sentimientos. *La felicidad es algo abstracto.* **2.** Se dice de la pintura, el dibujo o la escultura que representan las cosas sin tener en cuenta su forma real. *Miramos una pintura abstracta y fue muy divertido tratar de decidir de qué se trataba.*

a·ca·rre·ar *v.* Llevar o arrastrar algo; transportar.

a·ce·le·rar *v.* Aumentar la velocidad de una actividad, un movimiento o una cosa.

á·ci·do sul·fú·ri·co *m.* Líquido que puede destruir lentamente diversos materiales; vitriolo.

a·dap·tar·se *v.* Acomodarse a una situación nueva; avenirse, amoldarse.

a·de·mán *m.* Movimiento del cuerpo que expresa un sentimiento, una actitud o un propósito. *Hizo un ademán con el brazo para parar un taxi.*

ad·mi·tir *v.* **1.** Dejar que alguien entre en un lugar o haga cierta cosa. *Lo admitieron en el club.* **2.** Pensar que algo está bien o que es correcto. *Admito que tu idea es interesante.* **3.** Aceptar. *Se admiten propinas.*

a·do·les·cen·te *m. y f.* Persona que está entre la niñez y la edad adulta. *La adolescente tenía 15 años.*

a·fe·rrar·se *v.* Coger o sujetar una cosa con fuerza; agarrarse.

a·fin·ca·do *adj.* Se dice de quien vive en un sitio de forma permanente; arraigado, radicado, establecido.

a·fro·a·me·ri·ca·no *adj.* Se dice de las personas americanas descendientes de africanos y de lo que se relaciona con ellas. *El doctor Martin Luther King fue un líder afroamericano.*

a·ga·za·pa·do *adj.* Que está escondido. Suele utilizarse cuando una persona o animal se oculta para espiar o atacar a otro.

Historia de la palabra

La palabra **agazaparse** significa "esconderse en el campo" como lo hace el gazapo. El gazapo es la cría del conejo.

---

a·gol·par·se *v.* Juntarse muchas personas, animales o cosas en un lugar; amontonarse, acumularse.

a·gre·si·va·men·te *adv.* De manera violenta y con intención de causar daño.

a·gua·fies·tas *m. y f.* Persona que acaba con la alegría de los otros o estropea una diversión.

a·gu·za·do *adj.* **1.** Que tiene la punta aguda o el filo cortante; afilado. **2.** Se dice del pensamiento, la inteligencia, la vista o el oído vivos y penetrantes.

a·la·ce·na *f.* Hueco en la pared con estantes y puertas; armario. *En la cocina había una alacena donde guardaban los platos y los vasos.*

a·lar·ma·do *adj.* Preocupado, inquieto, intranquilo o asustado.

Historia de la palabra

La palabra **alarma** viene del grito *¡a las armas!* con que se avisa de un peligro o se llama al combate.

---

al·ca·traz *m.* Ave marina parecida al pelícano. Es blanca con plumas negras en la punta de las alas. Se alimenta de peces que coge con su fuerte pico.

al·ca·ya·ta *f.* Clavo doblado por un extremo que sirve para colgar cosas.

al·ción *m.* Pájaro de variados colores que vive junto a los ríos y se alimenta de peces; martín pescador.

al·cur·nia *f.* Estirpe, abolengo. *Los condes, duques y demás nobles son llamados personas de alcurnia.*

al·de·a *f.* Pueblo pequeño.

a·lo·jar·se *v.* Vivir en un lugar durante cierto tiempo. *Se aloja en el hotel Roma.*

al·qui·trán *m.* Sustancia oscura y pegajosa, de olor fuerte y sabor amargo; brea.

a·lu·mi·nio *m.* Metal plateado, liviano y muy resistente. Es el metal más abundante en la superficie de la Tierra.

a·lla·nar·se *v.* **1.** Ponerse llano o liso; aplanarse. **2.** Superarse una dificultad o un obstáculo.

am·bu·lan·te *adj.* Se dice de alguien o algo que va de un sitio a otro para realizar una actividad. *El teatro ambulante va de pueblo en pueblo.*

a·mu·le·to *m.* Objeto que se cree que tiene poderes mágicos, da buena suerte o protege de un peligro; talismán.

a·néc·do·ta *f.* Relato corto de un hecho interesante o curioso. *Mi papá siempre nos cuenta anécdotas de su niñez.*

an·fi·bio *m.* Animal que puede vivir dentro y fuera del agua. Los anfibios no beben agua sino que la absorben a través de la piel, por eso deben mantener su piel húmeda. *La rana y el sapo son anfibios.*

Historia de la palabra

La palabra **anfibio** viene de dos palabras griegas: *amphi* que significa "ambos" y *bíos* que significa "vida".

---

an·tro·po·lo·gí·a *f.* Ciencia que estudia al hombre y las culturas que éste ha creado.

a·pi·ñar·se *v.* Formarse un grupo muy apretado de personas, cosas o animales. *La gente se apiña en la acera para ver pasar a los corredores.*

a·por·tar *v.* Dar o poner algo; contribuir. *Los vecinos aportaron dinero para ayudar al anciano.*

a·pre·tar *v.* Estrechar algo contra el pecho, o con las manos o brazos. // **apretar el paso** *fr.* Apresurarse.

a·pu·rar·se *v.* **1.** Apresurarse, acelerarse. **2.** Preocuparse, agobiarse.

a·ra·lia *f.* Arbusto de hojas gruesas y pequeñas flores blancas.

a·ra·ña *f.* **1.** Animal de ocho patas que produce un hilo sedoso con el que teje una red pegajosa que sirve para atrapar insectos. **2.** Lámpara con piezas colgantes de cristal de diversos tamaños y formas.

ar·güen·de *m.* En México, enredo, chisme.

a·ris·to·cra·cia *f.* Grupo de personas con títulos de nobleza, como los duques, condes o barones.

ar·ma·di·llo *m.* Animal que tiene unas placas duras, parecidas a una armadura, que lo protegen cuando se acurruca formando una bola; cachicamo. Los armadillos viven en América Central y del Sur.

ar·mi·ño *m.* Pequeño mamífero carnívoro cuya piel es parda en verano y blanca en invierno, salvo la punta de la cola que siempre es negra.

a·rre·bu·jar·se *v.* Cubrirse lo más posible con ropa, una manta, una tela, etc.

ar·te·sa·ní·a *f.* Conjunto de los trabajos que se realizan con las manos y requieren una destreza particular. *La céramica y el bordado son trabajos de artesanía.*

artesanía

a·sig·nar *v.* Decidir que a alguien o algo se le dé cierta cosa. *Han asignado cien dólares para comprar libros.*

a·sig·na·tu·ra *f.* Cada una de las materias que se estudian en una escuela o universidad. *La asignatura preferida de Ana es historia.*

at·mós·fe·ra *f.* **1.** Capa de aire que rodea la Tierra. **2.** Todo lo que rodea a una persona o a una cosa; ambiente, medio.

a·tri·bu·to *m.* **1.** Algo que pertenece a una persona, animal o cosa; cualidad, propiedad. *El lenguaje es un atributo de las personas.* **2.** Palabra que, en la oración, expresa una cualidad del sujeto. *"Alto" es el atributo de la oración "Juan es alto".*

au·ro·ra *f.* **1.** Claridad que precede a la salida del Sol. **2.** Principio de algo. *La niñez es la aurora de la vida.*

aus·te·ro *adj.* Que sólo come, tiene o usa lo necesario, sin lujos. *Es un vestido muy austero pues no tiene ningún adorno.*

au·to·bio·grá·fi·co *adj.* Se dice de un relato de cosas que le han ocurrido al propio autor.

au·to·con·trol *m.* Capacidad de dominar los propios impulsos.

a·ven·tu·rar·se *v.* Hacer una cosa arriesgada o peligrosa. *Los exploradores se aventuraron a entrar en la cueva.*

a·vi·dez *f.* Ansia, codicia. *Tiene una gran avidez por la lectura pues lee y lee con entusiasmo.*

a·za·da *f.* Instrumento que sirve para remover la tierra.

a·zo·gue *m.* Metal líquido y plateado que se utiliza en los termómetros; mercurio.

a·zo·ra·do *adj.* Que está aturdido o avergonzado. *Los aplausos lo dejaron azorado y emocionado porque no esperaba tanto entusiasmo.*

a·zu·fre *m.* Elemento químico amarillo que arde con llama azul y produce un humo de olor fuerte y picante.

B

ba·gá *m.* Árbol de Cuba cuyos frutos come el ganado y cuyas raíces sirven para hacer corchos.

bal·dí·o *adj.* Se aplica a la tierra que no da frutos, no tiene vegetación o no es cultivable; estéril, yermo.

bam·bo·le·ar·se *v.* Moverse manteniendo un punto fijo; balancearse, oscilar.

ban·jo *m.* Instrumento musical parecido a la guitarra.

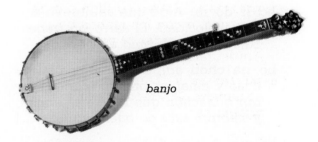

banjo

ban·que·ta *f.* **1.** Asiento bajo y sin respaldo; taburete, banquillo. **2.** En México, acera.

ba·rre·ni·llo *m.* **1.** Cualquiera de los insectos que agujerean la corteza de los árboles. **2.** Cosa en la que no se puede dejar de pensar; obsesión.

bas·to *adj.* Se dice de las personas y de las cosas rústicas, toscas o vulgares.

ba·ya *f.* Nombre dado a los frutos carnosos con semillas pequeñas, como la mora o la fresa.

be·ju·co *m.* Nombre dado a diferentes plantas tropicales de tallo largo y flexible. Se usan para hacer cestos, cuerdas, etc.

ber·me·llón *m.* Color rojo intenso.

bio·de·gra·da·ble *adj.* Se aplica a los materiales que se pudren y se deshacen por la acción del aire, el sol, el agua y con el paso del tiempo.

bi·sa·gra *f.* Pequeña pieza de metal que une una puerta o ventana con su marco haciendo posible su movimiento. *La puerta se fija al marco con dos bisagras.*

bo·de·gón *m.* **1.** Lugar donde antiguamente se servían comidas baratas; taberna, figón. **2.** Cuadro donde se representan frutas, verduras, piezas de caza o utensilios domésticos; naturaleza muerta.

bo·gar *v.* Remar o navegar.

bó·li·do *m.* Algo que se mueve a gran velocidad. *El carro sin frenos bajó la cuesta como un bólido.*

bo·na·chón *adj.* De carácter bondadoso y amable; bueno. *Mario es tan bonachón que nunca se enoja y siempre está de buen humor.*

bo·rra·dor *m.* **1.** Primera versión de un escrito que luego se va a revisar y corregir para obtener un texto final. **2.** Goma de borrar.

bra·ce·ro/ra *s.* Persona que trabaja en el campo mientras dura la tarea para la que ha sido contratada y que cobra por jornada trabajada; jornalero, peón.

Brooklyn *n.p.* Distrito de Nueva York. *La ciudad de Nueva York tiene cinco distritos: Manhattan, Brooklyn, Queens, Bronx y Staten Island.*

Brooklyn

bu·har·di·lla *f.* Habitación que está justo debajo del tejado; desván, ático.

C

ca·ba·lle·te *m.* Soporte con tres pies que, por lo general, se usa para sostener un tablero de dibujo o un cuadro.

ca·brio·la *f.* Salto que se da moviendo mucho el cuerpo o gesticulando; pirueta. *Resbaló en el hielo y cayó haciendo una cabriola.*

ca·ci·que *m. y f.* Jefe de algunas tribus indígenas de América.

ca·chi·ca·mo *m.* Mamífero sin dientes cubierto por unas placas duras que lo protegen cuando se acurruca; armadillo.

ca·den·cia *f.* Conjunto de sonidos, pasos o movimientos que se repiten de manera regular.

cai·mán *m.* Reptil parecido al cocodrilo que habita en los ríos y pantanos de América. Tiene el cuerpo alargado y recubierto de escamas, y un largo hocico con fuertes dientes.

ca·mión cis·ter·na *m.* Vehículo que sirve para transportar agua. *La estación de bomberos del pueblo tiene un camión cisterna.*

cam·pe·ro *adj.* Se dice de las cosas del campo. *Ordeñar las vacas, sembrar y cosechar son trabajos camperos.*

can·di·dez *f.* Característica de quien no tiene malicia y es fácil de engañar; candor, ingenuidad. *Su candidez era tal que se creía cualquier mentira.*

ca·pa·taz *m. y f.* Persona que dirige a un grupo de obreros, o que controla las actividades agrícolas.

ca·ram·bo·la *f.* Cosa que se consigue por suerte y no por habilidad o con esfuerzo. *Encontré la solución de la adivinanza de carambola porque dije algo sin pensar y acerté.*

car·dí·a·co *adj.* Que se refiere al corazón, como una enfermedad cardíaca.

car·ní·vo·ro *adj.* Que come carne. *El tigre es un animal carnívoro.*

cau·cho *m.* Sustancia elástica y resistente que se obtiene de varias plantas tropicales. Se utiliza para fabricar neumáticos, pegamentos, calzado (tacones y suela), etc. Actualmente se usa cada vez más el caucho sintético o artificial que se obtiene del petróleo.

cau·da·lo·so *adj.* Se dice del río o arroyo que tiene mucha agua. *El Amazonas es el río más caudaloso del mundo.*

cau·te·la *f.* Actitud de quien hace algo con cuidado para evitar daños o riesgos; precaución, prudencia. *Cuando llueve se debe manejar con cautela.*

cau·ti·vi·dad *f.* Situación de la persona o animal obligado por la fuerza a estar en un sitio, y particularmente en la cárcel o en una jaula; cautiverio. *Los animales del zoológico viven en cautividad.*

ca·vi·dad *f.* Espacio vacío; hueco. *Las cuevas son cavidades en las montañas.*

cen·dal *m.* Tela muy fina y transparente de seda o hilo.

cen·su·ra·ble *adj.* Que se puede juzgar como malo o no conveniente, que no se aprueba; condenable, reprochable. *Maltratar a los animales es algo muy censurable.*

clan·des·ti·no *adj.* Oculto o secreto. *Los ladrones se escondían en un refugio clandestino.*

clo·ro·for·mo *m.* Líquido de fuerte olor que sirve para anestesiar, es decir, quitar la sensibilidad a una persona.

co·li·brí *m.* Pájaro americano muy pequeño que chupa el jugo azucarado (néctar) de las flores; chupaflor, picaflor, rundún.

co·lo·ni·za·dor/do·ra *s.* Persona que se establece en un territorio o país distinto del suyo para trabajar en él, aprovechar sus recursos y, con frecuencia, conquistarlo.

com·bus·ti·ble fó·sil *m.* Combustible que se ha formado con los restos de plantas o animales que han estado enterrados durante millones de años. *El carbón es un combustible fósil que se usa en las fábricas y en las calderas de calefacción de las casas.*

com·bus·tión *f.* Acción de quemarse una cosa.

co·me·jén *m.* Hormiga blanca de zonas cálidas que roe y destruye la madera, el cuero, etc.; termes, termita, anay.

com·ple·men·ta·rio *adj.* Se aplica a lo que va unido, completa o añade algo a una cosa. *La letra y la música de una canción deben ser complementarias.*

con·go·ja *f.* Dolor, pena o preocupación muy fuertes; angustia, ansiedad, aflicción.

con·ser·var *v.* Defender contra algún daño o peligro de destrucción; proteger, cuidar.

con·to·ne·ar·se *v.* Andar moviendo los hombros y las caderas.

con·tra·tis·ta *m. y f.* Persona que construye algo o presta un servicio para otros después de haber llegado a un acuerdo sobre precios y condiciones de trabajo.

co·ra·je *m.* **1.** Actitud valiente y decidida con que se hace algo difícil o peligroso. **2.** Enojo muy fuerte; cólera, ira.

cor·te·jo *m.* Grupo de personas que acompañan a un rey o a alguien importante; comitiva.

cos·tal *m.* Bolsa grande que suele llevarse a la espalda; saco.

co·yo·te *m.* Lobo de Estados Unidos, México y América Central.

crus·tá·ce·o *m.* Nombre dado a los animales acuáticos que, como las langostas y los camarones, tienen dos pares de antenas, el cuerpo cubierto por un carapacho y pinzas en algunas patas.

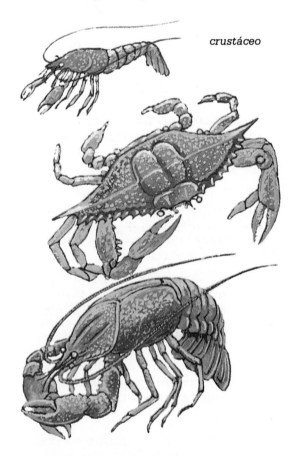

crustáceo

cua·tro *m.* Pequeña guitarra de cuatro cuerdas.

cu·bil *m.* Lugar protegido, por ejemplo una cueva, donde viven ciertos animales; guarida.

cu·ño *m.* **1.** Objeto con que se imprime un diseño; troquel, sello. **2.** Dibujo o palabras que se imprimen con un sello. *En la caja había un cuño que decía: "Frágil".*

CH

cha·ca·re·ra *f.* Música y baile de Argentina.

cha·rol *m.* **1.** Barniz brillante que se pega muy bien a los materiales. **2.** Cuero barnizado con charol.

Historia de la palabra

La palabra **charol** viene del chino *cat-liao*. Los chinos inventaron el charol y los portugueses lo llevaron a Europa con el nombre de *charao*.

---

chas·que·ar *v.* **1.** Hacer un ruido especial separando la lengua del paladar; chascar. **2.** Hacer un ruido parecido al del látigo o al de la madera seca cuando se quiebra.

cho·za *f.* Casa pequeña con techo de ramas y paja. *El pueblito era tan pequeño que sólo había un grupo de chozas.*

D

dar·se ai·res *fr.* Darse importancia, presumir, jactarse. *Nunca ganó una carrera, pero se daba aires de gran campeón.*

de·ri·va *f.* Desviación de un barco de su camino. *Una nave va a la deriva cuando flota sin control, empujada por el viento o las olas.*

de·sa·fo·ra·do *adj.* Se dice de lo que es muy exagerado, o no tiene ni control ni medida; desenfrenado, desmedido. *Sus gritos desaforados me asombraron.*

des·con·cer·ta·do *adj.* Se dice de quien no sabe qué hacer o decir ante algo; desorientado. *La acusación lo dejó desconcertado.*

de·se·cha·ble *adj.* Que se usa una vez y se tira a la basura, como vasos y platos de papel; descartable.

des·pis·tar *v.* Hacer perder la pista; desorientar.

di·fun·dir·se *v.* Propagarse o divulgarse noticias, modas, conocimientos o costumbres. *La necesidad de reciclar papel, vidrio y otros materiales ha comenzado a difundirse por todo el mundo.*

di·nas·tí·a *f.* Serie de reyes que pertenecen a la misma familia.

dugout En inglés, significa lugar donde se sientan los miembros de un equipo que no están jugando en la cancha; foso o banquillo.

E

e·cua·to·rial *adj.* Del ecuador, la línea imaginaria que divide a la Tierra en dos partes iguales: el hemisferio norte y el hemisferio sur.

e·di·ción *f.* **1.** Acción de imprimir libros, diarios, grabados, etc.; publicación. **2.** Conjunto de todos los libros, diarios, etc., que se imprimen de una vez; tirada.

e·di·to·rial 1. *f.* Empresa que se dedica a publicar libros, mapas, grabados, etc. **2.** *m.* Artículo que aparece en un lugar fijo de un periódico; artículo de fondo.

e·dre·dón *m.* Cobertor o colcha rellena de plumón.

e·la·bo·ra·do *adj.* Que ha sido hecho con mucho trabajo y detalles. *La decoración del pastel de cumpleaños es muy elaborada, pues tiene muñecos y flores hechos a mano.*

en·ca·bu·lla·do *adj.* Envuelto o forrado con cabuya, hilo o cuerda de pita; encabuyado.

en·sal·mo *m.* Frase y todo lo que un brujo o hechicero hace para curar una enfermedad u obtener algo mágicamente.

en·tor·no *m.* Territorio situado alrededor de algo; alrededores, inmediaciones.

e·qui·va·len·te *adj.* Se aplica a lo que tiene el mismo valor que otra cosa. *Un dólar es equivalente a cien centavos.*

er·mi·ta *f.* Iglesia pequeña situada en el campo.

es·ca·ma *f.* Lámina pequeña y dura que cubre el cuerpo de los peces y reptiles.

escama

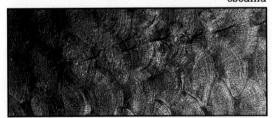

es·car·pa·do *adj.* Que tiene mucha pendiente, muy inclinado; empinado. *No pudimos trepar la montaña porque es muy escarpada.*

es·ce·na·rio *m.* **1.** Lugar donde se representa una obra de teatro. **2.** Lugar donde ocurre un hecho. *La ciudad fue el escenario de una gran fiesta con banda de música y baile.*

es·for·zar·se *v.* Hacer esfuerzos. *Después de las 8 de la noche, Ana tiene que esforzarse para no quedarse dormida.*

es·me·ral·da 1. *f.* Piedra preciosa de color verde. **2.** *m.* Color verde intenso.

es·ta·ble *adj.* Se dice de lo que no cambia; constante, permanente.

es·ta·blo *m.* Lugar cubierto donde se encierra el ganado.

es·ta·ño *m.* Metal que se funde fácilmente y se usa para recubrir diversos objetos.

es·te·ra *f.* Tejido grueso de junco, esparto o palma que se usa para cubrir el suelo de las habitaciones.

es·tro·pe·ar *v.* Maltratar o deteriorar algo. *A los libros hay que tratarlos con mucho cuidado para no estropearlos.*

e·ti·que·ta *f.* Trozo de papel, plástico, etc., que se sujeta a un objeto y proporciona alguna información sobre éste; letrero, rótulo, marbete.

ex·cluir *v.* No poner una cosa en un conjunto o sacarla del conjunto a que pertenece; apartar o eliminar. *Lo excluimos de la lista de invitados porque no podía venir.*

ex·por·tar *v.* Enviar productos a otro país o territorio.

ex·tin·ción *f.* **1.** Acción de apagar un fuego. **2.** Desaparición o destrucción completa de algo, como la extinción de los dinosaurios.

F

fac·tu·ra *f.* Cuenta. *Todos los meses hay que pagar la factura de la luz y del teléfono.*

fa·e·na *f.* Actividad que se hace con esfuerzo, y en especial, actividad agrícola; quehacer, tarea.

fau·na *f.* Animales que viven en una región o lugar. *La fauna de África es muy variada: leones, elefantes, cocodrilos, monos, serpientes y muchos animales más.*

fiel·men·te *adv.* **1.** Con sinceridad y cumpliendo con lo prometido; lealmente. *Los amigos se tratan fielmente.* **2.** Sin alterar los hechos, respetando la verdad; exactamente. *En el informe se narraba fielmente lo ocurrido.*

fla·que·ar *v.* Ir perdiendo la fuerza; debilitarse.

flo·ra *f.* Plantas que crecen en una región o lugar. *La flora de la selva tropical abarca desde árboles enormes como la ceiba hasta flores tan delicadas como la orquídea.*

fric·ción *f.* Acción de pasar la mano o una tela con fuerza y repetidas veces por un lugar. *Una fricción con lejía quitará la mancha.*

fron·do·so *adj.* Con muchas hojas y ramas, con mucha vegetación.

G

ga·la·xia *f.* Conjunto de millones de estrellas. *La Vía Láctea es la galaxia en que se encuentra la Tierra.*

gal·go *m.* Perro de caza muy delgado y rápido.

gal·va·ni·za·do *adj.* Se dice de un metal recubierto por una capa de otro metal.

ga·ran·ti·zar *v.* Decir que una cosa es cierta y segura o hacer que lo sea. *No lo dudes, te garantizo que iré.*

ga·vi·lán *m.* Ave de presa parecida al halcón. Se alimenta de pájaros, conejos y otros animales pequeños.

ge·ne·rar *v.* Producir una cosa; engendrar. *El fuego genera calor.*

graz·nar *v.* Producir su voz el cuervo, el pato y otros animales que la tienen parecida.

gro·se·lla *f.* Fruta parecida a la mora, de sabor agridulce y color rojo fuerte.

flora

ha·bi·tual *adj.* Que ocurre siempre o casi siempre; ordinario, usual. *Lo habitual es abrigarse cuando hace frío.*

ha·ra·po *m.* Ropa vieja y rota; andrajo.

hec·tá·re·a *f.* Medida de superficie equivalente a diez mil metros cuadrados.

hi·ber·nar *v.* Dormir durante todo el invierno. *Las marmotas y los mapaches hibernan, es decir, pasan el invierno profundamente dormidos.*

his·té·ri·ca·men·te *adv.* Con convulsiones, gritos y llanto.

ho·llín *m.* Sustancia negra y pastosa que forma el humo en paredes y objetos; tizne.

hos·pi·ta·la·rio *adj.* Se dice de las personas que atienden amablemente a los extraños y necesitados, y de los lugares donde éstos se sienten a gusto; acogedor.

hos·ti·li·dad *f.* Actitud de quien es enemigo de alguien o no es amable ni amistoso con alguien.

hua·cal *m.* **1.** Árbol cuyo fruto se usa para hacer vasijas. **2.** Cesta o caja de madera que sirve para transportar cosas; guaca, guacal.

hu·mi·lla·ción *f.* Sensación que experimenta una persona cuando no se la trata como merece, cuando se la rebaja o cuando se la ofende; afrenta.

i·den·ti·fi·car *v.* Reconocer lo que una persona, animal, planta o cosa es. *Identificó al animal que se comió las gallinas: era un zorro.*

im·per·ti·nen·te *adj.* Se dice de las personas que no respetan a los demás y de sus frases o actitudes; insolente. *Era un joven impertinente que criticaba a todo el mundo.*

im·por·tu·nar *v.* Molestar. *En la biblioteca, hay que estar en silencio para no importunar a las personas que leen.*

i·nau·gu·rar *v.* Iniciar una actividad o abrir un negocio. *Se inauguró una exposición de fotografías en el museo.*

in·crus·tar·se *v.* Meterse una cosa en otra quedando bien sujeta. *La flecha se incrustó en el árbol.*

in·cu·bar *v.* Calentar las aves los huevos mientras se forman dentro los polluelos, o calentarlos artificialmente.

in·ha·lar *v.* Introducirse un gas o un líquido por la nariz; aspirar.

in·so·len·te *adj.* Se dice del que trata a los demás sin respeto, y de lo que dice y hace; impertinente o arrogante.

ins·pi·ra·ción *f.* **1.** Acción de introducirse aire en los pulmones; aspiración. **2.** Estado muy favorable para la creación artística. *Escribió el poema en un momento de inspiración.*

ins·tin·ti·va·men·te *adv.* De manera automática o espontánea, sin reflexionar. *Apartamos instintivamente la mano del fuego.*

in·ten·si·fi·car *v.* Aumentar el trabajo, color, sonido, fuerza o atención. *El pintor agregó más pintura azul para intensificar el color del cielo.*

in·ti·mi·dar *v.* Provocar en alguien miedo o un respeto excesivo; acobardar, atemorizar. *No se atrevió a hablar porque el público lo intimidaba.*

in·tri·gar *v.* Provocar curiosidad. *La novela de misterio me intrigó tanto que la leí sin hacer ninguna pausa.*

i·ra *f.* Enojo muy fuerte, actitud muy violenta; cólera, furia, rabia.

i·ri·dis·cen·te *adj.* Con reflejos y brillos parecidos a los colores del arco iris; irisado.

J

ja·de *m.* Piedra muy dura, blanca o verdosa con manchas rojizas, utilizada para hacer joyas.

jade

ja·de·ar *v.* Respirar con dificultad por cansancio o enfermedad.

ja·guar *m.* Felino más grande de América, tiene pelaje dorado con manchas negras. Se alimenta de animales que caza en los bosques.

jar·di·ne·ro cor·to *m.* Posición de un jugador de béisbol en el campo de juego.

ju·ra·do *m.* **1.** Grupo de personas que, en un juicio, deciden si el acusado es culpable o inocente. **2.** Grupo de personas que deciden quién es el ganador de un concurso.

K

Ku Klux Klan *n.p.* Organización secreta de Estados Unidos que proclama la superioridad de la raza blanca y defiende la segregación racial.

L

la·brar *v.* **1.** Trabajar la madera, el cuero o algún metal para hacer figuras o adornos. **2.** Cultivar la tierra.

le·cho *m.* **1.** Cama. **2.** Fondo del mar, un río o un lago.

le·chu·za *f.* Ave nocturna de cara redonda y plana, pico corto y grandes ojos que pueden ver en la oscuridad. Se alimenta de ratones y otros animalitos que caza de noche.

le·o·par·do *m.* Felino grande, por lo general de piel amarilla con manchas negras en forma de círculo. Algunos son negros y se les llama panteras. Se alimentan de ciervos, cabras y otros animales. Viven en África y en Asia.

leopardo

le·sio·nar *v.* Causar un daño físico o una herida. *La patada lo lesionó y tuvo que quedarse en reposo por una semana.*

le·tar·go *m.* Situación de quien está medio dormido o no consigue despertar del todo; sopor.

le·ve *adj.* Se aplica a lo que tiene poco peso o poca fuerza; ligero, liviano. *Después de la tormenta, vino la calma y el viento fuerte se transformó en una brisa leve.*

lia·na *f.* Nombre de diferentes enredaderas de las selvas tropicales.

li·bar *v.* Chupar el jugo azucarado o néctar de las flores. *Las abejas liban el néctar de las flores.*

li·be·rar *v.* **1.** Dejar libre a quien estaba preso u oprimido; libertar. **2.** Dejar a alguien sin una preocupación o una obligación; librar.

lien·zo *m.* **1.** Tela gruesa de algodón o de lino. *El artista pinta sobre el lienzo.* **2.** Cuadro. *Fuimos a ver una exposición de lienzos pintados por niños.*

li·la **1.** *f.* Arbusto cuyas flores son de color morado claro. **2.** *m.* Color como el de esas flores; malva.

li·mi·tar *v.* **1.** Indicar dónde acaba una cosa y empieza otra; delimitar, deslindar. **2.** Reducir, restringir. *Tenemos que limitar los gastos porque tenemos poco dinero.* **3.** Tener un país o territorio frontera con otro. *México limita al norte con los Estados Unidos.*

li·na·je *m.* Conjunto de los antepasados y descendientes de una persona.

li·te·ra·tu·ra *f.* Arte que se expresa por medio de la palabra hablada o escrita.

lo·mo *m.* **1.** Parte superior del cuerpo de los animales o zona de los riñones. *En el lomo del caballo se coloca la silla de montar.*

lo·za *f.* **1.** Barro cocido y barnizado. **2.** Conjunto de platos, tazas, jarras, etc., hechos con ese material.

lú·gu·bre *adj.* Se aplica a las personas, conversaciones y cosas tristes. *Por lo general, las casas abandonadas son lúgubres y dan un poco de miedo.*

ma·dri·gue·ra *f.* Guarida o cueva de animales.

ma·la·qui·ta *f.* Mineral verdoso que se utiliza para decorar muebles y otros objetos.

ma·le·za *f.* **1.** Hierba que daña los cultivos. **2.** Conjunto denso de hierbas y arbustos; espesura, matorral.

ma·mí·fe·ro *m.* Animal que tiene columna vertebral y se alimenta con leche materna cuando es cachorro o cría.

ma·nual 1. *adj.* Hecho o usado con las manos. **2.** *m.* Libro breve, en particular los que contienen las instrucciones para el uso de algo.

ma·nus·cri·to 1. *adj.* Que está escrito a mano. **2.** *m.* Documento o libro escrito a mano.

ma·pa·che *m.* Animal mamífero de pelo gris y hocico blanco con una mancha negra sobre los ojos.

mar·fil *m.* Materia de los dientes o colmillos de algunos animales. Las mayores piezas de marfil provienen de los elefantes y se utilizan para hacer adornos, teclas de piano y joyas.

ma·tra·que·ar *v.* Hacer ruido con la matraca o hacer cualquier ruido molesto. *La puerta quedó mal cerrada y no dejó de matraquear durante toda la noche.*

ma·tri·cu·lar·se *v.* Inscribirse en una escuela o universidad.

me·dio am·bien·te *m.* El suelo, el aire, el agua y todas las demás cosas que rodean a una persona, animal o planta.

me·lan·có·li·co *adj.* Que siente tristeza. *Se sentía melancólico cada vez que recordaba a sus amigos de la infancia.*

me·lla *f.* **1.** Pequeña rotura en el borde de un objeto, como un plato o taza. **2.** Pequeño hueco dejado por algo que falta, como un diente que se cae. // **hacer mella** *fr.* Producir una fuerte impresión.

men·cio·nar *v.* Nombrar una persona, cosa o asunto en una conversación o en un discurso. *Entre sus amigos mencionó a Sonia y a Juan.*

me·tro *m.* Tren subterráneo.

mez·qui·ta *f.* Templo de los musulmanes.

mi·cros·co·pio *m.* Aparato que sirve para observar objetos o detalles muy pequeños que no se pueden ver a simple vista.

mi·jo *m.* Planta originaria de la India, de tallo hueco y flores en espigas cuyas semillas se comen.

mi·lon·ga *f.* Música y baile tradicional de la Argentina.

mio·pe *adj.* Se dice de los ojos y las personas que tienen dificultades para ver las cosas lejanas; corto de vista.

mi·sión *f.* **1.** Tarea o encargo; trabajo. *La misión del maestro es enseñar.* **2.** Viaje que hacen los religiosos para predicar y el lugar donde viven o predican.

mi·to *m.* Tradición o leyenda fantástica basada en dioses y héroes, o en un hecho real.

mo·cho *adj.* **1.** Que se ha quedado sin punta, y en especial sin cuernos, como un buey o carnero mocho. **2.** Que tiene errores; incorrecto, defectuoso.

mo·li·ni·llo *m.* **1.** Máquina pequeña que sirve para moler. *En la cocina hay dos molinillos: uno de café y otro de pimienta.* **2.** Juguete de papel que gira con el viento.

mo·rro·coy *m.* Tortuga grande de carapacho oscuro con cuadros amarillos.

mu·che·dum·bre *f.* Reunión de muchas personas, animales o cosas; multitud.

muchedumbre

mur·mu·rar *v.* **1.** Producir un ruido muy suave, como el de la brisa, o hablar muy bajo; susurrar. **2.** Hablar mal de alguien.

mus·go *m.* Nombre de diferentes tipos de plantas muy pequeñas que crecen sobre las piedras, los árboles o el suelo, en lugares húmedos y a la sombra.

mus·tio *adj.* Se aplica a las plantas resecas y a las cosas que han perdido su belleza o no tienen ni gracia ni colorido. *No llovía y los rosales estaban mustios.*

mu·tua·men·te *adv.* El uno al otro; recíprocamente. *Los niños se dieron regalos mutuamente.*

neu·má·ti·co **1.** *m.* Tubo de goma lleno de aire que sirve de llanta a las ruedas del coche, bicicleta, etc. **2.** *adj.* Se dice de los aparatos o máquinas que funcionan con aire.

neu·ras·té·ni·co *adj.* Se dice de la persona que tiene una enfermedad nerviosa llamada neurastenia o, en general, de la persona muy nerviosa.

Historia de la palabra

La palabra **neurasténico** viene de dos palabras griegas: *neuron* que significa ''nervio'' y *asthéneia* que significa ''debilidad''.

---

ni·da·da *f.* Conjunto de los huevos o de las crías de pájaro en el nido; nido.

ni·tró·ge·no *m.* Gas transparente, sin sabor ni olor. Forma la mayor parte del aire.

no·gal *m.* Árbol de las nueces. La madera de nogal se usa para hacer muebles.

nue·va *f.* Información de un suceso; noticia.

ob·se·quiar *v.* Regalar. *Para el cumpleaños de Marcos le obsequiaron un bate de béisbol.*

ob·ser·va·to·rio *m.* Lugar preparado para hacer observaciones, en particular de los astros y del clima. *En el observatorio hay un telescopio para mirar las estrellas.*

ol·fa·to *m.* Sentido con el que se perciben los olores. *Hay perros que tienen muy buen olfato, como los perros policías o los perros de caza.*

óm·ni·bus *m.* Automóvil grande para el transporte de personas; autobús, guagua, colectivo, camión.

o·pí·pa·ra·men·te *adv.* De manera abundante y satisfactoria. *Comimos opíparamente.*

o·po·nen·te *adj.* Se dice de quien tiene una opinión o actitud contraria a la de otro. *Los republicanos y los demócratas son los partidos políticos oponentes en los Estados Unidos.*

o·por·tu·no *adj.* Se dice de lo que produce un buen efecto o de lo que es bueno en una ocasión particular; adecuado, conveniente.

óp·ti·mo *adj.* Buenísimo, inmejorable. *Siempre fue un buen jugador de tenis, pero este año juega tan bien, que su nivel es óptimo.*

o·ral *adj.* Hablado, verbal. *La tradición oral es el conjunto de creencias y costumbres que se pasan de padres a hijos por medio de la palabra hablada.*

or·de·ñar *v.* Extraer leche de vacas, ovejas, cabras, etc.

or·ga·nis·mo *m.* Ser vivo. *Los animales y plantas son organismos.*

o·rien·tal 1. *adj.* Del este u oriente. *La Florida está en la parte oriental de los Estados Unidos.* **2.** De la región de Asia llamada "Lejano Oriente", donde se hallan Japón, China, Vietnam.

Historia de la palabra

La palabra **oriental** viene de la palabra latina *oriens* que significa "que está saliendo". Se refiere a que el Sol sale por el oriente.

---

o·ri·gen *m.* Principio o nacimiento de algo.

o·ri·gi·nal *adj.* **1.** Del principio; inicial. *El plan original era viajar a Texas, pero cambiamos de idea y fuimos a California.* **2.** Que no es copia de otra cosa, que es nuevo y diferente, como un cuadro o una película fuera de lo común. **3.** *m.* Escrito que se envía a la imprenta para realizar su impresión. *El original de un libro, por lo general, se escribe con la computadora o con una máquina de escribir.*

o·ron·do *adj.* Contento consigo mismo; satisfecho, ufano. *A pesar de que dijo una tontería se quedó muy orondo.*

os·ci·lar *v.* Moverse teniendo un punto de sostén o punto fijo, como el columpio; balancearse, bambolearse.

ó·xi·do *m.* Materia producida por el encuentro del oxígeno con un metal u otro elemento, y en particular, capa de color amarillento que se forma sobre los metales expuestos al aire o a la humedad.

o·xí·ge·no *m.* Gas que se encuentra en el aire y es esencial para la respiración. *El oxígeno es indispensable para la vida de las personas y los animales.*

o·zo·no *m.* Gas que forma una capa de protección contra los peligrosos rayos ultravioletas del Sol. La capa de ozono impide que estos rayos lleguen a la Tierra.

pa·de·cer *v.* Soportar una enfermedad, una preocupación o cualquier problema; sufrir.

pa·le·ta *f.* **1.** Tabla de forma ovalada o rectangular en la que se ponen y mezclan las pinturas. *El pintor tiene en una mano el pincel y en la otra la paleta.* **2.** En México, caramelo que se sostiene con un palito.

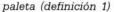

paleta (definición 1)

pal·par *v.* **1.** Tocar algo con la mano o los dedos para examinarlo. *Palpé el muro buscando la grieta.* **2.** Notar claramente algo no material, como un sentimiento. *Era un día de fiesta y la alegría se palpaba en las calles, pues la gente sonreía y hacía bromas.*

pa·ra·je *m.* Lugar, por lo general en el campo. *Al otro lado de las montañas hay un paraje muy bello, es un prado con flores amarillas y violetas.*

pa·rá·si·to *m.* Animal o planta que se alimenta a costa de otro ser vivo. *La pulga es un parásito de los animales.*

par·lan·te *adj.* Que habla. *Le regalaron un muñeco parlante con voz de niño.*

pa·rra *f.* Planta de la uva que crece subiendo por los muros o enredada en vigas y alambradas; vid.

pas·ma·do *adj.* Sin saber qué hacer o qué decir, atontado; asombrado, atónito o estupefacto.

pas·to *m.* **1.** Hierba que come el ganado o prado donde pasta el ganado. **2.** En algunos países, grama o césped.

pa·ta·ta *f.* En España, papa.

pa·tra·ña *f.* Mentira, especialmente cuando es muy complicada o está muy elaborada; embuste.

pa·triar·ca *m.* Jefe u hombre que por su edad y sabiduría es el más respetado en una familia o en una comunidad.

pau·jí *m.* Ave parecida al pavo, negra con manchas blancas. Tiene en el pico, un gran bulto azulado casi tan grande como la cabeza.

pa·vo·ne·ar·se *v.* Hacer ostentación, mostrarse orgulloso.

pedigree *m.* En inglés, significa serie de los antepasados de un perro u otro animal de raza.

pe·na·cho *m.* **1.** Grupo de plumas que algunas aves tienen en la cabeza. **2.** Adorno de plumas que se lleva en la cabeza.

pen·dien·te 1. *adj.* Que está por resolverse. *Todavía no se ha hecho el nuevo parque, es un asunto pendiente.* **2.** *f.* Inclinación del terreno; cuesta. *Fue muy agotador trepar la pendiente.* **3.** *m.* Arete o joya que se lleva en las orejas.

pendiente (definición 2)

per·fec·cio·nar *v.* Mejorar una cosa. *El escritor pasaba horas perfeccionando lo que escribía, es decir, corrigiendo y mejorando el texto.*

per·sis·ten·te *adj.* **1.** Que dura mucho, que se mantiene; prolongado. *La persistente nevada duró toda la noche.* **2.** Que conserva una idea o una actitud; perseverante, tenaz, obstinado.

pe·ti·rro·jo *m.* Pájaro de color oscuro que tiene el pecho, la frente y el cuello muy rojos.

pe·zu·ña *f.* Mano o pie de los animales con uñas, como el tigre, o con cascos, como el caballo.

pi·no·cha *f.* Hoja de pino. Las hojas de pino tienen forma de aguja y son perennes, es decir que no se caen cuando llega el invierno.

pi·ti·rre *m.* Pájaro de color oscuro, algo más pequeño que el gorrión y de cola más larga.

piz·car *v.* En México y el suroeste de los Estados Unidos, recoger los frutos de la tierra; cosechar, recolectar.

plas·mar *v.* **1.** Modelar una cosa. *Plasmó una figura de arcilla.* **2.** Dar una forma material a un sueño o idea. *En su cuadro, el pintor logró plasmar la bondad del anciano.*

plu·món *m.* Pluma muy suave, como la que tienen las crías de los pájaros. Se usa para rellenar almohadas y cojines.

po·ción *f.* Bebida medicinal; pócima.

po·len *m.* Polvo amarillo de las flores. Está formado por las células masculinas de las plantas con flores. Fertiliza las células femeninas para que éstas formen las semillas.

po·li·zón *m.* Persona que se embarca sin pagar y viaja oculta en un avión o en un barco.

por·che *m.* Entrada de la casa; terraza.

por un quí·ta·me a·llá es·ta pa·ja *fr.* Sin un motivo importante, por una tontería. *Se enfadó por un quítame allá esta paja.*

po·se·sión *f.* Cosa que se tiene o posee; propiedad, bien.

Po·to·sí *n.p.* Ciudad de Bolivia al pie del cerro de Potosí, célebre por sus riquezas minerales de plata y estaño. // **valer un Potosí** *fr.* Ser muy valioso. *Ese libro es muy bueno, vale un Potosí.*

pre·ci·pi·tar·se *v.* Arrojarse, lanzarse, abalanzarse. *El pájaro vio un pez y se precipitó al agua para atraparlo.*

pre·gón *m.* Anuncio hecho a gritos por la calle para ofrecer algún producto. *A la mañana temprano escuchábamos el pregón del verdulero.*

pre·jui·cio *m.* Idea o creencia que se tiene sobre una cosa antes de conocerla. *Suponer que todos los mexicanos tienen bigote es un prejuicio.*

pro·di·gio·so *adj.* Se aplica a las cosas extraordinarias que no tienen explicación, y a lo que es maravilloso e impresionante; milagroso. *Fue algo prodigioso: la rana se convirtió en príncipe.*

pro·fe·cí·a *f.* Anuncio de algo que va a ocurrir; predicción, pronóstico, vaticinio.

pro·ve·nir *v.* Tener su origen en un lugar o estar causado por algo; proceder, venir. *Este viento proviene del norte.*

pro·ver·bio *m.* Frase que expresa un pensamiento; dicho, sentencia, refrán. *"Quien mucho abarca poco aprieta" es un proverbio muy conocido.*

pro·vi·sio·nal *adj.* Que no es para siempre, que será reemplazado. *Mi hermana es una empleada provisonal porque sólo trabaja durante las vacaciones de la escuela.*

pru·den·te·men·te *adv.* De manera moderada, que evita los peligros y no dice ni hace nada que moleste a los demás.

pu·bli·ca·do *adj.* Algo escrito que ha sido impreso y puesto a la venta, como un libro o un periódico.

que·re·que·té *m.* Pájaro de color pardo y alas negras que al atardecer sale en busca de insectos para alimentarse. Estos pájaros viven en América del Norte, Puerto Rico, Jamaica y Cuba. Son pájaros migratorios porque cuando llega el invierno en el norte viajan a las Antillas en busca de calor. Su nombre se debe al parecido que tiene su grito con las sílabas que-re-que-té.

quios·co *m.* **1.** Pequeña construcción techada que se levanta en parques y plazas donde suele tocar una banda de música o realizarse alguna otra actividad; templete. **2.** Pequeña construcción donde se venden diarios o refrescos.

Historia de la palabra

La palabra **quiosco** viene del turco *kyosk* que significa "casita de recreo" o "pabellón".

R

ra·dio·trans·mi·sor *m.* Aparato que se emplea para enviar señales y sonidos.

ras·tre·ar *v.* Seguir las huellas de alguien o algo; buscar, seguir.

ra·zo·na·dor *adj.* Que piensa o reflexiona.

re·bo·san·te *adj.* Desbordante, lleno. *Carmen está rebosante de alegría porque ganó el concurso de dibujo.*

re·cal·car *v.* Insistir mucho en una cosa, destacar una idea; subrayar, acentuar. *Para recalcar la respuesta, el maestro la escribió en el pizarrón.*

re·cep·tor *m.* Aparato que recibe señales, como sonidos o imágenes. *La radio y la televisión son receptores.*

re·co·ve·co *m.* **1.** Vuelta o curva en una calle o un pasillo. *El recorrido del tren que va por las montañas está lleno de recovecos.* **2.** Sitio escondido; rincón.

re·frán *m.* Proverbio o dicho.

re·gu·lar **1.** *v.* Hacer que algo se sujete a ciertas reglas; controlar. *El semáforo regula el tráfico en los cruces de las calles.* *adj.* **2.** Que ocurre o se hace de forma ordenada, o que no tiene variaciones. **3.** Ni muy malo ni muy bueno, ni muy grande ni muy pequeño.

re·hu·sar *v.* **1.** No aceptar algo; rechazar. *Rehusó el regalo que le ofrecían.* **2.** No dar lo que se pide; negar.

re·li·quia *f.* Resto de algo que ha desaparecido o de un acontecimiento pasado. *Las pirámides aztecas son una reliquia del pasado.*

re·mon·tar·se *v.* Subir por el aire. *Las águilas se remontaron hasta la cima de la montaña.*

re·mo·to *adj.* A mucha distancia de un lugar o de un momento; distante, lejano.

ren·que·an·te *adj.* Que camina cojeando. *El perro se golpeó la pata y ahora camina renqueante.*

re·sig·nar·se *v.* Aceptar algo que no se puede cambiar; conformarse. *La familia de Tina se mudó y ella tuvo que resignarse a cambiar de escuela.*

res·plan·dor *m.* Luz o brillo muy fuerte. *En la noche oscura sólo se veía el resplandor de la hoguera.*

reu·ma *m.* Enfermedad que provoca dolores en los músculos y los huesos.

re·za·ga·do *adj.* Que se ha quedado atrás. *El ciclista se cansó, quedó rezagado y llegó último.*

ro·ble *m.* Árbol muy alto cuyo fruto es la bellota. La madera de roble es muy dura y se usa para hacer muebles y barcos.

ro·e·dor *m.* Mamífero que roe, es decir, raspa con los dientes todo lo que come. *La rata, el conejo y la ardilla son roedores.*

roedor

S

sa·ba·ne·ro *adj.* De la sabana, gran llanura sin árboles.

sa·bi·du·rí·a *f.* **1.** Conjunto de conocimientos; ciencia, saber. **2.** Cualidad de las personas que saben mucho o tienen mucha experiencia.

sa·mán *m.* Árbol americano de gran tamaño.

san·tua·rio *m.* **1.** Iglesia o templo. **2.** Lugar donde una persona o animal no corre peligro.

sar·ga·zo *m.* Alga de los mares cálidos.

sa·té·li·te *m.* **1.** Astro sin luz propia que gira alrededor de un planeta. *La Luna es el satélite de la Tierra.* **2.** Nave espacial que se mueve alrededor de la Tierra u otros cuerpos en el espacio. *Los satélites se usan para pronosticar el clima.*

sa·to *adj.* En Puerto Rico y Cuba, perro que no pertenece a ninguna raza especial; callejero.

sau·qui·llo *m.* Arbusto de flores blancas.

se·gre·ga·ción *f.* Acción de separar una cosa del conjunto en el que estaba. // **segregación racial** Conjunto de leyes y costumbres por las que se le niegan ciertos derechos a un grupo racial.

se·to *m.* Conjunto de plantas colocadas y cortadas formando una especie de pared.

si·gi·lo·sa·men·te *adv.* Sin que se note, sin hacer ruido. *El gato entró sigilosamente y nadie se dio cuenta.*

sím·bo·lo *m.* Imagen o figura que representa algo. *La paloma es el símbolo de la paz.*

sin·té·ti·co *adj.* **1.** Se dice de un resumen que contiene las ideas más importantes, sin ningún detalle. *No me lo cuentes todo, sólo quiero una descripción sintética.* **2.** Se dice de los productos artificiales que se parecen o sustituyen a los naturales. *Las telas sintéticas que más se usan son: el nylon, el rayón y el polyester.*

so·ga *f.* Cuerda gruesa. *El paquete está atado con una soga.*

sub·sue·lo *m.* Terreno que está debajo del suelo. *El metro va por el subsuelo de la ciudad.*

su·mi·do *adj.* Hundido o sumergido. *Sumido en las profundidades marinas.*

sur·co *m.* Corte abierto en la tierra con un arado.

T

ta·bu·re·te *m.* Asiento sin respaldo; banqueta.

ta·lar *v.* Cortar árboles.

ta·len·to *m.* **1.** Inteligencia, entendimiento. **2.** Habilidad para hacer una cosa; destreza, aptitud.

tan·go *m.* Canto y baile de Argentina.

ta·pa·ra *f.* Vasija hecha con el fruto seco y vaciado de un árbol que se llama taparo o calabacero.

ta·pir *m.* Mamífero de la India y Sudamérica que tiene una pequeña trompa.

ta·tuar *v.* Hacer dibujos en la piel de alguien.

te·dio *m.* Falta de interés o entusiasmo; aburrimiento.

tin·ti·ne·o *m.* Sonido como el de una campanilla.

tipi *m.* Tienda de campaña en forma de cono hecha con palos y pieles de animales. Los tipis eran las casas de los indios norteamericanos de las praderas.

tipi

tí·pi·co *adj.* Propio o característico de alguien o algo, se aplica con frecuencia a costumbres y tradiciones. *La hamburguesa es una comida típica de Estados Unidos.*

tla·cua·che *m.* Pequeño mamífero americano cuyas hembras tienen una bolsa en el abdomen donde llevan a las crías; zarigüeya.

to·mar el pe·lo *fr.* Burlarse o reírse de alguien.

to·rren·te *m.* Corriente de aguas agitadas y, en particular, las formadas por la lluvia o el deshielo.

tra·di·ción *f.* Conjunto de las costumbres, ideas y creaciones artísticas de un pueblo que pasan de una generación a otra.

tran·ví·a *m.* Vehículo eléctrico para el transporte de personas en las ciudades que se desplaza sobre rieles.

tras·hu·man·te *adj.* Se dice del ganado y los pastores que se trasladan desde los pastos de verano a los de invierno y viceversa.

tri·bal *adj.* De la tribu. Una tribu es un grupo de familias o pueblos que tienen los mismos antepasados y las mismas costumbres.

tu·le *m.* Planta de tallo rígido, lisa y sin hojas que se cría en zonas húmedas; junco, cayumbo.

U

um·bral *m.* **1.** Parte inferior de una puerta. **2.** Entrada de una casa. *Tocó la puerta y se quedó parado en el umbral esperando que lo atendieran.*

V

va·de·ar *v.* Atravesar un río a pie, a caballo o en un vehículo.

vals *m.* Danza y música de origen alemán, en el que las parejas giran rápidamente.

va·luar *v.* Darle, más o menos, valor a una cosa; valorar.

va·que·ro *m.* **1.** Pastor de vacas y toros. **2.** Pantalón de tela muy resistente típico de los vaqueros norteamericanos y usado por todo tipo de personas; "jeans".

ve·lar *v.* **1.** Permanecer despierto para estudiar, trabajar, etc. **2.** Asistir durante la noche a un enfermo o estar junto a una persona recién muerta.

ve·ne·rar *v.* Sentir mucho respeto o cariño por alguien; reverenciar.

vi·ci·si·tud *f.* Alternativa de sucesos prósperos y adversos. *Fue un viaje con muchas vicisitudes: nos equivocamos de carretera y se dañó el coche, pero después nos divertimos mucho.*

vi·ga *f.* Pieza alargada de madera, hierro o cualquier otro material que se usa en las construcciones para sostener techos.

vi·gi·lia *f.* Estado de quien está despierto; vela. *No durmió pues pasó toda la noche de vigilia acompañando al enfermo.*

vi·lo Se usa en la frase **en vilo**. En el aire, sin apoyo, sin seguridad.

vi·ña *f.* Terreno plantado de vides. La vid es una planta trepadora cuyo fruto es la uva.

vir·tuo·so *adj.* Que tiene muchas virtudes, como la bondad, la generosidad y la honestidad.

vis·lum·brar *v.* Ver una cosa de manera poco clara; atisbar, entrever. *La torre se vislumbra entre la niebla.*

vo·ce·ar *v.* **1.** Hablar muy alto; gritar. **2.** Anunciar algo a gritos; pregonar. *El vendedor voceaba el diario.*

vo·cin·gle·ro *adj.* Que habla o canta muy alto.

vo·lu·men *m.* **1.** Cada uno de los libros que, juntos, forman una obra escrita; tomo. *La enciclopedia tiene siete volúmenes.* **2.** Cantidad de espacio ocupado por un cuerpo.

ye·gua *f.* Hembra del caballo.

za·mu·ro *m.* Ave rapaz del tamaño de la gallina; zopilote, gallinazo.

zar·pa·zo *m.* Golpe dado con una zarpa o garra. *El tigre le dio un zarpazo al conejo.*

zar·za·mo·ra *f.* Fruto de la zarza, es pequeño, redondo y de color rojizo o negro; mora.

zig·za·gue·an·te *adj.* Se aplica a los movimientos, líneas o caminos que tienen muchas curvas.

Zimbabwe *n.p.* País ubicado al centro y al sur de África. Fue una colonia inglesa y antes de su independencia se llamaba Rhodesia del Sur.

zum·bi·do *m.* Sonido monótono que hacen algunos insectos, como los mosquitos y las abejas.

zun·zún *m.* Pájaro muy pequeño originario de Cuba. Es parecido al colibrí.

INFORMACIÓN ILUSTRADA

COVER DESIGN: Designframe Incorporated
COVER ILLUSTRATION: Nicholas Wilton

DESIGN CREDITS:
Kirchoff/Wohlberg, Inc., Design and Art Production
Sheldon Cotler + Associates Editorial Group, 38–57, 62–89, 354–379, 384–409
Designframe Incorporated, 60–61, 128–129, 330–331, 412–413
WYD Design, 112–113, 164–165, 306–307
Notovitz Design Inc., Información ilustrada
Curriculum Concepts, Inc., Glosario

ILLUSTRATION CREDITS
Unidad 1: Cary Henrie, 16–19; Matt Faulkner, 20–33; Carol Norby, 34–35; Pat Traub, 36–37; Lisa Desimini, 58–59; Teresa Fasolino, 60–61. **Unidad 2:** Debra White, 90–93; Lindy Burnett, 94–111; Roger Boehm, 112–113; Kathleen Kinkopf, 114–115; Daniel Craig, 126–127; Arieh Zeldich, 130–131, 140–147. **Unidad 3:** Stêphen Daigle, 148–151; Andy San Diego, 152–163; Gary Torrisi, 164–165; Fredric Winkowski, 168–189; Wang Mei, 190–191; Donna Perrone, 192–193. **Unidad 4:** Shawn Banner, 208–211; Bob Barner, 212–227 (bkgd.); Wendy Smith Griswold, 228; Michael Shumate, 228–229; Esther Baran, 230–231; Randy Hamblin, 232–245; Dale Verzaal, 248–249; Biruta Akerburgs Hansen, 252–253, 258–259, 266–267, 270–271; Joe Veno, 251–273 (leaves); Richard Faist, 274–275. **Unidad 5:** Fian Arroyo, 276–279; Joe Veno, 280–284, 286–295, 297–305 (paint splotches); Susan Capezzone, 281 (lettering); Brian Callanan, 306–307; José Ortega, 308–309; Gail Piazza, 332–347; Andy San Diego, 348–349. **Unidad 6:** Susan Capezzone, 354 (lettering); Joyce Patti, 382–383; Greg Couch, 410–411; Andy San Diego 414–437 (borders); Bradley Clark, 438–439. **Información ilustrada:** Jack Suzuki, 440–441, 446; Lori Weber, 442; Graphic Chart and Map Co., 442–443; Brad Hamann, 446, 463, 466; Arvis Stewart, 447; Steve Stankiewicz, 448, 449, 452, 453; Tom Leonard, 450, 457; Mike Biegel, 462; Dick Sanderson, 464, 465 (maps); Patrick Merrill, 464–465; Tom Connor, 469. **Glosario:** Diane Blasius, 470, 484, 491; Julie Ecklund, 471, 481; Lyle Miller, 478, 488.

PHOTOGRAPHY CREDITS
All photographs are by Macmillan/McGraw-Hill School Division (MMSD) except as noted below.
Unidad 1: End Papers: M. Neveux/Westlight. 33: Courtesy of Editorial Juventud. 38: t.l. Courtesy of Marc Harshman; m.l. Courtesy of Ted Rand. 86: l. Courtesy of Patricia McKissack. m.l., r. Richard Chestnut. 88–89: The Image Bank. **Unidad 2:** 111: Courtesy of Editorial Lóguez. 112: t.r. Rachel Cobb; m.l. Sonlight Images for MMSD; b.r. Davis Mather. 113: Brian Payne. 125: Courtesy of Margery Facklam. 128–129: Glen Wexler. 130–146 (bkgd.): Steven Holt, VIREO. 132: t.l., t.r. Guatemalan Consulate. 132–133: Michael Fogden, DRK. 133: b. Tom McHugh/Photo Researchers. 134: James Kern. 135: Steven Holt, VIREO. 136: Michael Fogden, DRK. 137: Houston Zoo. 138: t.l. The Granger Collection. 138 b., 139: Art Resource. 146: Michael Fogden, DRK. 147: Courtesy of Argentina Palacios. **Unidad 3:** 164: b.l. Orion Press. 165: t.r. Craig Futtle Photography/The Stock Market. 166–167: Richard Haynes. 189: Courtesy of Hilda Perera. 194–195: National Baseball Library, Cooperstown, NY; m. Brooklyn Public Library, Brooklyn Collection, The Eagle Collection. 196–197: National Baseball Library, Copperstown, NY. 198–199: m. National Baseball Library, Cooperstown, NY. 199: b.l. Courtesy of National Baseball Library, b.r. Courtesy AP/Wide World Photos. 200: t.l. Courtesy of AP/Wide World Photos. 200–201: m. National Baseball Library, Cooperstown, NY. 201: b.l. From the Private Collection of Herb Ross. 202–203: National Baseball Library, Cooperstown, NY. 204: t., b. From the Private Collection of Herb Ross. 204–205: m. National